Hartmut Aufderstraße

Jutta Müller

Thomas Storz

Delfin

Zeichnungen von Frauke Fährmann

Lehrbuch

Lehrwerk

für

Deutsch als Fremdsprache

Max Hueber Verlag

BESTANDTEILE

Lehrbuch
einbändige Ausgabe
inkl. 2 eingelegten CDs
mit Sprechübungen
256 Seiten
ISBN 3–19–001601–1

Lehrbuch,
zweibändige Ausgabe
mit eingelegten CDs
Teil 1, Lektionen 1–10
ISBN 3–19–091601–2
Teil 2, Lektionen 11–20
ISBN 3–19–101601–5

Lehrbuch + Arbeitsbuch
dreibändige Ausgabe
mit eingelegten CDs und
integriertem Arbeitsbuch

Teil 1, Lektionen 1–7
ISBN 3–19–401601–6
Teil 2, Lektionen 8–14
ISBN 3–19–411601–0
Teil 3, Lektionen 15–20
ISBN 3–19–421601–5

Alle Ausgaben sind inhaltsgleich und haben die gleiche Seitenzählung.

Hörverstehen Teil 1,
Lektionen 1–10
4 Kassetten
ISBN 3–19–031601–5
4 CDs
ISBN 3–19–041601–X

Hörverstehen Teil 2,
Lektionen 11–20
4 Kassetten
ISBN 3–19–061601–9
4 CDs
ISBN 3–19–071601–3

Arbeitsbuch
ISBN 3–19–011601–6

Arbeitsbuch, Lösungen
ISBN 3–19–191601–6

Arbeitsbuch,
zweibändige Ausgabe
Teil 1, Lektionen 1–10
ISBN 3–19–111601–X
Teil 2, Lektionen 11–20
ISBN 3–19–121601–4

Lehrerhandbuch
ISBN 3–19–021601–0

6.   5.   4.   Die letzten Ziffern
2008   07   06   05   04   bezeichnen Zahl und Jahr des Druckes.
Alle Drucke dieser Auflage können, da unverändert,
nebeneinander benutzt werden.
1. Auflage
© 2001 Max Hueber Verlag, D-85737 Ismaning
Umschlaggestaltung: Peer Koop, München
Zeichnungen: Frauke Fährmann, Pöcking
Repro: Scan & Art, München
Satz: abc Media-Services, Buchloe
Druck und Bindung: Druckerei Appl, Wemding
Printed in Germany
ISBN 3–19–001601–1

Liebe Deutschlernerin, lieber Deutschlerner,

warum eigentlich ‚Delfin'? Weil wir Ihnen wünschen, so
schwungvoll und voller Energie in die Welt der deutschen Sprache
einzutauchen wie ein Delfin ins Wasser! Delfine sind neugierig
und lernen schnell, dabei zwanglos und mit Freude. Ebenso sollen
Sie stets Spaß am Deutschlernen haben. Wir möchten, dass Sie
auf leichtem und direktem Weg ans Ziel kommen. Und dass Sie sich
beim Lernen wohl fühlen, denn so erzielen Sie den besten Erfolg.

Damit Sie sich von Anfang an leicht im Lehrwerk orientieren
können, haben wir den Aufbau von ‚Delfin' klar strukturiert. Jede
Lektion hat einen thematischen Schwerpunkt und besteht aus
zehn Seiten, die in fünf Doppelseiten gegliedert sind:
Eintauchen Damit beginnt jede Lektion und macht Sie mit dem
jeweiligen Thema und der Grammatik vertraut.
Lesen Hier finden Sie attraktive Lesetexte verschiedenster
Textsorten. Dazu Übungen, die Ihnen beim Auffinden und Verstehen
der wichtigen Inhalte helfen.
Hören In diesem Schritt begegnen Ihnen alltagsnahe Gesprächs-
situationen. Mit den begleitenden Übungen können Sie gezielt Ihr
Hörverstehen trainieren.
→ Kassetten/CDs Hörverstehen Teil 1 und Teil 2
Sprechen Anhand amüsanter Sprechübungen können Sie hier Ihre
Aussprache schulen. Außerdem bieten Ihnen modellhafte Dialoge
sprachliche Mittel, die Sie selbst in verschiedenen Situationen des
Alltags anwenden können.
→ CDs mit den Sprechübungen im Buch
Schreiben Durch Vorlagen gestützt können Sie hier das
Schreiben unterschiedlicher Texte üben. Ab Lektion 4 finden Sie
zusätzlich jeweils ein kurzes Diktat, das den neu gelernten
Wortschatz aufgreift.
→ Kassetten/CDs Hörverstehen Teil 1 und Teil 2
Tauchen Sie mit ‚Delfin' gleich ein in die Welt Ihrer neuen
Fremdsprache. Schon bald wird sie Ihnen nicht mehr
fremd sein. Wir wünschen Ihnen viel Spaß und viel
Erfolg beim Deutschlernen mit ‚Delfin'!

Ihre Autoren und Ihr Max-Hueber-Verlag

www.hueber.de/delfin/

INHALT

1. Notieren Sie die Nummer.

der Reporter:	*5*	„Guten Tag, Frau Soprana. Herzlich willkommen."
die Sängerin:		„Danke für die Blumen."
der Tourist:		„Auf Wiedersehen. Gute Reise, Frau Nolte."
die Touristin:		„Auf Wiedersehen, Herr Noll."
das Mädchen:		„Hallo, ich heiße Claudia. Und du?"
der Junge:		„Ich heiße Claus. Tschüs, Claudia."
die Polizistin:		„Halt! Wie heißen Sie?"
die Verkäuferin:		„Oh! Verzeihung!"
das Baby:		„Mama."
die Zwillinge:		„Nein! Pfui!"

1 eins   2 zwei   3 drei   4 vier   5 fünf   6 sechs   7 sieben   8 acht   9 neun   10 zehn

2. Ordnen Sie.

der	die	das	die (Plural)
Reporter	*Sängerin*	*Baby*	*Zwillinge*
_____	_____	_____	
_____	_____		
	_____		

3. Ergänzen Sie.

das *Telefon*

die Telefone

die Blume

die _____

der Saft

die _____

der _____

die Geldautomaten

das _____

die Taxis

der Zwilling

die _____

das _____

die Hotels

Singular	Plural
der Geldautomat	**die** Geldautomaten
die Blume	**die** Blumen
das Taxi	**die** Taxis

Ein Bahnhof:
Menschen kommen und gehen,
lachen und weinen.
Ein Zug kommt.
Touristen. Sie reisen. Sie winken.
Ein Mädchen. Es lacht.
Eine Frau. Ein Mann.
Er sagt: „Auf Wiedersehen".
Ein Kuss.
Aber sie weint.

Wer ist der Mann? Wie heißt die Frau?
Wo wohnt er? Wo wohnt sie?
Sie ist jung. Er ist jung.
Sie sind verliebt.
Der Mann winkt. Die Frau geht.
Menschen kommen und gehen,
lachen und weinen.
Ein Bahnhof ...

4. Lesen Sie den Text. Was passt zusammen?

a) Touristen *winken* _____ .

b) Ein Zug _____ .

c) Ein Mädchen _____ .

d) Ein Mann _____ .

e) Eine Frau _____ .

f) Der Mann _____ .

g) Die Frau _____ .

h) Der Mann und die Frau _____ .

winkt
sagt: „Auf Wiedersehen"
weint
kommt
sind verliebt
lacht
~~winken~~
geht

ein Mann	der Mann	er winkt	(winken)
eine Frau	die Frau	sie geht	(gehen)
ein Mädchen	das Mädchen	es lacht	(lachen)
Touristen	die Touristen	sie kommen	(kommen)
		Er ist jung.	(sein)
		Sie ist jung.	
		Sie sind verliebt.	

Liebe Sara,

du bist nicht da. Ich bin traurig.
Ich spiele Klavier. Ich arbeite. Ich schreibe. Ich warte.
Wann kommst du?
Bist du traurig? Bist du glücklich?
Was machst du?
Weinst du? Lachst du?
Arbeitest du? Hörst du Musik?
Wartest du?
Du wohnst in Frankfurt. Ich lebe in Wien.
Ich bin allein. Du bist allein.
Aber das ist bald Vergangenheit.
Ich träume. Die Zukunft:
Du lebst in Frankfurt. Ich lebe in Frankfurt.
Oder: Ich wohne in Wien und du wohnst auch in Wien.
Du und ich. Ich und du.
Ich bin glücklich. Du bist glücklich.
Ich schicke Blumen.
Kommst du bald?

Ich liebe dich!
Jan

5. Richtig (r) oder falsch (f)?

a) **r** Jan ist traurig.

b) ▨ Sara schreibt.

c) ▨ Jan ist allein.

d) ▨ Jan liebt Sara.

e) ▨ Sara lebt in Frankfurt.

f) ▨ Jan wartet.

g) ▨ Jan spielt Klavier.

h) ▨ Sara schickt Blumen.

i) ▨ Jan wohnt in Frankfurt.

j) ▨ Sara wohnt in Wien.

k) ▨ Sara ist da.

l) ▨ Jan träumt.

kommen	ich komme	du kommst	Kommst du?	Wann kommst du?
arbeiten	ich arbeite	du arbeitest	Arbeitest du?	Wo arbeitest du?
warten	ich warte	du wartest	Wartest du?	
sein	ich **bin** glücklich	du **bist** glücklich	Bist du glücklich?	

6. Das ist kein …

a) Hören Sie die Gespräche *1, 2, 3* und *4*.

b) Foto und Gespräch. Was passt?

Gespräch Nr. ▨   Gespräch Nr. ▨   Gespräch Nr. ▨   Gespräch Nr. ▨

c) Welche Sätze hören Sie in Gespräch 1?
✗ „Das ist kein Geldautomat."
✗ „Der Geldautomat ist dort."
✗ „Das ist ein Fahrkartenautomat."
▨ „Ist der Fahrkartenautomat kaputt?"

d) Welche Sätze hören Sie in Gespräch 2?
▨ „Das ist keine Sängerin."
▨ „Das ist keine Verkäuferin."
▨ „Bist du am Bahnhof?"
▨ „Das ist eine Verkäuferin."

e) Welche Sätze hören Sie in Gespräch 3?
▨ „Ist das ein Radio?"
▨ „Nein, das ist kein Radio."
▨ „Das ist kein Klavier."
▨ „Meine Frau spielt Klavier."

f) Welche Sätze hören Sie in Gespräch 4?
▨ „Herr Mohn, sind Sie in Hamburg?"
▨ „Das sind keine Krankenwagen."
▨ „Hier ist ein Unfall."
▨ „Das sind Polizeiautos."

ein	Geldautomat	kein	Geldautomat
eine	Sängerin	keine	Sängerin
ein	Klavier	kein	Klavier
	Polizeiautos	keine	Polizeiautos

7. Am Bahnhof

a) Hören Sie das Gespräch.

b) Wer sagt die Sätze: Jörg (*J*) oder Veronika (*V*)?

J „Wie geht's?"
▨ „Wo sind deine Kinder?"
▨ „Meine Kinder sind dort."
▨ „Mein Sohn Ralf ist zehn."
▨ „Wie alt ist deine Tochter?"
▨ „Sag mal, was ist das denn?"
▨ „Aha, das ist dein Kamel."
▨ „Los, das Taxi wartet."

mein	Sohn	dein	Sohn
meine	Tochter	deine	Tochter
mein	Kind	dein	Kind
meine	Kinder	deine	Kinder

8. Mama, wo ist mein Ball?

a) Hören Sie das Gespräch.

b) Was ist richtig? **X**

- [ ] Vanessa ist traurig. Ihr Auto ist kaputt.
- [ ] Der Ball von Uwe ist kaputt. Uwe weint.
- [ ] Uwe ist glücklich. Sein Ball ist da.
- [ ] Vanessa ist traurig. Ihre Flasche ist kaputt.
- [ ] Das Baby weint. Seine Mutter ist nicht da.
- [ ] Die Mutter ist glücklich. Ihre Fahrkarten sind da.

er:	sein Ball	sie:	ihr Ball	es:	sein Ball	sie (Plural):	ihre Bälle
	seine Flasche		ihre Flasche		seine Flasche		ihre Flaschen
	sein Auto		ihr Auto		sein Auto		ihre Autos
	seine Fahrkarten		ihre Fahrkarten		seine Fahrkarten		ihre Fahrkarten

9. Ihre Nummer, bitte.

a) Hören Sie die Gespräche 1 und 2.

b) Was ist richtig? **X**

Gespräch 1

Der Tourist sagt:
- [ ] „Bitte Koffer Nummer 1 2 7."
- [X] „Bitte Koffer Nummer 1 3 7."
- [ ] „Bitte Tasche Nummer 1 5 7."

Der Mann sagt:
- [ ] „Das ist nicht Ihr Koffer."
- [ ] „Das ist Ihre Tasche."
- [ ] „Das ist Ihr Koffer."

Gespräch 2

Nummer 5 2 3
- [ ] ist ein Koffer.
- [ ] ist eine Tasche.
- [ ] ist ein Radio.

Nummer 5 2 2 und 5 3 3
- [ ] sind Koffer.
- [ ] sind keine Koffer.
- [ ] sind nicht da.

Der Mann sagt:
- [ ] „Ihre Taschen sind nicht da."
- [ ] „So, Ihre Koffer sind da."
- [ ] „Ihre Tasche ist da."
- [ ] „Ihr Gepäck ist komplett."

Sie:	Ihr Koffer
	Ihre Tasche
	Ihr Gepäck
	Ihre Taschen

10. Das Alphabet.

Hören Sie die Buchstaben und sprechen Sie nach.

A a	B b	C c	D d	E e	F f	G g	H h	I i	J j
[a]	[be]	[ce]	[de]	[e]	[ef]	[ge]	[ha]	[i]	[jot]

K k	L l	M m	N n	O o	P p	Q q	R r	S s	T t
[ka]	[el]	[em]	[en]	[o]	[p]	[qu]	[er]	[es]	[t]

U u	V v	W w	X x	Y y	Z z	Ä ä	Ö ö	Ü ü	ß
[u]	[vau]	[we]	[ix]	[ypsilon]	[zet]	[a-Umlaut]	[0-Umlaut]	[u-Umlaut]	[eszet]

11. Wörter. Hören Sie, sprechen Sie nach und buchstabieren Sie.

a) Taxi   T – a – x – i

Taxi	ich	zwei
du	Vergangenheit	Polizei
da	zehn	wo
Jan	Bahnhof	ist
Mama	Krankenwagen	jung
Mann	eins	

b)
ä	Mädchen	**ö**	Jörg	**ü**	Grüße
	ergänzen		hört		küssen
	Gepäck		schön		fünf

c)
au	Auto	**äu**	träumen	**eu**	neun
	Frau		Verkäufer		neunzehn
ai	Kai	**ei**	zwei	**ie**	liebe
	Thailand		allein		Briefe

12. Die Zahlen von 0 bis 10.

Hören Sie die Zahlen und sprechen Sie nach.

null eins zwei drei vier fünf sechs sieben acht neun zehn

zehn neun acht sieben sechs fünf vier drei zwei eins null

13. Die Zahlen von 10 bis 100.

a) Hören Sie die Zahlen und sprechen Sie nach.

10 *zehn*	20 zwan*zig*	30 drei*ßig*	40 vier*zig*
11 elf	21 einundzwanzig	31 einunddreißig	50 fünf*zig*
12 zwölf	22 zweiundzwanzig	32 zweiunddreißig	60 sech*zig*
13 drei*zehn*	23 dreiundzwanzig	33 …	70 sieb*zig*
14 vier*zehn*	24 vierundzwanzig		80 acht*zig*
15 fünf*zehn*	25 fünfundzwanzig		90 neun*zig*
16 sech*zehn*	26 sechsundzwanzig		100 hundert
17 sieb*zehn*	27 siebenundzwanzig		
18 acht*zehn*	28 achtundzwanzig		
19 neun*zehn*	29 neunundzwanzig		

b) Hören Sie die Zahlen und sprechen Sie nach.

0 10 20 30 40 50 60 70 80 90 100
90 80 70 60 50 40 30 20 10 0

c) Hören Sie die Zahlen und sprechen Sie nach.

13 – 30; 14 – 40; 15 – 50; 16 – 60; 17 – 70; 18 – 80;
19 – 90

14. Wie alt sind die Personen?

a) Hören Sie und ergänzen Sie die Zahlen.

1. Ich bin _16_ . Meine Großmutter ist ____.

2. Ich bin ____. Mein Hund ist ____ Jahre alt.

3. Ich bin ____. Mein Großvater ist ____.

4. Ich bin ____. Mein Vater ist ____.

5. Ich bin ____. Mein Lehrer ist ____.

b) Sprechen Sie die Sätze nach.

15. Was ist betont? Hören Sie die Gespräche und sprechen Sie die Sätze nach.

Gespräch a)

● <u>Noll</u>, Guten <u>Tag</u>.
■ Hallo <u>Jörg</u>. Hier ist <u>Claudia</u>.
● Hallo <u>Claudia</u>. Wo <u>bist</u> du?
■ In <u>München</u>. Ich bin in <u>München</u>.
● Wann <u>kommst</u> du?
■ <u>Morgen</u>.

Frau Soprana, arbeiten **Sie?**
Frau Soprana, wo sind **Sie?**

Gespräch b)
Markieren Sie die Betonungen.

● Nolte, guten Tag.
■ <u>Guten</u> Tag, <u>Herr</u> Nolte.
  Hier ist Soprana.
● Guten Tag, Frau Soprana.
  Wo sind Sie?
■ In London. Ich bin in London.
● Arbeiten Sie?
■ Nein, ich arbeite nicht.

Hallo Ingrid,

hier ist Benno auf Europareise!
Heute ist Sonntag, und ich
bin in Wien. Wien ist wunderbar!
Das Wetter ist gut, die Leute
sind nett.
Morgen bin ich in Salzburg.

Viele Grüße
Benno

Ingrid Bergman

Steubenstraße 54

D-14050 Berlin

16. Schreiben Sie Postkarten. Sie können die folgenden Informationen verwenden:

Tag	Ort	Postkarte an …	Stadt	Wetter	Leute
Sonntag	Wien	Ingrid	wunderbar	gut	nett
Montag	Salzburg	Uwe	toll	nicht so gut	freundlich
Dienstag	München	Maria	interessant	schlecht	sympathisch
Mittwoch	Zürich	Jens	wunderbar	scheußlich	prima
Donnerstag	Stuttgart	Eva	sympathisch	herrlich	angenehm
Freitag	Berlin	Walter	schön	fantastisch	toll
Samstag	Hamburg	Rebekka	herrlich	prima	freundlich

Hallo Uwe,

hier ...

Uwe ...

Hallo Maria,

hier ...

Maria...

1. **Was passt zur Familie links (*l*), was passt zur Familie rechts (*r*)?**

r Sie kommen aus Kopenhagen.

⬜ Sie telefoniert.

⬜ Sie heißen Schneider.

⬜ Ihr Hobby ist Surfen.

⬜ Sie kochen.

⬜ Sie sind aus München.

⬜ Sie haben Zwillinge.

⬜ Ihre Kinder spielen Computer.

⬜ Er ist Fotograf.

⬜ Ihr Hund und ihre Katze sind Freunde.

2. **Wie antwortet Herr Schneider? Wie antwortet Herr Jensen?**

Herr Schneider
fragt:

Herr Jensen
antwortet:

Herr Jensen
fragt:

Herr Schneider
antwortet:

a) „Woher kommen Sie?"   **7**

b) „Wie heißen Sie?"   ⬜

c) „Was sind Sie von Beruf?"   ⬜

d) „Was ist Ihr Hobby?"   ⬜

e) „Wie alt sind Ihre Kinder?" ⬜

f) „Woher kommen Sie?"   ⬜

g) „Wie heißen Sie?"   ⬜

h) „Was sind Sie von Beruf?"   ⬜

i) „Was ist Ihr Hobby?"   ⬜

j) „Wie alt sind Ihre Kinder?" ⬜

1. Unser Sohn ist neun und unsere Tochter ist elf.

2. Unser Hobby ist Tennis.

3. Wir heißen Schneider.

4. Meine Frau ist Ärztin und ich bin Fotograf.

5. Unsere Zwillinge sind vier Jahre alt.

6. Wir surfen gern.

7. Wir kommen aus Kopenhagen.

8. Meine Frau ist Sportlehrerin und ich bin Mathematiklehrer.

9. Wir heißen Jensen.

10. Wir sind aus München.

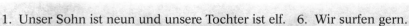

kommen	**wir** komm**en**
spielen	**wir** spiel**en**
haben	**wir** hab**en**
sein	**wir** sind

der Sohn	uns**er** Sohn
die Tochter	uns**ere** Tochter
das Hobby	uns**er** Hobby
die Kinder	uns**ere** Kinder

3. Lesen Sie das Gespräch.

● Hallo, habt ihr Probleme?
■ Na ja.
● Seid ihr schon lange hier?
■ Na ja, zwei Tage.
● Woher kommt ihr denn?
■ Aus Hamburg. Und ihr?
● Wir sind aus Rostock. Ist euer Zelt kaputt?
■ Nein, unser Zelt ist nass.

● Sind eure Schlafsäcke auch nass?
■ Ja natürlich. Und unsere Luftmatratze ist kaputt. Wir packen.
● Warum denn? – Unser Zelt ist trocken, unsere Luftmatratzen sind bequem, unsere Schlafsäcke sind sauber …
■ Wie bitte? – Ihr spinnt wohl!

4. Richtig (r) oder falsch (f)?

a) f Die Jungen packen.
b) ☐ Ihre Luftmatratzen sind bequem.
c) ☐ Ihre Schlafsäcke sind sauber.
d) ☐ Ihr Zelt ist nass.
e) ☐ Die Mädchen haben Probleme.
f) ☐ Sie sind erst zwei Tage hier.
g) ☐ Ihr Zelt ist kaputt.
h) ☐ Ihre Schlafsäcke sind nass.

kommen	wir kommen	ihr kommt
packen	wir packen	ihr packt
haben	wir haben	ihr habt
sein	wir sind	ihr seid

der Schlafsack	unser Schlafsack	euer Schlafsack
die Luftmatratze	unsere Luftmatratze	eure Luftmatratze
das Zelt	unser Zelt	euer Zelt
die Probleme	unsere Probleme	eure Probleme

Menschen

Rekorde, Rekorde

Wasser ist Wasser – denken Sie vielleicht.
Aber nicht für Werner Sundermann. Der Möbeltischler
aus Radebeul bei Dresden ist 37 Jahre alt, verheiratet
und hat drei Kinder. Er trinkt nicht gern Bier oder
Wein, aber **er kann blind 18 Sorten Mineralwasser
erkennen** – mit oder ohne Kohlensäure. Er meint:
„Vielleicht schaffe ich bald 25. Ich trainiere fleißig." –
Na dann: Prost!

Nguyen Tien-Huu, 27, ist Kunststudent und ledig.
Er wohnt und studiert in Berlin. Wie verdient er Geld?
Er zeichnet Touristen. Das kann er sehr schnell.
Sein Rekord: Sechs Gesichter in zwei Minuten. Trotzdem
sind die Zeichnungen gut und die Touristen sind immer
zufrieden.

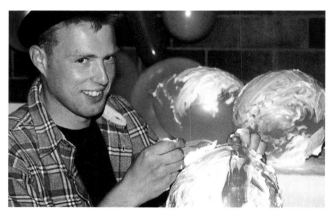

Max ist sein Vorname. Sein Familienname ist Claus.
26 Jahre ist er und ledig. Er wohnt in Wuppertal
und ist Frisör. Normalerweise schneidet er Haare und
rasiert Bärte. Pro Bart braucht er etwa fünf Minuten.
Aber er kann auch sehr gut und **sehr schnell
Luftballons rasieren**. Sein Rekord: 30 Luftballons in
drei Minuten. Und kein Ballon platzt.

Natascha Schmitt ist Krankenschwester von Beruf.
Sie ist 32 Jahre alt, geschieden, wohnt in Stade und
arbeitet in Hamburg. Natascha Schmitt liebt Autos.
Reifenpanne? – Kein Problem! **Sie kann in
27 Sekunden ein Rad wechseln**. Das ist Weltrekord!

5. Ergänzen Sie.

Familienname	Vorname	Alter	Beruf	Familienstand	Wohnort
Sundermann					
	Natascha				Stade
		27		ledig	
			Frisör		

6. Richtig (r) oder falsch (f)?

a) ☐ Nguyen Tien-Huu kann in zwei Minuten sechs Gesichter zeichnen.

☐ Seine Zeichnungen sind schlecht.

b) ☐ Natascha Schmitt kann in 17 Sekunden ein Rad wechseln.

☐ Sie arbeitet nicht in Stade.

c) ☐ Max Claus kann in drei Minuten dreißig Luftballons rasieren.

☐ Seine Ballons platzen.

d) ☐ Werner Sundermann trinkt gern Alkohol.

☐ Er kann blind 25 Sorten Mineralwasser erkennen.

Er	kann			zeichnen.
Er	kann		sechs Gesichter	zeichnen.
Er	kann	in zwei Minuten	sechs Gesichter	zeichnen.

7. Was passt?

a) 6 Die Frauen können tief tauchen.

b) ☐ Der Mann kann nicht reiten.

c) ☐ Die Kinder können gut singen.

d) ☐ Das Mädchen kann gut rechnen.

e) ☐ Die Katze kann hoch springen.

f) ☐ Der Junge kann nicht schwimmen.

	können
ich	kann
du	kannst
er/sie/es	kann
wir	können
ihr	könnt
sie/Sie	können

8. Hören Sie die Zahlen von 100 bis 1000.

100 hundert	101 hunderteins	120 hundertzwanzig
200 zweihundert	202 zweihundertzwei	121 hunderteinundzwanzig
300 dreihundert	303 dreihundertdrei	122 hundertzweiundzwanzig
400 vierhundert	404 vierhundertvier	123 hundertdreiundzwanzig
500 fünfhundert	…	…
600 sechshundert	111 hundertelf	333 dreihundertdreiunddreißig
700 siebenhundert	212 zweihundertzwölf	555 fünfhundertfünfundfünfzig
800 achthundert	313 dreihundertdreizehn	777 siebenhundertsiebenundsiebzig
900 neunhundert	414 vierhundertvierzehn	888 achthundertachtundachtzig
1000 tausend	…	999 neunhundertneunundneunzig

9. Hören Sie die Zahlen. Notieren Sie die Reihenfolge.

a) 890   980   808
     2   3   1

b) 630   330   360

c) 713   317   717

d) 405   504   450

e) 221   123   132

f) 578   758   587

10. Wie viel wiegt das?

a) Hören Sie das Gespräch.

b) Ergänzen Sie. Wie viel Gramm sind es genau?

Die Zwiebeln wiegen   _748_ Gramm.

Die Äpfel wiegen   _____ Gramm.

Die Kartoffeln wiegen   _____ Gramm.

Die Tomaten wiegen   _____ Gramm.

Die Karotten wiegen   _____ Gramm.

Die Pilze wiegen   _____ Gramm.

11. Im Kaufhaus.

Diese Sätze sind falsch. Hören Sie das Gespräch und korrigieren Sie dann.

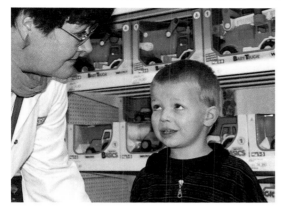

a) Der Junge lacht.

Der Junge _____

b) Seine Großeltern sind weg.

_____

c) Sein Nachname ist Jan-Peter.

_____

d) Er ist fünf Jahre alt.

_____

12. Radioquiz.
Notieren Sie die Lösungen.

Roswitha Beier **1**   Rudolf Geißler **2**
Jochen König **3**   Klaus Beckmann **4**

a) Wer hat Geburtstag? **2**
b) Wer wohnt in Bremen?
c) Wer ist 17 Jahre alt?
d) Wer kommt aus Oldenburg?
e) Wer hat zwei Kinder?
f) Wer studiert?
g) Wer sagt die richtige Lösung?
h) Der Komponist heißt (**X**) …
      Haydn.
      Beethoven.
      Brahms.
      Mozart.

	haben
ich	habe
du	hast
er/sie/es	hat
wir	haben
ihr	habt
sie/Sie	haben

13. Pizza-Express.
Was ist richtig? **X**

a)   Lisa bestellt 8 Pizzas.
     Lisa bestellt 11 Pizzas.

b)   Ihre Eltern sind nicht da.
     Ihr Vater ist da, aber ihre Mutter
     nicht.

c)   Lisa wohnt in Bonn.
     Lisa wohnt in Bern.

d)   Ihre Adresse ist Beethovenstraße 9.
     Ihre Adresse ist Beethovenstraße 19.

e)   Ihre Freundin ist da.
     Ihre Freunde sind da.

f)   Ihr Freund heißt Bello.
     Ihr Hund heißt Bello.

g)   Pizza Nummer eins ist für Bello.
     Pizza Nummer drei ist für Bello.

h)   Lisa ist glücklich. Die Pizzas
     kommen.
     Lisa ist traurig. Die Pizzas kommen
     nicht.

14. Zischlaute ...

a) Hören Sie die Wörter und sprechen Sie nach.

Katze	Pizza	Zug	zehn	zwei	Gesicht	Saft
Matratze	Pilze	Zahl	Zelt	Zwilling	rasieren	sehr
platzen	Polizei	Zukunft	zufrieden	Zwiebel	Lösung	sauber

sechs	Bus	Gruß	dreißig	Flasche	schön	Schlafsack
Sorte	Kuss	groß	fleißig	Tasche	schnell	schneiden
Sohn	Tschüs	nass	Wasser	Tischler	scheußlich	schaffen

b) Hören Sie die Sätze und sprechen Sie nach.

Zwei Matratzen platzen.
Lisa rasiert sieben Gesichter.
Das Wasser ist nass.
Schwester Natascha ist geschieden.
Das Zelt ist sehr sauber.
Sein Sohn schneidet zweihundertzwölf Zwiebeln.
Das sind siebenhundertsiebenundsiebzig Sorten Pilze.
Herr Sundermann schafft schnell zweiundzwanzig
    Flaschen.

15. Was ist betont? Hören Sie die Sätze, markieren Sie die Betonungen und sprechen Sie nach.

a)

Volker studiert.	–	Volker studiert in Berlin.
Er kann zeichnen.	–	Er kann Gesichter zeichnen.
Natascha arbeitet.	–	Natascha arbeitet in Hamburg.
Sie kann spielen.	–	Sie kann Klavier spielen.

b)

Max schneidet normalerweise Haare.	–	Normalerweise schneidet Max Haare.
Werner erkennt vielleicht bald 25 Sorten Wasser.	–	Vielleicht erkennt Werner bald 25 Sorten Wasser.
Volker zeichnet in zwei Minuten sechs Gesichter.	–	In zwei Minuten zeichnet Volker sechs Gesichter.
Die Zeichnungen sind natürlich gut.	–	Natürlich sind die Zeichnungen gut.

Die Zeichnungen	sind	natürlich		gut.
Natürlich	sind	die Zeichnungen	gut.	

16. Hören Sie die Gespräche und sprechen Sie nach.

Gespräch a)

● Hallo Volker!

■ Tag Heike! Wie geht's?

● Danke, gut. Übrigens – das ist Valeria. Sie kommt aus Italien.

■ Hallo Valeria!

◆ Hallo.

■ Studierst du hier?

◆ Nein, ich möchte hier arbeiten.

■ Ach so.

Gespräch b)

● Guten Abend, Frau Humbold.

■ Guten Abend, Herr Bloch.

● Das ist Herr Winter.

■ Freut mich. Guten Abend.

◆ Guten Abend.

● Herr Winter kommt aus Australien. Er möchte hier eine Reportage machen.

■ Ach, dann sind Sie Reporter?

◆ Nein, ich bin Fotograf.

| Ich | möchte | hier | arbeiten. |
| Er/sie | möchte | hier | arbeiten. |

17. Variieren Sie die Gespräche.

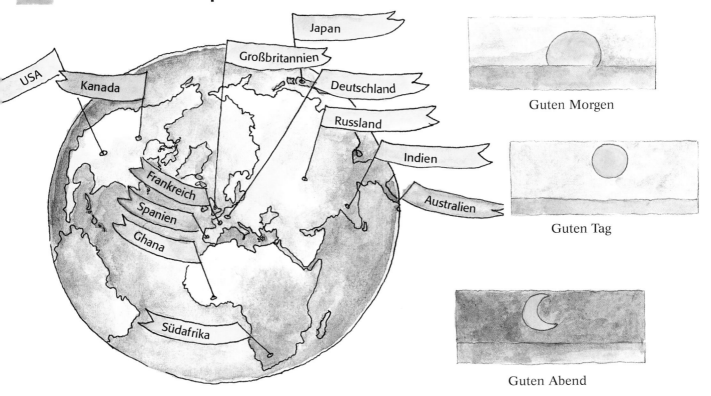

Japan

Großbritannien

Deutschland

Russland

Indien

USA

Kanada

Frankreich

Spanien

Ghana

Australien

Südafrika

Guten Morgen

Guten Tag

Guten Abend

Sein Name ist Ferdinand Hackl. Er wohnt in Linz, Hirschgasse 14. Seine Telefonnummer ist 14 36 76, die Faxnummer ist 14 38 67. Er ist 47 Jahre alt, in Klagenfurt geboren und Installateur von Beruf. Er ist Österreicher. Seine Frau heißt Elisabeth. Elisabeth und Ferdinand Hackl haben drei Kinder: Maria, Johann und Resi.

Jana Pifkova, 23, ist Tschechin. Sie ist Informatikerin von Beruf und wohnt in Prag. Ihre Adresse: Kankovskeho 27. Geboren ist sie in Bratislava. Jana Pifkova ist nicht verheiratet und hat keine Kinder. Ihre Telefonnummer ist 44 32 39 78; das ist auch ihre Faxnummer. Natürlich hat sie auch eine E-Mail-Adresse: Jana.Pifkova@cuni.cz.

Sie kommt aus Tunesien. Aber sie lebt in Deutschland, und ihre Staatsangehörigkeit ist deutsch. Aziza Hansen ist 1971 in Tunis geboren. Sie wohnt in Hannover und ist Sekretärin von Beruf. Ihr Mann ist Deutscher. Sie haben zwei Töchter, vier und zwei Jahre alt. Ihre Adresse: Daimlerstraße 17a. Telefon: 8 93 45 67.

Land	Einwohner	Einwohnerin	Staatsangehörigkeit
Österreich	Österreicher	Österreicherin	österreichisch
Tschechien	Tscheche	Tschechin	tschechisch
Tunesien	Tunesier	Tunesierin	tunesisch
Deutschland	Deutscher	Deutsche	deutsch

18. **Füllen Sie die Formulare für die drei Personen aus.**

Name: _Hackl_
Vorname: _____
Geschlecht: ☓ männlich
       ☐ weiblich
Familienstand: ☐ ledig
       ☐ verheiratet
       ☐ geschieden
Alter: _____
Kinder: _____
Beruf: _____
Staatsangehörigkeit: _____
Geburtsort: _____
Wohnort: _____
Straße / Nr.: _____
Land: _____
Telefon: _____
Fax: _____
E-Mail: _____

Name: _____
Vorname: _____
Geschlecht: ☐ männlich
       ☐ weiblich
Familienstand: ☐ ledig
       ☐ verheiratet
       ☐ geschieden
Alter: _____
Kinder: _____
Beruf: _____
Staatsangehörigkeit: _____
Geburtsort: _____
Wohnort: _____
Straße / Nr.: _____
Land: _____
Telefon: _____
Fax: _____
E-Mail: _____

Name: _____
Vorname: _____
Geschlecht: ☐ männlich
       ☐ weiblich
Familienstand: ☐ ledig
       ☐ verheiratet
       ☐ geschieden
Alter: _____
Kinder: _____
Beruf: _____
Staatsangehörigkeit: _____
Geburtsort: _____
Wohnort: _____
Straße / Nr.: _____
Land: _____
Telefon: _____
Fax: _____
E-Mail: _____

Animateur / Animateurin

Alter: 18-26 Jahre
Sprachen: Englisch und Französisch oder Spanisch
Sport: Tennis, Surfen, Tauchen, Segeln

Bewerbung mit Foto und Angabe von Gewicht und Größe an:

Clubreisen GmbH
Frau Donner
Rheinstraße 127, D-50996 Köln

Telefon: 0221-39813011, Fax: +49-221-39813057
E-Mail: Clubreisen@delfin-online.de

19. **Schreiben Sie eine Bewerbung:**

Name:	Eva Fritsch
Alter:	21
Größe:	1,68
Gewicht:	52 kg
Beruf:	studiert Medizin
Sprachen:	Englisch und Französisch
Sport:	Tennis nicht, aber surfen, tauchen und schwimmen

Bodo Schuster

Schillerstr. 228
40237 Düsseldorf
Tel.: 02 11 / 68 98 68

An Clubreisen GmbH
Frau Donner
Rheinstraße 127

D-50996 Köln

Düsseldorf, den 29.2.2001

Bewerbung als Animateur

Sehr geehrte Frau Donner,

mein Name ist Bodo Schuster. Ich bin 24 Jahre alt, 1,80 Meter groß und wiege 78 Kilogramm.

Ich studiere Sport in Düsseldorf. Ich kann leider noch nicht segeln, aber ich spiele gut Tennis und kann surfen. Mein Englisch ist gut, und ich verstehe auch Spanisch.

Mit freundlichen Grüßen

Bodo Schuster

1. Was passt zusammen?

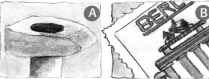  

der Hammer   die Ansichtskarte   die Kerze

die Briefmarke   das Feuerzeug   der Nagel

das Messer   der Topf   das Telefon

der Film   die Gabel   der Deckel

die Küchenuhr   die Schuhe   der Fotoapparat

die Batterie   das Telefonbuch   die Strümpfe

A	B	C	D	E	F	G	H	I
3								

Der Hammer und der Nagel passen zusammen.
Die Ansichtskarte und …
…

2. Was sagen die Personen? Finden Sie weitere Beispiele.

● Der Topf ist da, aber der Deckel ist weg.
■ Moment, ich suche den Deckel.

● Die Ansichtskarte ist da, aber die … ist weg.
■ Moment, ich suche die …

● Das Telefonbuch ist da, aber das … ist weg.
■ Moment, ich suche das …

● Die Schuhe sind da, aber die … sind weg.
■ Moment, ich suche die …

● … ist da, aber … ist weg.
■ Moment, ich suche …
…

Nominativ	Akkusativ
Der Deckel ist weg.	Ich suche **den** Deckel.
Die Briefmarke ist weg.	Ich suche **die** Briefmarke.
Das Telefon ist weg.	Ich suche **das** Telefon.
Die Strümpfe sind weg.	Ich suche **die** Strümpfe.

die Sonnenbrille	der Regenschirm	das Taschentuch	die Gummistiefel *(Plural)*
eine Sonnenbrille	ein Regenschirm	ein Taschentuch	Gummistiefel

der Mantel	die Telefonkarte	das Pflaster	die Münzen *(Plural)*
ein Mantel	eine Telefonkarte	ein Pflaster	Münzen

3. Ergänzen Sie.

Er hat keinen …	Er hat kein …	Er hat keine …	Er hat keine …
Er braucht einen …	Er braucht ein …	Er braucht eine …	Er braucht …

Er hat kein …	Er hat keine …	Er hat keine …	Er hat keinen …
Er braucht ein …	Er braucht …	Er braucht eine …	Er braucht einen …

Nominativ:		Akkusativ:	
ein Regenschirm	**kein** Regenschirm	**einen** Regenschirm	**keinen** Regenschirm
eine Telefonkarte	**keine** Telefonkarte	**eine** Telefonkarte	**keine** Telefonkarte
ein Pflaster	**kein** Pflaster	**ein** Pflaster	**kein** Pflaster
Münzen	**keine** Münzen	Münzen	**keine** Münzen

Reportage

Telefon, Fernseher, Auto hat jeder. Stimmt nicht. Manche Menschen haben zum Beispiel ein Krokodil, aber kein Telefon. Vier Personen, vier Lebensstile.

„Ein Krokodil und kein Telefon"

Karin Stern, 33, wohnt in Frankfurt. Sie ist Sozialarbeiterin und Hobby-Fotografin. „Ich brauche keinen Luxus, keinen Geschirrspüler und keinen Computer. Ich rauche nicht und ich trinke keinen Alkohol. Geld brauche ich nur für meine Kameras, mein Fotolabor und für Filme. Der Rest ist nicht so wichtig." Das stimmt: Ihr Bad ist eigentlich ein Fotolabor und ihr Schlafzimmer ein Fotoarchiv.

Jochen Pensler, 21, studiert in Leipzig Biologie. Sein Zimmer ist ein Zoo. Zurzeit hat er 6 Schlangen, 26 Spinnen, 14 Mäuse und 1 Krokodil. Aber er hat kein Telefon und kein Radio. Einen Fernseher hat er auch nicht. „Ich höre keine Musik und ich brauche keine Unterhaltung. Nur Bücher brauche ich unbedingt und meine Tiere. Tiere sind mein Hobby und sie kosten viel Zeit."

Bernd Klose, 42, lebt in Freiburg. Er ist Reporter. Deshalb ist er selten zu Hause. Seine Wohnung hat nur ein Zimmer. Es gibt eine Matratze und einen Schreibtisch. Möbel findet Bernd nicht wichtig. „Ich brauche drei Dinge: den Computer, das Motorrad und das Mobiltelefon."

Normalerweise hat jeder Mensch eine Wohnung oder ein Haus, aber Linda Damke nicht. Sie ist 27, Musikerin, und hat ein Segelboot. Das ist ihr Zuhause. „Andere Leute brauchen ein Haus oder eine Wohnung und einen Wagen, ich nicht. Mein Segelboot bedeutet Freiheit. Im Sommer bin ich in Deutschland oder in Frankreich, im Winter in Griechenland." Lindas Leben ist spannend, aber nicht sehr bequem. Die Kajüte hat wenig Platz. Es gibt ein Bett, einen Tisch, ein paar Kisten, einen Mini-Kühlschrank und einen Gaskocher. Mehr braucht sie nicht.

4. Was passt?

a) Jochen Pensler 2 ☐ ☐

b) Bernd Klose ☐ ☐ ☐

c) Karin Stern ☐ ☐ ☐

d) Linda Damke ☐ ☐ ☐

1. Sie ist Sozialarbeiterin von Beruf.
2. Er studiert Biologie.
3. Ihre Wohnung ist in Frankfurt.
4. Sein Bett ist eine Matratze.
5. Ihr Zuhause ist ein Segelboot.
6. Er braucht keine Unterhaltung.
7. Sie fotografiert gerne.
8. Sie ist 27 Jahre alt.
9. Sein Hobby sind Tiere.
10. Er hat eine Wohnung in Freiburg.
11. Er findet Möbel nicht wichtig.
12. Ein Haus und einen Wagen braucht sie nicht.

5. Was finden die Personen wichtig? Was finden sie nicht wichtig?

eine Wohnung   ein Segelboot   ~~Tiere~~   einen Computer   Möbel   ~~einen Geschirrspüler~~   Musik   Kameras

a) Jochen Pensler findet _Tiere_ wichtig, aber _____ findet er nicht wichtig.

b) Bernd Klose findet _____ wichtig, aber _____ findet er nicht wichtig.

c) Karin Stern findet _____ wichtig, aber _einen Geschirrspüler_ findet sie nicht wichtig.

d) Linda Damke findet _____ wichtig, aber _____ findet sie nicht wichtig.

Finden Sie weitere Beispiele:

Frau Stern findet ... wichtig, aber ... findet sie nicht wichtig.

ein Mobiltelefon   einen Wagen   ein Telefon
ein Haus   ein Fotolabor   ein Motorrad
ein Radio   einen Fernseher   Filme
Unterhaltung   Freiheit   Luxus   Bücher

6. Formulieren Sie es anders.

a) Bernd Klose braucht drei Dinge. → _Drei Dinge braucht Bernd Klose._

Er hat kein Auto. → _Ein Auto hat er nicht._

b) Karin Stern braucht keinen Geschirrspüler. → _Einen Geschirrspüler_ _____

Sie braucht einen Fotoapparat. → _____

c) Jochen Pensler hat keinen Fernseher. → _____

Er hat ein Krokodil. → _____

d) Linda Damke braucht kein Haus. → _____

Sie hat ein Segelboot. → _____

Bernd Klose	braucht	drei Dinge.
Drei Dinge	braucht	Bernd Klose.

Er		hat	kein Auto.
Ein Auto	hat	er	nicht.

7. Peter sucht ein Zimmer.

a) Lesen Sie die Texte A bis C.

A. Peter studiert Mathematik und Biologie. Er sucht ein Zimmer. Seine Eltern sind nicht nett und er möchte mehr Freiheit.
Wolfgang und Rudi haben zusammen ein Haus. Sie haben ein Zimmer frei. Es kostet 130,– Euro.
Peter möchte das Zimmer nicht haben.

B. Peter studiert Physik und Biologie. Er sucht ein Zimmer. Seine Eltern sind nett, aber er möchte mehr Freiheit.
Wolfgang und Rudi haben zusammen ein Haus. Sie haben eine Wohnung frei. Sie kostet 330,– Euro.
Peter möchte die Wohnung haben.

C. Peter studiert Mathematik und Biologie. Er sucht ein Zimmer. Seine Eltern sind nett, aber er möchte mehr Freiheit.
Wolfgang und Rudi haben zusammen eine Wohnung. Sie haben ein Zimmer frei. Es kostet 130,– Euro.
Peter möchte das Zimmer haben.

b) Hören Sie das Gespräch.

Welcher Text passt?   A ▦   B ▦   C ▦

8. Was möchte Frau Fischer kaufen?

a) Hören Sie Gespräch 1. Was passt?

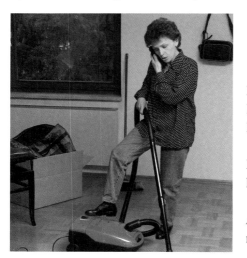

Wohnungsaufgabe

Verkaufe: Bett mit Matratze, Schreibtisch mit Stuhl, Kühlschrank, Geschirrspüler, Herd, Schreibmaschine, Klavier, Radio, Uhr, Besteck, Koffer, Töpfe.

Mo. ab 18.00 Tel.: 069/785713 Rheinländer

Bett

B____ mit Matratze zu verkaufen

Der _____ ist schon weg, aber Familie Rheinländer hat den _____ noch. Frau Fischer kann ihn kaufen.

Die _____ ist schon weg; Frau Fischer kann sie nicht mehr kaufen.

Aber das _____ ist noch da. Frau Fischer möchte es kaufen.

Stuhl

Koffer

Bett

Uhr

Kühlschrank

Schreibtisch

Matratze

b) Hören Sie Gespräch 2. Was passt?

alt, aber gut

50,– €

fast neu

nicht kaufen

150,– €

bequem

80,– €
kaufen

nicht kaufen

kaufen

20,– €

nicht komplett

a) Das Bett ist _____.

Es kostet _____.

Frau Fischer möchte es _____.

b) Die Schreibmaschine ist _____.

Sie kostet _____.

Frau Fischer möchte sie _____.

c) Der Kühlschrank ist _____.

Er kostet _____.

Frau Fischer möchte ihn _____.

d) Die Löffel, Messer und Gabeln sind _____.

Sie kosten _____.

Frau Fischer möchte sie _____.

c) Hören Sie Gespräch 3. Richtig (**r**) oder falsch (**f**)?

☐ Die Schreibmaschine ist schön.
☐ Sie funktioniert gut.
☐ Frau Fischer kauft sie.

☐ Der Stuhl ist sehr alt.
☐ Er ist bequem.
☐ Frau Fischer möchte ihn nicht.

☐ Die Töpfe sind kaputt.
☐ Sie haben keine Deckel.
☐ Frau Fischer kauft sie.

☐ Das Klavier ist neu.
☐ Frau Fischer möchte es kaufen.
☐ Es ist schon verkauft.

Der Stuhl ist noch da.	**Die** Uhr ist noch da.	**Das** Radio ist noch da.	**Die** Töpfe sind noch da.
Er ist alt.	**Sie** ist neu.	**Es** ist gut.	**Sie** sind kaputt.
Frau F. kauft **ihn**.	Frau F. kauft **sie**.	Frau F. kauft **es**.	Frau F. kauft **sie**.

9. Was suchen die Leute?

Hören Sie drei Gespräche.

Situation A:
Die Leute suchen …
☐ ein Messer.
☐ eine Kreditkarte.
☐ eine Telefonkarte.

Situation B:
Die Leute suchen …
☐ einen Regenschirm.
☐ einen Koffer.
☐ Gummistiefel.

Situation C:
Die Leute suchen …
☐ eine Uhr.
☐ ein Telefon.
☐ ein Feuerzeug.

10. Hören Sie die Wörter und sprechen Sie nach.

Kuss – Küsse	Gruß – Grüße	Buch – Bücher	Stuhl – Stühle	Strumpf – Strümpfe
Uhr – Uhren	Blume – Blumen	Junge – Jungen	Beruf – Berufe	Schuh – Schuhe

11. Hören Sie die Wörter und sprechen Sie nach. Ordnen Sie dann.

Stuhl	Pflaster	brauchst	Strumpf
studieren	findest	Stadt	Kiste
Straße	möchtest	Post	stimmt
Studium	Rest	kosten	bist

Stuhl	Pflaster	brauchst
...	...	...

12. Hören Sie die Sätze und sprechen Sie nach.

- ● Die Spinne kaufe ich.
- ■ Spinnst du?

- ● Suchst du die Stiefel?
- ■ Nein, ich suche die Strümpfe.

- ● Studierst du Sprachen?
- ■ Ja. Ich studiere Spanisch.

- ● Spielt sie Tennis?
- ■ Ja, das stimmt.

13. Hören Sie die Sätze und sprechen Sie nach.

Sie übt Physik.
Er übt für Olympia.
Die Physikbücher sind teuer.

Frau Fischer schreibt ein X und ein Y.
Die Leute hier sind sympathisch.
Viele Grüße und Küsse schickt Lydia.

14. Sprechen Sie nach und markieren Sie die Betonung.

Er hat ein Radio.
Einen Fernseher hat er nicht.

Sie hat ein Segelboot.
Eine Wohnung hat sie nicht.

Er braucht ein Motorrad.
Möbel braucht er nicht.

Sie sucht einen Schreibtisch.
Einen Stuhl sucht sie nicht.

Üben Sie selbst weiter:

Motorrad – Wagen
Computer – Schreibmaschine
Matratze – Bett

15. Welche Wörter sind betont? Sprechen Sie nach und markieren Sie.

Sie braucht keinen Computer. Aber einen Fotoapparat braucht sie.
Er braucht keinen Fernseher. Aber ein Radio braucht er.
Sie braucht keinen Geschirrspüler. Aber einen Kühlschrank braucht sie.

der Stuhl   der Koffer   die Sonnenbrille   der Teppich   der Spiegel   die Lampe   das Regal   das Radio
die Uhr   das Feuerzeug   das Bild   die Vase   der Regenschirm   die Töpfe   die Gummistiefel   der Tisch

16. Hören Sie das Gespräch und üben Sie.

- Wie findest du den Stuhl?
- Meinst du den da?
- Ja.
- Der ist schön.
- Kaufen wir den Stuhl?
- Ja, den kaufen wir.

- Wie findest du ...?
- Meinst du ... da?
- ...

Der Stuhl **Der**		**Den** Stuhl **Den**	
Die Lampe **Die**	ist schön.	**Die** Lampe **Die**	kaufen wir.
Das Regal **Das**		**Das** Regal **Das**	
Die Töpfe **Die**	sind schön.	**Die** Töpfe **Die**	

17. Hören Sie das Gespräch und üben Sie.

- Schau mal, da ist ein Regenschirm.
  Ich brauche einen.
- Hast du keinen Regenschirm?
- Nein, ich habe keinen.
- Aber den finde ich nicht schön.
- Hier ist noch einer.

- Schau mal, da sind ... Ich suche ...
- Hast du ...?
- Nein, ich habe ...
- Aber ... finde ich nicht schön.
- Hier sind noch welche.

	ein Regenschirm. **einer.** **keiner.**		**einen** Regenschirm. **einen.** **keinen.**
Da ist	**eine** Lampe. **eine.** **keine.**	Ich brauche	**eine** Lampe. **eine.** **keine.**
	ein Regal. **eins.** **keins.**		**ein** Regal. **eins.** **keins.**
Da sind	Töpfe. **welche.** **keine.**		Töpfe. **welche.** **keine.**

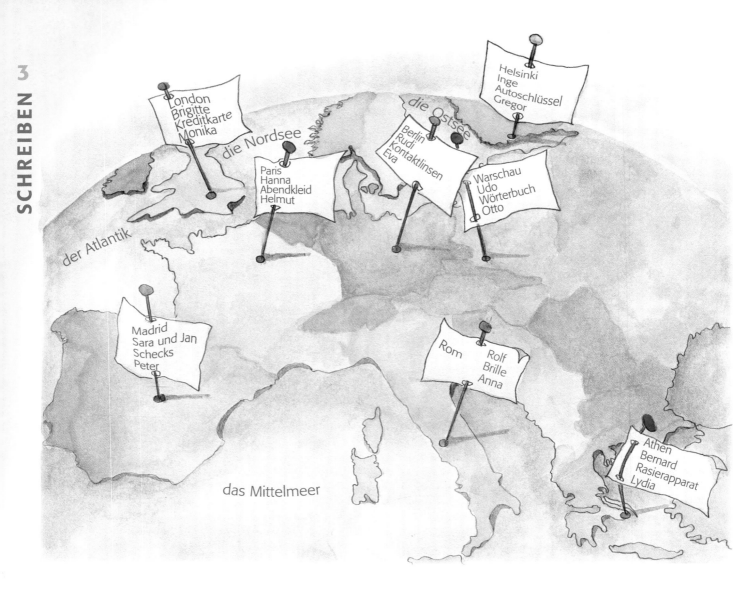

die Ostsee

Helsinki
Inge
Autoschlüssel
Gregor

London
Brigitte
Kreditkarte
Monika

die Nordsee

Berlin
Rudi
Kontaktlinsen
Eva

Paris
Hanna
Abendkleid
Helmut

Warschau
Udo
Wörterbuch
Otto

der Atlantik

Madrid
Sara und Jan
Schecks
Peter

Rom   Rolf
Brille
Anna

das Mittelmeer

Athen
Bernard
Rasierapparat
Lydia

der Autoschlüssel

die Kreditkarte

das Wörterbuch

die Schecks

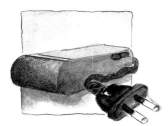

der Rasierapparat

die Brille

das Abendkleid

die Kontaktlinsen

18. **Lesen Sie das Fax. Schreiben Sie dann weitere Texte.**
Sie können folgende Ausdrücke benutzen:

Hotel Exquisit

Via dei Pini
Tel.: (+390 06) 12 34 56 78
Fax: (+390 06) 87 65 43 21

Liebe Anna,

ich bin jetzt in Rom. Die Museen
sind sehr interessant und die
Restaurants sind gut. Aber es
gibt ein Problem: Meine Brille
ist weg. Zu Hause ist noch eine.
Kannst du sie bitte schicken?

Viele Grüße aus Italien

Rolf
P.S.: Vielen Dank!

| Lieber | ...,
| Liebe | |

| ich bin jetzt | in ...
| jetzt bin ich | |

Die	Museen	sind	toll.
	Restaurants		wunderbar.
	Geschäfte		interessant.
	...	...	

Aber	es gibt ein Problem:
	ich habe ein Problem:
	ein Problem habe ich:

| Mein | ... | ist | weg. |
| Meine | | sind | kaputt. |

Zu Hause	ist	noch	einer.
	sind		eine.
			eins.
			welche.

Schickst du ... bitte?
Kannst du ... bitte schicken?

| Viele | Grüße aus ...
| Herzliche | |

1. können – müssen – wollen …

Er kann gut springen.

Sie muss springen.

Er will jetzt springen.

Man darf hier nicht springen.

Er soll springen, aber er hat Angst.

Sie möchte springen, aber es geht nicht.

2. Was passt?

a) ▢ Sie wollen nicht tanzen. Sie möchten Tee trinken.
b) ▢ Sie dürfen hier nicht tanzen. Sie müssen draußen bleiben.
c) ▢ Sie können Pause machen. Sie müssen jetzt nicht tanzen.
d) ▢ Sie sollen nicht mehr tanzen. Der Mann will seine Ruhe haben.

	können	müssen	dürfen	wollen	sollen	möchten
ich	kann	muss	darf	will	soll	möchte
du	kannst	musst	darfst	willst	sollst	möchtest
er/sie/es/man	kann	muss	darf	will	soll	möchte
wir	können	müssen	dürfen	wollen	sollen	möchten
ihr	könnt	müsst	dürft	wollt	sollt	möchtet
sie	können	müssen	dürfen	wollen	sollen	möchten

3. Wo passen die Sätze?

1	2	3	
		✗	Man kann hier schwimmen und tauchen.
			Hier darf man kein Mobiltelefon benutzen.
			Man kann hier mit Kreditkarte bezahlen.
			Hier darf man nicht fotografieren.
			Man muss hier eine Krawatte tragen.
			Man soll hier nicht laut sein.
			Hier muss man eine Bademütze tragen.
			Man darf hier Wasserball spielen.

Man **darf**					**spielen.**
Man **darf**			Wasserball		**spielen.**
Man **darf**		nicht	Wasserball		**spielen.**
Man **darf**	hier	nicht	Wasserball		**spielen.**
Hier **darf**	man	nicht	Wasserball		**spielen.**

4. Was ist richtig? ✗

Sie soll weinen.
✗ Sie muss weinen.
Sie will weinen.
Sie darf weinen.

Sie dürfen ertrinken.
Sie möchten ertrinken.
Sie sollen ertrinken.
Sie können ertrinken.

Er soll nicht schießen.
Er kann nicht schießen.
Er möchte nicht schießen.
Er will nicht schießen.

Ich möchte nichts mehr sollen müssen

Du sollst den Rasen nicht betreten
und am Abend sollst du beten.
Vitamine sollst du essen
und Termine nicht vergessen.

Wir sollen nicht beim Spiel betrügen
und wir sollen auch nie lügen.
Wir sollen täglich Zähne putzen
und die Kleidung nicht beschmutzen.

Kinder sollen leise sprechen,
Spiegel darf man nicht zerbrechen.
Sonntags trägt man einen Hut,
Zigaretten sind nicht gut.

Ich möchte alle Sterne kennen,
meinen Hund mal „Katze" nennen.
Nie mehr will ich Strümpfe waschen,
tausend Bonbons will ich naschen.

Ich will keine Steuern zahlen,
alle Wände bunt bemalen.
Ohne Schuhe will ich gehen,
ich will nie mehr Tränen sehen.

Ich möchte nichts mehr sollen müssen,
ich möchte einen Tiger küssen.
Ich möchte alles dürfen wollen,
alles können – nichts mehr sollen.

Greta Amelungen

5. Was tun die Leute?

a) **12** Er lügt.
b) ☐ Sie beschmutzt ihr Abendkleid.
c) ☐ Er geht ohne Schuhe.
d) ☐ Sie betet.

e) ☐ Er putzt seine Zähne.
f) ☐ Sie zahlt ihre Steuern.
g) ☐ Sie isst Vitamine.
h) ☐ Er vergisst Termine.

i) ☐ Sie spricht laut.
j) ☐ Er zerbricht einen Spiegel.
k) ☐ Sie trägt einen Hut.
l) ☐ Er wäscht seine Strümpfe.

6. Eine Kontaktanzeige

a) Lesen Sie die Anzeige.

Er sucht sie

Ich putze nie meine Schuhe und wasche nie mein Auto. Ich esse immer nur Hamburger und Pizza und trage nie eine Krawatte. Ich vergesse alle Geburtstage, spreche sehr laut und zerbreche dauernd meine Brillen. Ich sehe gern Horrorfilme, bemale gern Toilettenwände und betrete nie ein Museum. Aber ich rauche nicht, trinke nicht und kann Gitarre spielen. Und ich kann sehr lieb sein.   Chiffre: 57 ZA 105.

b) Was macht er immer / dauernd / nie …?

Er putzt nie seine Schuhe und wäscht nie sein Auto. Er …

	essen	vergessen	betreten	sprechen	zerbrechen	sehen	tragen	waschen
ich	esse	vergesse	betrete	spreche	zerbreche	sehe	trage	wasche
du	**isst**	ver**gisst**	bet**rittst**	sprichst	zerbrichst	**siehst**	trägst	**wäschst**
er/sie/es/man	**isst**	ver**gisst**	bet**ritt**	spricht	zerbricht	**sieht**	trägt	**wäscht**
wir	essen	vergessen	betreten	sprechen	zerbrechen	sehen	tragen	waschen
ihr	esst	vergesst	betretet	sprecht	zerbrecht	seht	tragt	wascht
sie/Sie	essen	vergessen	betreten	sprechen	zerbrechen	sehen	tragen	waschen

7. Probleme, Probleme ...

Welcher Text passt? Lesen Sie erst die Texte und hören Sie dann die Gespräche.

a)

☐ Gerda kann nicht schlafen. Peter liest ein Buch. Peter soll das Licht ausmachen. Gerda macht das Licht aus.

☐ Gerda schläft noch nicht, aber sie ist müde. Peter möchte ein Buch lesen. Gerda soll das Licht anmachen. Gerda macht das Licht an.

b)

☐ Herr M. soll den Fernseher ausschalten; seine Frau möchte in Ruhe essen. Aber Herr M. will einen Film sehen. Er schaltet den Fernseher nicht aus.

☐ Herr M. soll den Fernseher einschalten; seine Frau will einen Film sehen. Aber Herr M. möchte in Ruhe essen. Frau M. schaltet den Fernseher ein. Herr M. schaltet den Fernseher wieder aus.

c)

☐ Susanne macht das Fenster auf. Eric macht das Fenster zu. Der Lehrer kommt. Eric soll das Fenster wieder aufmachen.

☐ Susanne macht das Fenster zu. Eric macht das Fenster auf. Der Lehrer kommt. Eric soll das Fenster wieder zumachen.

	lesen	schlafen
ich	lese	schlafe
du	liest	schläfst
er/sie/es/man	liest	schläft
wir	lesen	schlafen
ihr	lest	schlaft
sie/Sie	lesen	schlafen

Er	soll	das Fenster	aufmachen.
Er	macht	das Fenster	auf.
Er	soll	das Fenster	zumachen.
Er	macht	das Fenster	zu.

8. Im Auto. Was ist richtig? X

a) ▢ Das Kind möchte langsam fahren.
b) ▢ Das Kind möchte ganz schnell fahren.
c) ▢ Die Frau darf nur 50 fahren.
d) ▢ Die Frau darf nur 80 fahren.
e) ▢ Der Porsche kann 200 fahren.
f) ▢ Der Porsche kann nur 100 fahren.
g) ▢ Die Frau fährt 130.
h) ▢ Die Frau fährt 200.

	fahren
ich	fahre
du	**fährst**
er/sie/es/man	**fährt**
wir	fahren
ihr	fahrt
sie/Sie	fahren

9. Emil im Bett. Was ist richtig? X

a) ▢ Emil soll aufwachen.
▢ Emil wacht nicht auf.

b) ▢ Emil steht auf.
▢ Emil soll aufstehen.

c) ▢ Emil muss nicht arbeiten.
▢ Emil darf nicht arbeiten.

d) ▢ Emil kann weiterschlafen.
▢ Emil muss weiterschlafen.

10. Babysitter. Ergänzen Sie den Text.

a) Der Bruder _____ nicht kommen.
Er _____.

b) Das Mädchen _____ nicht kommen.
Es _____.

c) Die Mutter _____ nicht kommen.
Sie _____

will schlafen   hat keine Lust
darf   will   hat keine Zeit
kann
hat Besuch   will arbeiten
soll schlafen   soll Klavier üben
muss Tennis spielen
muss arbeiten

11. Florian. Hören Sie das Gespräch. Was ist richtig? X

a) ▢ Frau Wolf fragt: „Warum sagt Florian nicht
‚Guten Tag'?"
Die Mutter sagt: „Er kann nicht sprechen."
b) ▢ Frau Wolf fragt: „Warum will Florian nicht
sprechen?"
Die Mutter sagt: „Ich weiß es nicht."
c) ▢ Die Mutter fragt: „Florian, warum sprichst
du nicht?"
Florian sagt: „Ich will nicht."

	wissen
ich	**weiß**
du	**weißt**
er/sie/es/man	**weiß**
wir	wissen
ihr	wisst
sie/Sie	wissen

12. **Hören Sie und sprechen Sie nach. Markieren Sie die Betonung.**

tauchen	Der Delfin taucht.
weitertauchen	Er taucht weiter.
auftauchen	Er taucht auf.
eintauchen	Er taucht ein.

schlafen	Die Katze schläft.
weiterschlafen	Sie schläft weiter.
aufwachen	Sie wacht auf.
aufstehen	Sie steht auf.

sprechen	Der Papagei spricht.
nachsprechen	Er spricht das Wort nach.
weitersprechen	Er spricht weiter.

13. **Sprechen Sie nach. Achten Sie auf „ch".**

Das ist Jochen. Er kann kochen.
Das ist Jochen. Er möchte kochen.
Er sucht das Buch. Er braucht ein Taschentuch.
Was braucht er noch? Er braucht einen Topf.
Jochen ist glücklich. Die Kartoffeln sind gerade richtig.
Jochen isst acht. Das Krokodil lacht.
Die Schlange wacht auf. Die Spinne auch.
Jochen, du brauchst Licht. Siehst du die Schlange nicht?

14. **Sprechen Sie nach.**

● Schläfst du nicht? ■ Nein, ich schlafe nicht.
● Liest du? ■ Nein, ich lese nicht.
● Isst du? ■ Nein, ich esse nicht.
● Sprichst du Spanisch? ■ Nein, ich spreche
  Italienisch.
● Naschst du? ■ Nein, ich nasche nicht.

● Schlaft ihr nicht? ▲ Nein, wir schlafen nicht.
● Lest ihr? ▲ Nein, wir lesen nicht.
● Esst ihr? ▲ Nein, wir essen nicht.
● Sprecht ihr zusammen? ▲ Ja, wir sprechen zusammen.
● Nascht ihr? ▲ Nein, wir naschen nicht.

15. **Hören Sie die Gespräche.**

Gespräch b)

- ● Können wir mal wieder zusammen Tennis spielen?
- ■ Ja, warum nicht?
- ● Prima. Haben Sie am Sonntag Zeit?
- ■ Ja, am Sonntag kann ich.
- ● Sehr gut. Passt Ihnen 10 Uhr?
- ■ Ja, einverstanden.
- ● Also dann bis Sonntag.
- ■ Bis dann!

Gespräch a)

- ● Wollen wir zusammen lernen? Hast du Lust?
- ■ Ja, gute Idee! Wann hast du Zeit?
- ● Morgen. Geht das?
- ■ Tut mir Leid. Morgen kann ich nicht.
- ● Und übermorgen?
- ■ Ja, das geht. Übermorgen habe ich Zeit.

16. **Variieren Sie die Gespräche. Sie können die folgenden Ausdrücke verwenden:**

Wollen/Können wir mal wieder zusammen	lernen?	Ja, gern.	Wann geht es denn?
	reiten?	Ja, gute Idee.	Wann hast du denn Zeit?
	surfen?	Ja, gut.	Wann haben Sie denn Zeit?
	Fahrrad fahren?	Ja, warum nicht?	Wann kannst du denn?
	Ski fahren?		Wann können Sie denn?
	Tischtennis spielen?		
	Federball spielen?		
	Gitarre spielen?		
	Schach spielen?		

Sonntag	kann ich gut. Und du?	Ja, da kann ich auch gut.	Wann denn?
Montag	kann ich gut. Und Sie?	Ja, Sonntag geht es gut.	Um wie viel Uhr?
…			

Um 9 Uhr. Einverstanden?		Ja, gut.	
		Okay.	
		Also bis Sonntag!	

Ja, bis dann!

17. Hören Sie zu und schreiben Sie.

_____ _____ Frau Noll _____ _____ _____. Sie _____ _____ _____. _____

_____ noch. _____ _____ auch ___. _____ _____ Apfel ___

_____. Dann _____ _____ _____ _____ _____. Um

___ ___.

18. Welcher Text passt zu welchem Bild?

[1]

[2]

[3]

Hallo Jochen,

ich komme heute Abend
um 7 Uhr nach Hause.
Dann gehen wir essen. Okay?
Kannst du bitte die Waschmaschine
ausschalten?

PS: Der Fernseher ist kaputt!
    Der Kundendienst kommt morgen.

Kuss Sabine

Liebe Frau Hoffmann,
ich muss dringend nach Hamburg
fahren. Können Sie bitte meine
Frau anrufen?
Bitte nicht vergessen: Sie müssen
das Büro abschließen.

Bis morgen
B. Z.

Hallo Clara und Paula,
ihr seid nicht da - schade!

Wollen wir mal wieder zusammen
schwimmen gehen?

Habt ihr morgen Zeit?

Bis dann

Marc

(Meine Telefonnummer wisst ihr ja.
Ich bin heute Abend zu Hause.)

Bild Nr. ▦   Bild Nr. ▦   Bild Nr. ▦

19. Schreiben Sie Notizzettel.

a) Eva schreibt eine Nachricht für Peter. Sie kommt um 20 Uhr nach Hause. Dann will sie einen Fernsehfilm sehen. Peter soll die Fenster zumachen.
PS Eva kann ihre Schlüssel nicht finden. Peter soll sie suchen.

Lieber Peter,

_____

_____

_____

_____

Gruß und Kuss
Deine Eva

PS _____

b) Vera schreibt einen Zettel für Anna und Uta. Sie sind nicht zu Hause. Vera möchte surfen gehen. Anna und Uta sollen mitkommen. Vera hat am Wochenende Zeit. Ihre Telefonnummer ist 667321. Vera ist morgen zu Hause.

Hallo Anna und Uta,

_____

_____

_____

_____

Tschüs
Vera

c) Frau Meyer (Chefin) schreibt eine Notiz für ihren Mitarbeiter. Sie muss nach London fliegen. Herr Brösel soll alle Termine absagen und die Anrufe notieren. Frau Meyer ist am Montag wieder zurück.

Lieber Herr Brösel,

_____

_____

_____

_____

Bis dann
C M

1.　Wo sitzt/liegt …?

1　Der Wurm sitzt auf dem Turm.　　　　der Turm

2　Die Mücke sitzt auf der Brücke.　　　die Brücke

3　Die Maus sitzt auf dem Haus.　　　　das Haus

4　Die Tauben sitzen auf den Häusern.　　die Häuser

5　Der Fisch liegt unter dem Tisch.　　　der Tisch

6　Die Flasche liegt unter _____ .　　die Tasche

7　Das Mofa liegt unter _____ .　　　das Sofa

8　Die Katzen liegen unter _____ .　die Matratzen

2.　Wo steht …?

Ergänzen Sie und notieren Sie die Nummer.

12 Der Igel steht vor _____ Spiegel.

　Der Polizist steht hinter _____ Baum.

　Die Laterne steht neben _____ Bäckerei.

　Der Hund steht zwischen _____ Koffern.

Nominativ		wo? → Dativ
der Turm		auf **dem** Turm.
die Brücke		auf **der** Brücke.
das Haus	Die Tauben sitzen	auf **dem** Haus.
die Häuser		auf **den** Häusern.
die Autos		auf **den** Autos.

3. Wohin setzt das Kind den Topf? Notieren Sie die Nummer.

- [ ] Das Kind setzt den Topf auf den Kopf.
- [ ] Der Camper legt das Geld unter das Zelt.
- [ ] Der Buchhändler stellt die Bücher vor das Geschäft.
- [ ] Der Junge legt den Ball hinter den Stall.
- [ ] Der Kellner stellt den Kaffee neben den Tee.
- [ ] Die Maler stellen die Leiter zwischen die Häuser.

4. Wohin legt der Verkäufer den Fisch? Notieren Sie die Nummer und ergänzen Sie.

- [ ] Der Verkäufer legt den Fisch …
- [ ] Die Maus bringt den Käse …
- [ ] Die Kinder werfen die Bälle …
- [ ] Das Kind wirft die Mütze …
- [ ] Der Pfarrer stellt die Bank …
- [ ] Das Mädchen setzt die Puppe …
- [ ] Der Kellner legt das Messer …
- [ ] Die Mutter setzt das Kind …
- [ ] Der Briefträger stellt das Fahrrad …
- [ ] Der Mann hängt das Bild …

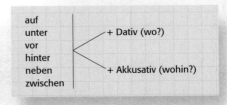

hinter das Haus   auf den Tisch   zwischen die Autos   auf die Bank   hinter das Schild   vor die Pfütze   neben den Schrank   unter den Balkon   auf das Pferd   neben den Teller

auf unter vor hinter neben zwischen	+ Dativ (wo?) + Akkusativ (wohin?)

Nominativ		wohin? → Akkusativ
der Tisch		auf **den** Tisch.
die Bank	Die Kinder setzen die Puppen	auf **die** Bank.
das Pferd		auf **das** Pferd.
die Autos		auf **die** Autos.

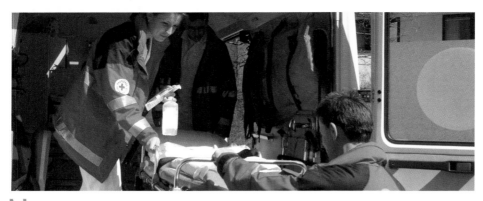

Notarztwagen:
Lebensretter im Dienst

Ein Bericht von Bruno Benz

Tod oder Leben – manchmal entscheiden Sekunden

Hafenkrankenhaus Hamburg. In der Notaufnahme klingelt das Telefon. Die Uhr über der Tür zeigt **8:24**. Zehn Sekunden später reißen die Notärztin und zwei Sanitäter ihre Jacken vom Haken und rennen zum Notarztwagen. Der steht vor dem Eingang. Türen zu, Blaulicht und Sirene an und los. Die Ärztin sitzt vorne neben dem Fahrer und dem Krankenpfleger. Alle drei schauen konzentriert auf den Verkehr. Einige Autofahrer machen die Straße nicht frei. Der Fahrer schimpft.

8:35 Uhr. Hamburger Hafen. Der Rettungswagen muss vor einem Tor halten. Ein Mann in Uniform macht es auf und ruft: „Schnell, schnell! Da hinten bei dem Kran ist es!" Der Wagen fährt weiter und hält am Unfallort. Die Ärztin springt aus dem Auto, aber sie kann noch nichts tun. Ein Personenwagen, ein Golf, liegt unter einem Container. Zwei Feuerwehrmänner brechen die Tür auf. Der Fahrer blutet am Kopf, am Arm und an den Händen. Er zeigt keine Reaktion. Sekunden sind jetzt wichtig.

8:39 Uhr. Geschafft. Die Tür ist auf. Die Ärztin schiebt die Leute zur Seite und läuft zu dem Unfallopfer. Sie untersucht den Mann, er atmet schwach. Die Sanitäter heben ihn auf eine Trage. „Vorsicht, nicht auf die Brust drücken," sagt die Ärztin. Die beiden Männer schieben die Trage in den Notarztwagen. „Sauerstoff, schnell!" Der Krankenpfleger legt dem Opfer eine Atemmaske auf das Gesicht.

8:46 Uhr. Autobahn. Tempo 100. Das Rettungsteam fährt mit dem Unfallopfer zum Krankenhaus zurück. Der Mann auf der Trage hat Schmerzen und stöhnt. Schon fahren sie über die Elbe.

8:59 Uhr. Notaufnahme: Die Sanitäter warten bereits und heben das Unfallopfer aus dem Wagen. Die Ärztin steigt aus und sagt nur kurz: „Rippenbrüche und Schock."

Der Einsatz ist zu Ende. 35 Minuten. Wann kommt der nächste Anruf von der Zentrale? Das weiß niemand. Die Notärztin heißt Hildegard Becker. Sie ist 28 Jahre alt, verheiratet, Kinder hat sie nicht. Sie arbeitet im Hafenkrankenhaus. Der Rettungsdienst ist hart. „Ich liebe meinen Beruf", sagt sie, „aber der Job geht echt unter die Haut. Nicht immer geht es so gut wie heute. Manchmal kommen wir zu spät."

5. Was passt zusammen?

a) Nach dem Telefonanruf **4**
b) Sie fährt mit den beiden Sanitätern ☐
c) Blaulicht und Sirene sind an, ☐
d) Am Unfallort liegt ein Golf ☐
e) Die Ärztin muss warten, ☐
f) Der Sanitäter gibt dem Golffahrer Sauerstoff, ☐
g) Um 8.59 Uhr kommt der Notarztwagen ☐

1. denn die Feuerwehrmänner müssen erst die Tür aufbrechen.
2. unter einem Container.
3. im Krankenhaus an.
4. rennt Frau Dr. Becker zum Notarztwagen.
5. aber der Fahrer hat Probleme mit dem Verkehr.
6. zum Hamburger Hafen.
7. denn er atmet nur noch schwach.

um 8.59 Uhr = um acht Uhr neunundfünfzig
um 20.59 Uhr = um zwanzig Uhr neunundfünfzig

6. Welche Antwort passt?

a) Wo klingelt das Telefon? **3**
b) Wo steht der Notarztwagen? ☐
c) Wo sitzt die Ärztin? ☐
d) Wohin schauen die Ärztin und die Sanitäter? ☐
e) Wo liegt der Golf? ☐
f) Wohin heben die Sanitäter das Unfallopfer? ☐
g) Wohin legt der Pfleger die Atemmaske? ☐
h) Wohin fährt der Notarztwagen mit Tempo 100? ☐

1. Unter einem Container.
2. Neben dem Fahrer.
3. In der Notaufnahme.
4. Zum Krankenhaus.
5. Vor dem Eingang.
6. Auf den Verkehr.
7. Auf eine Trage.
8. Auf das Gesicht.

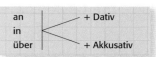

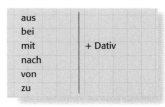

7. Ergänzen Sie die Sätze.

a) Die Sanitäter reißen ihre Jacken _____.
b) Der Unfallort ist _____.
c) Der Notarztwagen hält _____.
d) Am Unfallort springt die Ärztin _____.
e) Die Ärztin schiebt die Leute _____.
f) Frau Dr. Becker arbeitet _____.

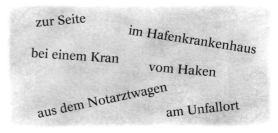

am	= an dem	beim	= bei dem
ans	= an das	vom	= von dem
im	= in dem	zum	= zu dem
ins	= in das	zur	= zu der

8. Wo ist meine Kreditkarte?

Hören Sie das Gespräch. Was ist richtig? ✗

a) ☐ Helga steht unter der Dusche.
☐ Helga sitzt in der Badewanne.

b) ☐ Die Handtasche steht im Regal.
☐ Die Handtasche liegt auf dem Küchentisch.

c) ☐ Die Jacke hängt im Schrank.
☐ Die Jacke liegt im Schlafzimmer auf dem Bett.

d) ☐ Herbert findet seine Kreditkarte auf
dem Schreibtisch.
☐ Herbert fährt zur Bank.

9. Die Gäste kommen bald.

Hören Sie das Gespräch.
Was macht Werner? Ergänzen Sie die Sätze.

a) Werner hängt das Bild _____.

b) Er legt die Leiter _____.

c) Er holt das Mineralwasser _____.

d) Er stellt die Stühle _____.

e) Er nimmt die Vase _____.

f) Er stellt die Blumen _____.

g) Er hängt den Mantel _____.

h) Er setzt den Papagei _____.

i) Er legt die Gitarre _____.

j) Er holt den Wein _____.

in den Schrank   aus dem Keller   auf den Balkon

in den Käfig   vom Balkon   an die Wand

ins Schlafzimmer

auf den Tisch   an den Tisch   aus dem Regal

	nehmen
ich	nehme
du	**nimmst**
er/sie/es/man	**nimmt**
wir	nehmen
ihr	nehmt
sie/Sie	nehmen

10. Eine Fahrt mit dem Taxi

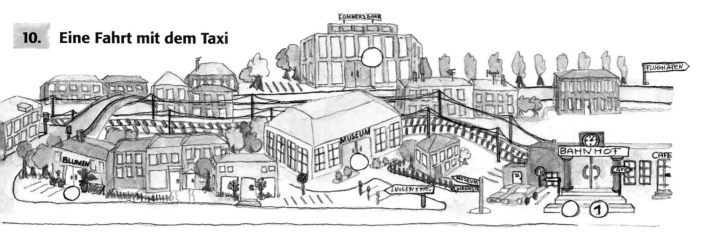

a) Hören Sie das Gespräch. Wohin fährt das Taxi? Ordnen Sie die Stationen mit den Nummern 1 bis 5.

b) Lesen Sie die Sätze. Hören Sie das Gespräch noch einmal und ordnen Sie die Sätze.

1 Die Frau steigt am Bahnhof in ein Taxi.
   Der Taxifahrer will nicht weiterfahren und die Frau rennt weg.
   Die Frau holt ihre Brille aus dem Bahnhofscafé.
   Das Taxi hält vor dem Blumenladen in der Luisenstraße.
2 Der Taxifahrer soll vom Bahnhof zum Flughafen fahren.
   Der Taxifahrer fährt vom Blumenladen zur Commerzbank.
   Die Frau will von der Bank zum Flughafen.
   Das Taxi fährt vom Museumsplatz zurück zum Bahnhof.
   Die Frau kann keine Blumen kaufen, denn sie hat zu wenig Geld.
   Das Taxi fährt zur Luisenstraße.

11. Was passiert hier?

a) Hören Sie die fünf Gespräche.

b) Welches Gespräch passt zu welchem Satz?

   Er fährt gegen den Baum.
   Er reitet durch den Wald.
   Er bekommt eine Wurst für seinen Hund.
   Er schläft nicht ohne seinen Teddy.
   Die Einbrecher gehen um das Haus.

durch für gegen ohne um	+ Akkusativ

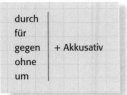

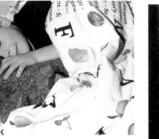

12. Verben …

a) Hören Sie zu und ergänzen Sie **e**, **eh**, **ell**, **i** oder **ie**.

1.
Lisa	s ____ tzt	mit einer Pizza im Kinderzimmer.
Lisa	s ____ tzt	die Puppe vor den Fernseher.
Im Kinderzimmer	l ____ gt	ein Gummistiefel von Lisa.
Lisa	l ____ gt	das Kamel ins Regal.
Der Fernseher	st ____ t	neben dem Schreibtisch.
Lisa	st ____ t	schnell den Teller in den Schrank.

2.
Ein Mann	l ____ gt	den Regenschirm neben den Koffer.
Ein Brief	l ____ gt	vor dem Spiegel.
Ein Mann	st ____ t	im Regen.
Er	s ____ tzt	seinen Hut auf den Kopf.
Ein Kind	l ____ gt	im Bett und liest.
Ein Mädchen	l ____ gt	das Telefonbuch auf den Teppich.
Ein Kellner	st ____ t	einen Teller auf den Tisch.
Eine Katze	s ____ tzt	vor dem Fenster.

b) Kontrollieren Sie und sprechen Sie nach.

13. Präpositionen und Artikel …

a) Ergänzen Sie **m** oder **n**.

1. Frau Mohn macht mit ihre___ Mann Michael eine Reise.

 Sie sucht i___ Koffer die Krawatte für ihre___ Mann.

2. Die Jungen möchten mit de___ Mädchen Musik machen.

 Die Mädchen möchten aber a___ Computer spielen.

3. Frau Nolte hängt Bilder a___ die Wand.

 Ein Bild hängt schon a___ Nagel.

 Sie legt noch einen Nagel neben de___ Hammer.

 Ihr Hund mit de___ Namen Max kommt ins Zimmer.

 Sie nimmt für ihn eine___ Hamburger aus de___ Kühlschrank.

 Auf der Straße gibt es eine___ Unfall.

 Zwei Wagen fahren gegen eine___ Baum.

 Frau Nolte geht mit Max auf de___ Balkon.

 Sie schreibt die Autonummern auf eine___ Notizzettel.

b) Hören Sie zu, kontrollieren Sie und sprechen Sie nach.

14. Wie komme ich zu …?

- ● Verzeihung, wie komme ich zum Bahnhof?
- ■ Ganz einfach: Da gehen Sie die Schillerstraße
  geradeaus, am Rathaus vorbei, bis zur Telefonzelle.
  Nach der Telefonzelle die erste Straße links. Noch
  ein Stück geradeaus. Dann sehen Sie rechts den
  Bahnhof.
- ● Vielen Dank.
- ■ Keine Ursache.

15. Variieren Sie das Gespräch. Sie können folgende Ausdrücke benutzen:

Wie komme ich	zum	…?	Gehen Sie hier	geradeaus	bis zum	…
	zur			rechts	bis zur	
				links	an … vorbei.	

Gibt es hier	einen	…?				
	eine		Nehmen Sie	die	erste	Straße rechts.
	ein				zweite	Straße links.

1. der Bahnhof	6. das Museum	11. das Rathaus	16. die Telefonzelle
2. der Taxistand	7. der Goetheplatz	12. das Computergeschäft	17. die Toilette
3. die Apotheke	8. der Tennisplatz	13. der Blumenweg	
4. die Post	9. die Arztpraxis	14. die Mohnstraße	
5. das Schwimmbad	10. die Bushaltestelle	15. die Kirche	

der **erste** Weg	der/die/das	**vierte** …
die **zweite** Straße		**fünfte** …
das **dritte** Haus		**zehnte** …

16. **Hören Sie zu und schreiben Sie.**

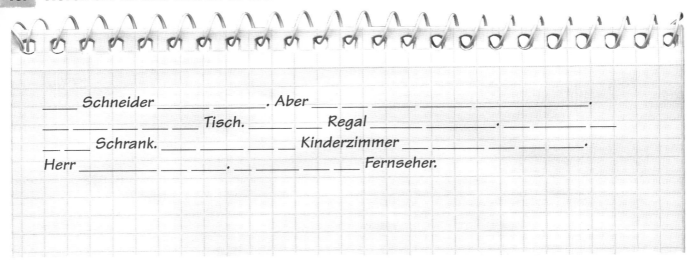

_____ Schneider _____ . Aber _____ _____ .
____ _____ Tisch. _____ Regal _____ . ___ _____ _____
__ ____ Schrank. ____ _____ _____ Kinderzimmer ____ _____ _____ _____ .
Herr _____ . __ _____ ____ _____ Fernseher.

17. **Eine Einladung**

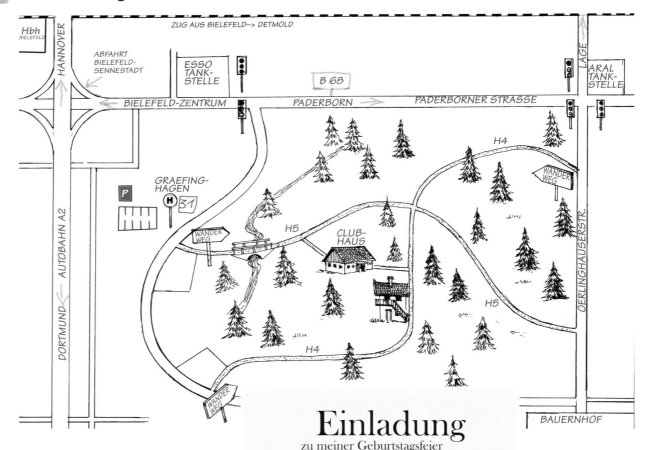

Einladung
zu meiner Geburtstagsfeier

Wann?
Sonntag, 22. August ab 18.30 Uhr

Wo?
Im Clubhaus „Waldfreunde", Sennestadt

Liebe Rita, lieber Jörg,

ich möchte meinen Geburtstag diesmal im Wald feiern. Hoffentlich könnt ihr kommen! Hier ist eine Wegbeschreibung zum Clubhaus:

Ihr nehmt die Autobahn-Abfahrt Bielefeld-Sennestadt und biegt links ab auf die Bundesstraße 68 in Richtung Paderborn.

Dann fahrt ihr ungefähr einen Kilometer geradeaus.

An der Ampel biegt ihr rechts ab und fahrt weiter bis zur Bushaltestelle.

Links hinter der Bushaltestelle ist ein Parkplatz. Da könnt ihr euer Auto abstellen; zum Clubhaus muss man zu Fuß gehen.

Ihr geht den Wanderweg H5 durch den Wald bis zu einer Brücke.

Hinter der Brücke biegt ihr rechts ab und kommt in ein paar Minuten am Clubhaus an.

Viele Grüße
Euer Eberhard

Lieber Carlo,

ich möchte …

Du fährst mit dem Zug bis Bielefeld-Hauptbahnhof.

Dann nimmst du den Bus Linie 31 in Richtung Oerlinghausen.

An der Haltestelle „Gräfinghagen" steigst du aus.

Dann …

a) Schauen Sie auf die Karte: Aus welcher Richtung kommen Rita und Jörg?

  Dortmund   Hannover   Paderborn   Detmold

b) Schreiben Sie die Wegbeschreibung für Carlo zu Ende.

18. Beschreiben Sie den Weg zum Clubhaus „Waldfreunde" für …

Name	kommt/kommen …	aus Richtung …
Hannes	mit dem Auto	Bielefeld-Zentrum
Wilma und Fred	mit dem Motorrad	Dortmund
Sylvia	mit dem Auto	Paderborn
Herr und Frau Gessmann	mit dem Zug	Detmold
Eva	mit dem Fahrrad	Lage

Sie können die folgenden Ausdrücke verwenden:

an	dem	Ampel	rechts	nehmen
vor	der	Abfahrt	links	fahren
hinter	dem	Bauernhof	geradeaus	weiterfahren
bis zu		Brücke	durch den Wald	gehen
		Haltestelle	über die Bundesstraße	weitergehen
		Kreuzung		abbiegen
		Kurve		umsteigen
		Schild		aussteigen
		Tankstelle		ankommen

1. **Was machen die Personen? Was haben die Personen gemacht?**

a) Er duscht.

b) Er hat geduscht.

c) _____

d) Er hat den Wagen ge-
waschen.

e) _____

f) _____

g) Sie streicht die Wand
an.

h) _____

i) _____

j) Sie hat aufgeräumt.

k) _____

l) _____

m) _____

n) _____

o) Er weint.

p) _____

q) _____

r) Er hat das Licht
ausgemacht.

s) _____

t) _____

Sie räumt auf. Er hat Kakao getrunken. Sie hat den Ball geworfen.
Sie wirft den Ball.
Er hat gelesen. Er macht das Licht aus. Sie hat die Wand angestrichen.
Sie hat geschossen. Er liest. Er trinkt Kakao.
Sie schießt. Er wäscht den Wagen. Er hat geweint.

Präsens	Perfekt
Er duscht.	Er **hat ge**duscht.
Er liest.	Er **hat ge**lesen.
Er streicht an.	Er **hat** an**ge**strichen.

2. Was passt?

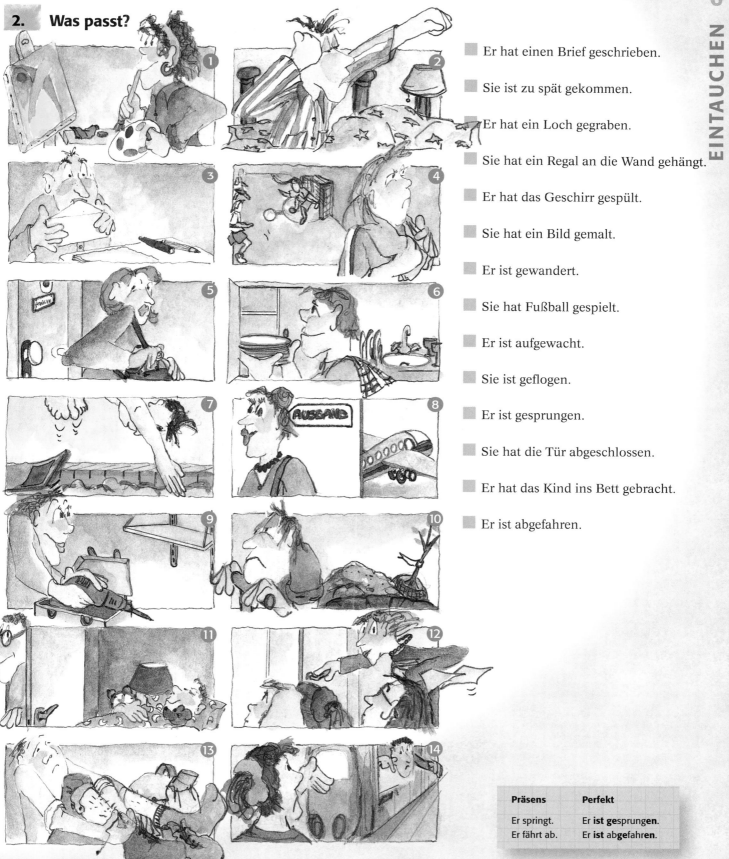

☐ Er hat einen Brief geschrieben.

☐ Sie ist zu spät gekommen.

☐ Er hat ein Loch gegraben.

☐ Sie hat ein Regal an die Wand gehängt.

☐ Er hat das Geschirr gespült.

☐ Sie hat ein Bild gemalt.

☐ Er ist gewandert.

☐ Sie hat Fußball gespielt.

☐ Er ist aufgewacht.

☐ Sie ist geflogen.

☐ Er ist gesprungen.

☐ Sie hat die Tür abgeschlossen.

☐ Er hat das Kind ins Bett gebracht.

☐ Er ist abgefahren.

Präsens	Perfekt
Er springt.	Er **ist ge**sprung**en**.
Er fährt ab.	Er **ist** ab**gefahr**en.

Mein Alltag

Eine Serie von Gerda Melzer

Wer soll denn die Kühe melken?

Morgens lange schlafen, ein Wochenende mal nicht arbeiten, eine Reise machen: Das können Herr und Frau Renken nicht. Wer soll denn dann die Kühe melken?

Ich bin zu Gast auf dem Bauernhof, bei Familie Renken in der Nähe von Oldenburg. Es ist halb acht abends, wir sitzen um den Tisch – Feierabend. „Wie war denn der Arbeitstag?" frage ich. „Lang, wie gewöhnlich", antwortet Gerd Renken, der Bauer. Das Leben auf dem Bauernhof ist heute nicht mehr so hart wie vor dreißig Jahren. Doch immer noch beginnt der Tag früh für einen Landwirt. Er muss früh aufstehen, auch samstags und sonntags.

„Da schlafen die Kühe nicht extra bis acht," weiß Herr Renken. „Heute Morgen um Viertel nach vier, da sind meine Frau und ich aufgestanden. Wir haben eine Tasse Kaffee getrunken und sind dann in den Stall gegangen." Täglich müssen die Renkens 56 Kühe melken. Sie schaffen das jetzt in einer Stunde, mit der Melkmaschine. Früher hatten sie keine und die Arbeit war sehr anstrengend.

„Da haben wir noch mit der Hand gemolken", sagt Herr Renken. „Das hat Stunden gedauert, aber meine Eltern haben noch geholfen. Mein Vater ist aber vor vier Jahren gestorben und meine Mutter ist jetzt zu alt."

Herr und Frau Renken haben drei Kinder: Wibke (12) und Imke (15) gehen noch zur Schule. Enno, der Sohn, ist 22 und studiert Jura in Münster. So

ist er selten zu Hause, die Eltern machen die Arbeit alleine.

„Um Viertel vor sieben," erzählt Frau Renken, „hab' ich heute die Mädchen geweckt, dann die Kühe auf die Weide gebracht. Um sieben Uhr morgens haben wir wie immer zusammen gefrühstückt. Die Mädchen sind dann um halb acht zur Bushaltestelle gegangen. Am Vormittag hab' ich die

Hühner und die Schweine gefüttert, die Wohnung geputzt und aufgeräumt. Und dann die Wäsche: Ich hab' die Waschmaschine gefüllt. Da hab' ich plötzlich „miau" gehört. Zum Glück war der Schalter noch auf „Aus". Ich hab' die Katze natürlich sofort aus der Maschine genommen."

Herr Renken macht nach dem Frühstück den Stall sauber und arbeitet dann draußen. „Nach der Stallarbeit repariere ich die Maschinen. Immer muss man da was in Ordnung bringen, und dann kommt die Arbeit auf dem Feld."

Um zwei sind die Mädchen aus der Schule zurück, die Renkens essen zu Mittag. Nach dem Mittagessen schläft Herr Renken normalerweise eine Stunde.

„Heute hab' ich nur eine halbe Stunde geschlafen. Wir hatten viel zu tun. Meine Frau hat am Nachmittag im Garten gearbeitet, und ich war draußen auf dem Feld. Um Vier haben wir Tee getrunken. Danach bin ich kurz im Hühnerstall gewesen. Aber von unseren zehn Hühnern war keins mehr da. Im Zaun war ein Loch. Wir haben sie sofort gesucht und, zum Glück, alle wieder gefunden. Zehn für uns, keins für den Fuchs! Um halb sechs habe ich dann mit den Mädchen die Kühe von der Weide geholt."

Abends melken die Renkens wieder und gegen sieben sind sie meistens fertig. Frau Renken macht das Abendbrot. „Für heute ist Feierabend," sagt ihr Mann und lächelt. „Oft mache ich abends aber noch Büroarbeit am Computer. Und meine Frau bügelt oder näht. Später sehen wir fern, aber dabei schlafe ich fast immer im Sessel ein." „Heute bestimmt nicht", meint Frau Renken. „Heute kommt Fußball." – „Erst mal sehen", sagt der Bauer. „Vielleicht spielt Bayern München gut – dann bleib' ich bestimmt wach bis zum Ende."

3. Richtig (r) oder falsch (f)?

a) **f** Sonntags stehen die Kühe nicht auf.

b) ▢ Landwirte müssen ihren Arbeitstag früh am Morgen anfangen.

c) ▢ Früher hatten die Renkens keine Melkmaschine.

d) ▢ Großvater und Großmutter Renken arbeiten noch mit.

e) ▢ Herr und Frau Renken haben einen Sohn und zwei Töchter.

f) ▢ Enno kommt täglich um zwei zum Mittagessen zu seinen Eltern.

g) ▢ Um halb acht hat Frau Renken die Mädchen zum Bus gebracht.

h) ▢ Nach dem Frühstück hat sie die Hühner gefüttert und die Katze gewaschen.

i) ▢ In der Waschmaschine war eine Katze.

j) ▢ Die Maschinen repariert Familie Renken zusammen.

k) ▢ Herr Renken hält gewöhnlich eine Stunde Mittagsschlaf.

l) ▢ Zehn Hühner sind weggelaufen und der Fuchs hat eins geholt.

m) ▢ Mit seinen Töchtern hat der Bauer die Kühe von der Weide geholt.

n) ▢ Bei der Büroarbeit schlafen die Renkens gewöhnlich ein.

o) ▢ Die Journalistin Gerda Melzer hat Familie Renken besucht.

> die Renkens = Familie Renken

4. Gerda Melzer hat ein Interview gemacht. Was haben die Renkens geantwortet?

a) Um wie viel Uhr sind Sie heute aufgestanden? **3**

b) Wie haben Sie früher gemolken? ▢

c) Haben Sie heute nach dem Mittagessen geschlafen? ▢

d) Haben Sie heute Morgen auch gewaschen? ▢

e) Was ist heute Nachmittag im Hühnerstall passiert? ▢

f) Was haben Sie heute Vormittag gemacht? ▢

g) Helfen Ihre Eltern noch im Kuhstall? ▢

h) Sie melken täglich. Wie lange dauert das? ▢

i) Ist Ihr Mann abends auch müde? ▢

j) Wie viele Stunden hat Ihr Arbeitstag? ▢

1. Mit der Hand, zusammen mit den Eltern.
2. Ja, und dabei habe ich die Katze in der Waschmaschine gefunden.
3. Frühmorgens, um Viertel nach vier.
4. Ein Loch war im Zaun, die Hühner sind weggelaufen.
5. Eine halbe Stunde habe ich Mittagsschlaf gemacht.
6. Ich habe Hausarbeit gemacht, Gerd war draußen.
7. Nein, heute melken wir mit der Melkmaschine.
8. Natürlich. Meistens schläft er vor dem Fernseher ein.
9. Normalerweise arbeiten wir 15 Stunden.
10. Eine Stunde morgens und eine abends.

Wann? / Um wie viel Uhr?

um 7.00 Uhr / 19.00 Uhr = Um sieben.
um 7.15 Uhr / 19.15 Uhr = Um Viertel nach sieben.
um 7.30 Uhr / 19.30 Uhr = Um halb acht.
um 7.45 Uhr / 19.45 Uhr = Um Viertel vor acht.

Wie lange?

Eine Stunde. / Zwei Stunden.

	sein		haben	
	Präteritum	**Perfekt**	**Präteritum**	**Perfekt**
ich	**war**	bin gewesen	**hatte**	habe gehabt
du	**warst**	bist gewesen	**hattest**	hast gehabt
er/sie/es/man	**war**	ist gewesen	**hatte**	hat gehabt
wir	**waren**	sind gewesen	**hatten**	haben gehabt
ihr	**wart**	seid gewesen	**hattet**	habt gehabt
sie	**waren**	sind gewesen	**hatten**	haben gehabt

5. Uhrzeiten.

Hören Sie die Gespräche und markieren Sie. ✗

Gespräch 1
Wie spät ist es?

▢ Es ist 9.45 Uhr.
▢ Es ist 10.04 Uhr.
▢ Es ist 22.15 Uhr.

Gespräch 5
Wann fängt das
Theater an?

▢ Um 19.45 Uhr.
▢ Um 20.15 Uhr.
▢ Um 19.15 Uhr.

Gespräch 2
Wie spät ist es?

▢ Es ist 12.35 Uhr.
▢ Es ist 0.53 Uhr.
▢ Es ist 13.35 Uhr.

Gespräch 6
Wie spät ist es?

▢ Es ist 15.07 Uhr.
▢ Es ist 7.15 Uhr.
▢ Es ist 17.05 Uhr.

Gespräch 3
Wann kommt der Mann
heute Abend nach Hause?

▢ Um 8.30 Uhr.
▢ Um 20.30 Uhr.
▢ Um 19.30 Uhr.

Gespräch 7
Wann ist der Junge
ins Bett gegangen?

▢ Um 2.40 Uhr.
▢ Um 4.20 Uhr.
▢ Um 2.15 Uhr.

Gespräch 4
Um wie viel Uhr will der
Sohn aufstehen?

▢ Um 5.45 Uhr.
▢ Um 6.15 Uhr.
▢ Um 4.16 Uhr.

| **Wie spät** ist es? | – **Es ist** Viertel nach sieben. |
| **Wann** steht er auf? | – Er steht **um** Viertel nach sieben auf. |

6. „Guten Morgen, Hasso!"

a) Lesen Sie die Texte.

A. „Heute Morgen hat um sechs Uhr der Wecker geklingelt. Dann ist der Hund ins Schlafzimmer gekommen und in unser Bett gesprungen. Er war noch müde und ich auch. Mein Mann hatte Hunger. Er ist aufgestanden und in die Küche gegangen. Dort hat er Brötchen gesucht, aber es waren keine da. Deshalb ist unsere Tochter zum Bäcker gegangen und hat Brötchen gekauft. Dann haben wir alle zusammen gefrühstückt."

B. „Heute Morgen um sieben Uhr ist der Hund ins Schlafzimmer gekommen und in unser Bett gesprungen. Unsere Tochter war auch da. Sie hatte Hunger. Auf einmal war Hasso weg. Ich war noch müde und bin im Bett geblieben. Mein Mann und unsere Tochter sind in die Küche gegangen und haben das Frühstück gemacht. Dann hat mein Mann die Brötchen gesucht. Aber Hasso war vorher in der Küche und hat sie gefressen."

C. „Heute Morgen um sieben Uhr ist unsere Tochter ins Schlafzimmer gekommen. Sie hatte Hunger, aber mein Mann und ich waren noch müde. Wir sind im Bett geblieben. Da hat unsere Tochter den Hund geweckt und ist mit ihm in die Küche gegangen. Im Regal hat sie Brötchen gefunden. Dann hat sie mit Hasso gefrühstückt."

b) Hören Sie das Gespräch.

Welcher Text passt?   A ▢   B ▢   C ▢

7. „Guten Morgen, Liebling!"

Was hat der Mann geträumt? ✗

a) Er war in einem Flugzeug und
- [ ] hat geschlafen.
- [ ] die Stewardess hat ein Glas Wasser gebracht.
- [ ] hat mit der Stewardess gesprochen.

b) Dann ist er aufgestanden und
- [ ] hat die Passagiere geweckt.
- [ ] ist zur Toilette gegangen.
- [ ] hat die Tür aufgemacht.

c) Danach ist er ausgestiegen und
- [ ] nach Hause geflogen.
- [ ] neben dem Flugzeug geflogen.
- [ ] hat mit den Vögeln gesprochen.

d) Der Traum war
- [ ] sehr schön.
- [ ] unheimlich.
- [ ] langweilig.

8. „Guten Morgen, mein Sohn!"

Wer sagt was? Hören Sie den Text und notieren Sie: Vater (V) Mutter (M) Sohn (S) oder Tochter (T).

a) M „Bitte Britta, du kannst doch wenigstens dein Ei essen!"

b) ☐ „Das Salz steht vor dir auf dem Tisch."

c) ☐ „Wann ist Markus eigentlich gestern nach Hause gekommen?"

d) ☐ „Oh Gott, vielleicht ist er gar nicht da!"

e) ☐ „Aber du bist ja verletzt; du hast eine Wunde am Auge."

f) ☐ „Ich war gestern in der Disco."

g) ☐ „Wer ist Corinna?"

h) ☐ „Der Typ hat Corinna provoziert."

i) ☐ „Was soll das heißen?"

j) ☐ „Und dann hast du in der Disco den Tarzan gespielt?"

Perfekt ohne „ge":	
pass**ieren**	Was ist **passiert?**
provoz**ieren**	Er hat sie **provoziert.**

9. **Ist der Vokal kurz oder lang? Hören Sie die Wörter, sprechen Sie nach und markieren Sie.**

	kurz	lang		kurz	lang		kurz	lang		kurz	lang
gefahren		✗	gelesen			studiert			geflogen		
gehalten	✗		gesehen			gerissen			gekommen		
gemalt			gesessen			geschnitten			gesucht		
geschlafen			gestellt			geholfen			gewusst		
gesagt			gelegt			geholt			gerufen		
gepackt			geschrieben			geschoben			geblutet		

10. **Betonungen**

a) Hören Sie zu, sprechen Sie nach und markieren Sie das betonte Wort.

● Hast du schon die Schuhe geputzt?
■ Ja, die habe ich schon geputzt.
■ Nein, die habe ich noch nicht geputzt.
■ Die habe ich Montag geputzt.
■ Die habe ich gestern schon geputzt.

b) Hören Sie zu und antworten Sie.

● Hast du schon die Wand angestrichen?   ■ Ja, die … schon …
● Hast du schon den Wagen gewaschen?   ■ Ja, den … schon …
● Hast du schon die Blumen geholt?   ■ Nein, die … noch nicht …
● Hast du schon das Geschirr gespült?   ■ Ja, das … Dienstag …
● Hast du schon den Brief geschrieben?   ■ Ja, den … gestern …

11. **Hören Sie die Sätze und sprechen Sie nach.**

a) ● Wo haben Sie gesessen?
   ■ Das habe ich vergessen.
   ● Was haben Sie gegessen?
   ■ Das habe ich auch vergessen.
   ● Wo sind Sie gewesen?
   ■ Ich habe im Bett gelegen
     und ein Buch gelesen.

b) Er ist aufgewacht.
   Er hat an sie gedacht.
   Sie hat den Kaffee gebracht
   und das Fenster aufgemacht.
   Er hat vom Urlaub geträumt
   und sie hat aufgeräumt.
   Sie hat etwas gefragt,
   doch er hat nichts gesagt.

c) Sie hat studiert.
   Erst hat sie markiert,
   dann hat sie notiert,
   danach korrigiert
   und zum Schluss telefoniert.
   Sonst ist nichts passiert.

d) Er hat seinen Koffer gewogen
   und ist nach Mallorca geflogen.
   Sie ist zu Hause geblieben
   und hat einen Brief geschrieben.
   Er ist nach Hause gekommen
   und hat sie in den Arm genommen.

e) Sie ist durch die Wiesen geritten
   und hat 100 Blumen geschnitten.
   Er ist zum Fluss gerannt.
   Sie hat ihn nicht erkannt.
   Er ist ins Wasser gesprungen,
   und sie hat gesungen.

12. Hören Sie die Gespräche.

Gespräch 1

● Hast du die Koffer schon ins Auto
gebracht?

■ Ja, das habe ich vorhin schon gemacht.

● Schön! Dann können wir ja jetzt
abfahren.

■ Halt! Nicht so schnell! Ich muss die
Haustür noch abschließen.

● Das brauchst du nicht. Die Haustür
habe ich schon abgeschlossen.

■ Prima, dann können wir wirklich
abfahren.

Gespräch 2

● Kannst du bitte das Geschirr
spülen?

■ Warum ich? Kannst du das nicht
machen? Ich lese gerade.

● Wie bitte? Ich habe gerade die
Betten gemacht, das Wohnzimmer
aufgeräumt und die Katze gefüttert!

■ Und ich bin schon im Supermarkt
gewesen, habe den Balkon sauber
gemacht und die Wäsche
gewaschen!

● Also dann spüle ich das Geschirr.

■ Warte mal, wir können das
Geschirr ja auch zusammen spülen.

13. Variieren Sie die Gespräche. Sie können die folgenden Ausdrücke verwenden:

Hast du schon …?	Das habe ich	schon …
Bist du schon …?	Ich habe	noch nicht …
	Ich bin	gestern …
Kannst du bitte …?		heute Morgen …
Kannst du nicht …?		vorhin …
		gerade …

Ich muss noch …	Das brauchst du nicht.
Du musst noch …	Das brauchen wir nicht.
Wir müssen noch …	Das können wir ja auch ….

die Fahrräder in die Garage stellen
das Licht ausmachen
den Strom / das Gas abstellen
die Fenster zumachen
die Koffer packen
die Mäntel einpacken
das Auto sauber machen
die Wohnung putzen
zum Blumenladen gehen
die Kinder ins Bett bringen
das Mittagessen machen
Geld von der Bank holen
zur Post fahren

14. **Hören Sie zu und schreiben Sie.**

Markus _____ __ ____ __ _____ . __ ___ spät ____ _____ _____ .
_____ _____ __ __ _____ lange _____ . Dann ___ __ _____ ___
_____ _____ . __ _____ _____ Computer _____ .
_____ _____ Corinna _____ _____ _____ .

15. **Ein Traum.**

Bringen Sie die Sätze in die richtige Reihenfolge.

☐ Da bin ich aufgewacht.
☐ Plötzlich war die Waschmaschine ein Zug.
☐ Ein Luftballon ist geplatzt.
1 Ich war allein auf einer Wiese und habe die Blumen fotografiert.
☐ Ein Gorilla ist gekommen und hat Luftballons verkauft.

☐ Sie hat gesprochen, aber ich habe nichts verstanden.
☐ Ich bin eingestiegen und der Zug ist abgefahren.
☐ Ich habe 100 Euro bezahlt und drei Luftballons bekommen.
☐ Dann habe ich eine Waschmaschine gefunden.

16. Noch ein Traum. Schreiben Sie.

Ich bin mit dem Fahrrad
durch _____

_____   _____

_____   _____   _____

_____   _____   _____

mit dem Fahrrad durch die Wüste fahren
ein Reifen: plötzlich platzen
das Fahrrad reparieren
das Fahrrad: wegfliegen

eine Telefonzelle sehen
ein Kamel: telefonieren
schimpfen, aber das Kamel: nicht aufhören
die Telefonzelle: auf einmal zerbrechen

1. Welche Sätze passen? Notieren Sie die Nummern.

a) Sie feiern Silberhochzeit.  2

b) Er hat den Führerschein gemacht. ▮

c) Sie besuchen ein Volksfest. ▮

d) Es ist Valentinstag. ▮

e) Sie arbeitet seit 25 Jahren in der Firma. ▮

f) Er hat das Examen bestanden. ▮

g) Sie hat Geburtstag. ▮

h) Sie haben geheiratet. ▮

i) Er schmückt den Weihnachtsbaum. ▮

1. Der Chef gratuliert der Sekretärin zum Jubiläum.
2. Die Kinder schenken den Eltern einen Fernseher.
3. Er schickt seinen Eltern ein Telegramm.
4. Die Tochter hilft ihrem Vater.
5. Er kauft seiner Freundin ein Herz.
6. Die Kinder müssen der Großmutter ein Lied vorspielen.
7. Er bringt seiner Frau einen Blumenstrauß mit.
8. Die Gäste folgen dem Brautpaar.
9. Der Vater gibt dem Sohn den Autoschlüssel.

Nominativ		Dativ
der Vater	Die Tochter hilft	**dem** Vater.
die Sekretärin	Der Chef gratuliert	**der** Sekretärin.
das Brautpaar	Die Gäste folgen	**dem** Brautpaar.
die Eltern	Die Kinder schenken	**den** Eltern einen Fernseher.

2. Notieren Sie die Nummern und ergänzen Sie die Pronomen.

3 Der Pfarrer hat einen Hut gewonnen. Aber der Hut gefällt ihm nicht. Er schenkt ihn dem Bürgermeister.

Die Bäuerin hat eine Bluse gewonnen. Aber die Bluse passt ihr nicht. Sie schenkt sie der Lehrerin.

Das Kind hat ein Eis bekommen. Aber das Eis schmeckt ihm nicht. Es gibt es dem Schwein.

Die Sänger haben Krawatten gewonnen. Aber die Krawatten gefallen ihnen nicht. Sie schenken sie den Clowns.

Der Bürgermeister hat ein Bild gewonnen. Aber es gefällt _____ nicht. Er schenkt _____ dem Pfarrer.

Die Polizistin hat einen Bikini gewonnen. Aber der Bikini passt _____ nicht. Sie schenkt _____ der Bäuerin.

Der Feuerwehrmann hat eine Tafel Schokolade gewonnen. Aber die Schokolade schmeckt _____ nicht.

Er schenkt _____ dem Kind.

Die Lehrerin hat eine Halskette bekommen. Aber sie gefällt _____ nicht. Sie gibt _____ der Polizistin.

Die Fotografin hat Handschuhe bekommen. Aber sie passen _____ nicht. Sie gibt _____ dem Briefträger.

Nominativ	Akkusativ	Dativ
er	ihn	ihm
sie	sie	ihr
es	es	ihm
sie	sie	ihnen

helfen, folgen, gefallen, gratulieren, passen, schmecken …
+ Dativ

geben, schenken, schicken, mitbringen, kaufen, vorspielen …
+ Dativ + Akkusativ

Bremen, den 17. Dezember

Liebe Farida,

vielen Dank für deinen Brief. Du wartest jetzt schon seit drei
Wochen auf eine Antwort von mir. Kannst du mir verzeihen? Aber du
kennst mich ja … Und außerdem habe ich vor Weihnachten immer
sehr wenig Zeit.

Du möchtest mehr über unser Weihnachtsfest erfahren, steht in
deinem Brief. Deshalb schreibe ich dir jetzt davon. Ich liebe Weihnachten, denn es gibt für mich so viele schöne Erinnerungen. In
meiner Kindheit haben schon viele Wochen vor dem Fest die Vor-
bereitungen begonnen. Ab November hat meine Mutter mit mir
Plätzchen gebacken und Weihnachtsschmuck gebastelt. Ich habe
dem Weihnachtsmann immer ganz lange Wunschzettel geschrieben.

Am 6. Dezember ist Nikolaustag. Da hatte ich als Kind immer ein
bisschen Angst. Ein Onkel hat den Nikolaus gespielt. Er hatte einen
Bart aus Watte und er hatte Mütze, Mantel und Stiefel an. Auf dem
Rücken hatte er einen Sack und in der Hand eine Rute. Er hat mich
und meinen Bruder sehr streng angeschaut und gesagt: „Ich habe
euch etwas mitgebracht. Wart ihr denn auch brav?" Natürlich waren
wir nicht immer brav, aber wir haben trotzdem „ja" gesagt. Dann hat
er uns Süßigkeiten und Spielsachen aus seinem Sack geschenkt.

Die vier Sonntage vor Weihnachten sind der erste, zweite, dritte
und vierte Advent. Am ersten Advent zündet man eine Kerze am
Adventskranz an, am zweiten die zweite und so weiter. Bei uns hat
früher der Adventskranz immer auf dem Küchentisch gestanden.
Abends hat mein Vater die Kerzen angemacht; dann haben wir
Weihnachtslieder gesungen und Plätzchen gegessen.

In der Nacht vor Weihnachten habe ich kaum geschlafen. Die Aufregung war zu groß. Am 24. Dezember, am Heiligabend, sind wir
ganz früh zu den Großeltern auf den Bauernhof gefahren. Wir haben
immer bei den Großeltern gefeiert. Da war dann die ganze Familie,
mindestens 20 Personen.

Nach dem Mittagessen ist mein Großvater allein ins Wohnzimmer
gegangen und hat den Weihnachtsbaum geschmückt. Wir Kinder
haben zusammen gespielt und waren natürlich furchtbar aufgeregt.
Später hat meine Oma uns eine Weihnachtsgeschichte vorgelesen.
Endlich war es so weit und Opa hat uns ins Wohnzimmer gerufen. Das
war ein wundervoller Moment: Alle Kerzen haben gebrannt, die Christ-
baumkugeln haben gefunkelt und unter dem Baum war die Krippe. Und
da haben natürlich auch die Geschenke gelegen! Jedes Kind hat ein

Gedicht aufgesagt und dann haben wir die Päckchen aufgemacht. Einmal habe ich eine Puppe bekommen. Sie war wunderschön und hat „Mama" gesagt. Ich war so glücklich; ich weiß es noch wie heute. Spät in der Nacht sind dann alle in die Mitternachtsmesse gegangen.

Am nächsten Tag war immer das große Festessen: Gans mit Klößen und Rotkohl. Die Weihnachtsgans war mit Äpfeln und Nüssen gefüllt; das hat mir wunderbar geschmeckt.

Aber jetzt muss ich langsam Schluss machen. Ich habe Plätzchen im Backofen. Am 23. Dezember kommt meine Schwester mit ihrem Mann. Sie möchten bis Silvester bleiben. Wir haben gerne Gäste über Weihnachten, dann können wir zusammen feiern und es ist ein bisschen wie früher. Die Geschenke für die Kinder haben wir schon lange ausgesucht und gut versteckt.

Ich grüße dich und deine Familie ganz herzlich.

Deine Carola

3. Was schreibt Carola? Was passt zusammen?

a) Ich **7** ▢ ▢ ▢ ▢
b) Meine Mutter ▢
c) Mein Vater ▢
d) Meine Großmutter ▢
e) Mein Großvater ▢ ▢
f) Der Nikolaus ▢ ▢ ▢ ▢
g) Der Adventskranz ▢
h) Die Krippe ▢
i) Die Puppe ▢
j) Die Weihnachtsgans ▢ ▢

1. hat „Mama" gesagt.
2. hat allein den Weihnachtsbaum geschmückt.
3. hatte einen Bart aus Watte.
4. hat immer auf dem Küchentisch gestanden.
5. liebe Weihnachten.
6. hat mit mir ab November Plätzchen gebacken.
7. schreibe dir jetzt von Weihnachten.
8. hat mich und meinen Bruder sehr streng angeschaut.
9. hat abends die Kerzen am Adventskranz angemacht.
10. hat uns ins Wohnzimmer gerufen.
11. habe vor Weihnachten immer sehr wenig Zeit.
12. war unter dem Weihnachtsbaum.
13. hat gesagt: „Ich habe euch etwas mitgebracht."
14. habe einmal eine Puppe bekommen.
15. hat uns etwas vorgelesen.
16. war mit Äpfeln und Nüssen gefüllt.
17. hat uns Süßigkeiten und Spielsachen aus seinem Sack geschenkt.
18. hat mir wunderbar geschmeckt.
19. habe dem Weihnachtsmann immer ganz lange Wunschzettel geschrieben.

Nominativ	Akkusativ	Dativ
ich	mich	mir
du	dich	dir
wir	uns	uns
ihr	euch	euch

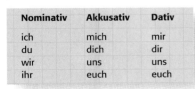

4. Datumsangaben

Gespräch 1
Welches Datum ist „heute"?
- [ ] Der 17. August.
- [ ] Der 20. September.
- [ ] Der 27. August.

Gespräch 2
Welches Datum ist „morgen"?
- [ ] Der 16. April.
- [ ] Der 26. April.
- [ ] Der 6. April.

Gespräch 3
Wann hat Alexander Geburtstag?
- [ ] Am 11. Januar.
- [ ] Am 11. Februar.
- [ ] Am 4. Februar.

Gespräch 4
Wann ist die Zahnarztpraxis geschlossen?
- [ ] Vom 3. bis zum 15. Mai.
- [ ] Vom 13. bis zum 25. März.
- [ ] Vom 3. bis zum 15. März.

Gespräch 5
Wann hat Elke geheiratet?
- [ ] Am 21. Juni.
- [ ] Am 1. Juni.
- [ ] Am 1. Juli.

Gespräch 6
Seit wann ist Herr Busch in Rente?
- [ ] Seit dem 14. November.
- [ ] Seit dem 15. Oktober.
- [ ] Seit dem 25. Oktober.

Heute ist **der erste** Januar.
Morgen ist **der einundzwanzigste** August.

Er kommt **am ersten** Januar.
Er kommt **am einundzwanzigsten** August.

5. Auf dem Weihnachtsmarkt.

Richtig (r) oder falsch (f)?
Lesen Sie die Sätze und hören Sie dann die Interviews.

Interview 1

a) [ ] Der Weihnachtsmarkt ist ihr ein bisschen zu voll.
b) [ ] Sie hat einen Glühwein getrunken und eine Bratwurst gegessen.
c) [ ] Am 20. Dezember fliegt sie mit ihrem Mann nach Österreich.
d) [ ] Ein Weihnachtsbaum fehlt ihr nicht.
e) [ ] Sie feiert Weihnachten mit ihren Kindern.

Interview 2

a) [ ] Der Weihnachtsbaum muss groß sein; das ist ihr wichtig.
b) [ ] Sie schmückt den Weihnachtsbaum und ihr Mann hilft ihr ein bisschen.
c) [ ] Sie will es an Weihnachten schön ruhig und gemütlich haben.
d) [ ] Eine Weihnachtsgans ist ihr zu kompliziert.
e) [ ] Ihre Tochter fragt jeden Tag: „Mama, was bringt mir der Nikolaus?"

Interview 3

a) Der Weihnachtsmarkt ist ihm zu kommerziell.
b) Er liebt Kitsch.
c) Die Krippen auf dem Weihnachtsmarkt sind ihm zu teuer.
d) Er feiert bei den Eltern, denn Weihnachten ist ihnen sehr wichtig.
e) Das Essen ist ihm immer zu wenig.

Interview 4

a) Er findet die Atmosphäre auf dem Weihnachtsmarkt ganz schön.
b) Weihnachten ist ihm ziemlich egal.
c) Er und seine Freundin haben viel Platz für einen Weihnachtsbaum.
d) Kochen macht ihnen Spaß.
e) Er schenkt seiner Freundin ein Radio.

| Er findet den Weihnachtsmarkt zu kommerziell. | Der Weihnachtsmarkt **ist ihm zu kommerziell.** |
| Sie findet den Weihnachtsmarkt zu voll. | Der Weihnachtsmarkt **ist ihr zu voll.** |

6. Prost Neujahr!

Was ist richtig ? ✗

a) Elke macht kurz vor zwölf den Fernseher an.
   Elke macht kurz vor zwölf das Radio an.

b) Um Mitternacht trinken alle Sekt.
   Um Mitternacht trinken alle Wein oder Bier.

c) Kurt sagt: „Viel Glück im neuen Jahr, Liebling!"
   Kurt sagt: „Ein glückliches neues Jahr, mein
   Schatz!"

d) Alle gehen auf die Straße und tanzen.
   Alle gehen auf den Balkon und zünden Raketen an.

7. **Hören Sie die Monatsnamen und sprechen Sie nach.**

Januar   Februar   März   April   Mai   Juni   Juli   August   September   Oktober   November   Dezember

8. **Hören Sie zu und sprechen Sie nach.**

■ Welcher Tag ist heute?
● Heute ist der 7. Februar.

■ Wann gehen wir mal wieder in die Disco?
● Am 14. Februar.

■ Wann besucht uns Clara?
● Ostern, am 30. März.

■ Wann sind wir bei Rolf eingeladen?
● Am 1. April.

■ Wann hat deine Schwester Rita Geburtstag?
● Am 3. April.

■ Was für ein Tag ist das?
● Der 3. April ist ein Donnerstag.

■ Wann feiern deine Eltern Silberhochzeit?
● Am 13. Mai.

■ Liebling, wann wollen wir heiraten?
● Auch im Mai. Vielleicht bekommen wir am 23. einen Termin.

9. **Wörter mit „r".**

a) Hören Sie die Wörter und sprechen Sie nach.

war – waren	gestört – stören	Tor – Tore	Klavier – Klaviere
fahrt – fahren	passieren – passiert	Formulare – Formular	Tiere – Tier
hören – gehört	fotografieren – fotografiert	Japaner – Japanerin	ihr – ihre

b) Wo kann man das **r** deutlich hören? Unterstreichen Sie.

10. **Hören Sie die Gespräche und sprechen Sie nach.**

● Grüß dich, Bernd. Wie geht es dir?

■ Danke, Rolf. Und wie geht's dir?

● Auch gut. Hast du heute Zeit?

■ Heute nicht. Es tut mir Leid. Ich ruf' dich an. So um vier?

● Ja, um vier. Da passt es mir.

● Guten Tag, Herr Sundermann. Wann fängt denn Ihr Urlaub an?

■ Morgen schon, Herr Noll.

● Morgen schon? Das find' ich toll. Müssen Sie noch was besorgen?

■ Nein, ich hab' alles für morgen.

● Dann guten Flug, Herr Sundermann. Bald fängt auch unser Urlaub an.

> Ich ruf' dich an. = Ich rufe dich an.

● Darf ich Sie zu einem Kaffee einladen?

■ Das ist nett von Ihnen. Aber ich bin sehr in Eile.

● Oh! Das ist wirklich schade!

■ Ja. Aber ich muss noch so viel erledigen. Heute Abend bin ich zu einer Hochzeitsfeier eingeladen.

● Dann möchte ich Sie nicht aufhalten. Ich wünsche Ihnen einen schönen Abend.

11. Variieren Sie das Gespräch.

Darf ich	Sie	zu	einem Bier	einladen?	Das ist sehr freundlich	von	Ihnen.
	dich		einer Pizza				dir.
	euch		einer Bratwurst				
			einem Eis		Aber	ich habe	es sehr eilig.
						wir haben	

Dann will ich	Sie	nicht aufhalten.		heute	zu einer Party eingeladen sein
	dich			heute Nachmittag	mit … in die Disco gehen wollen
	euch			heute Abend	eine Klausur schreiben
Ich wünsche	Ihnen	viel Spaß.		in einer Stunde	für das Examen lernen müssen
	dir	viel Glück.		morgen früh	nach Paris fliegen
	euch	viel Erfolg.		morgen Nachmittag	in Urlaub fahren
		eine gute Reise.		am Wochenende	Besuch bekommen
		eine gute Fahrt.			
		schöne Urlaubstage.			
		schöne Ferien.			
		ein schönes Wochenende.			

12. **Hören Sie zu und schreiben Sie.**

_____ geboren. ___ ___ _____ vor _____ .
Deshalb _____ __ _____ _____ _____ . _Dann_ _____
_____ . _____ natürlich _____ _____ . _Aber_ ____
_____ .

13. **Zu welchem Anlass schickt man die Karten?**

Die Karte mit dem Schlüssel und dem Mineralwasser schickt man zur Führerscheinprüfung.
Die Karte mit dem Doktorhut und … schickt man zum …
Die Karte mit …

Torte   Kerzen   Bücher   Rosen   Zahl
Paar   Gläser   Weihnachtsbaum   Eier   Farbe

Geburtstag   Examen   Hochzeit
Silberhochzeit   Weihnachten   Ostern

14. **Lesen Sie die Grußkarten und ergänzen Sie die Sätze.**

Lieber Bernd,

nachträglich herzlichen _____ zu

_____ dreißigsten _____. Ich habe

_____ nicht vergessen, aber ich war verreist. Hoffentlich bist

du _____ nicht böse.

Ich wünsche _____ alles _____ und viel _____

im neuen Lebensjahr.

_____ Max

Liebe Britta, lieber Claus,

wir wünschen _____ fröhliche _____

und ein glückliches _____. Hoffentlich

könnt ihr _____ bald einmal besuchen. Wir schicken

_____ Kindern ein Computerspiel auf CD-ROM mit

und wünschen _____ damit viel _____.

Herzliche Grüße

_____ Petra und _____ Hans-Georg

Liebes Brautpaar

vielen _____ für die Einladung zu Ihrer _____.

Leider können wir zu _____ Fest nicht kommen.

_____ Tochter wohnt in Sydney und bekommt bald ein

Baby. Deshalb fliegen wir für drei Wochen nach Australien.

Wir wünschen _____ viel _____ und alles _____

für das Leben zu zweit.

Mit herzlichen Grüßen

_____ Manfred und _____ Roswitha Müller

Glückwunsch	neues Jahr	Gute
Gute	Weihnachten	Hochzeit
Geburtstag	Spaß	Dank
Glück	uns	Glück
ihn	euch	Ihnen
deinem	ihnen	Ihrem
dir	euren	unsere
mir	eure	Ihre
Dein	euer	Ihr

1. An der Kasse. Wer kauft was?

Herr Wagner

Frau Hagen

Herr Loos

Herr Wagner (**W**) kauft …
Frau Hagen (**H**) kauft …
Herr Loos (**L**) kauft …

W einen Becher Sahne
eine Dose Würstchen
ein Kilogramm Bananen
ein Pfund Kaffee
ein Glas Marmelade
ein Päckchen Margarine
eine Tüte Nudeln
ein Stück Käse
einen Kopf Salat
eine Tafel Schokolade

drei Stück Kuchen
einen Liter Milch
eine Kiste Getränke
sechs Dosen Cola
drei Tuben Senf
einen Sack Kartoffeln
zwei Flaschen Saft
eine Schachtel Pralinen
vier Becher Jogurt
zwei Gläser Gurken

der Saft	– eine Flasche Saft
die Sahne	– ein Becher Sahne
das Getränk	– eine Kiste Getränke
die Kartoffeln	– ein Sack Kartoffeln

2. Was passt zusammen?

a) Herr Wagner kauft ein Kilogramm Mehl, **5**
b) Frau Hagen kauft eine Tüte Nudeln,
c) Herr Loos kauft eine Kiste Getränke,
d) Frau Hagen kauft drei Tüten Bonbons,
e) Herr Wagner kauft ein Huhn,
f) Herr Loos kauft ein Paket Hundekuchen,
g) Herr Wagner kauft ein Päckchen Fischstäbchen,
h) Frau Hagen kauft Birnen,
i) Herr Loos kauft einen Sack Holzkohle,

1. weil Bello das gern mag.
2. weil seine Kinder gern Fisch mögen.
3. weil Obst gesund ist.
4. weil sie „Spaghetti Bolognese" kochen will.
5. weil er einen Kuchen backen will.
6. weil er eine Party geben will.
7. weil ihre Kinder gern Süßigkeiten essen.
8. weil er grillen will.
9. weil er Geflügel mag.

	mögen
ich	**mag**
du	**magst**
er/sie/es	**mag**
wir	mögen
ihr	mögt
sie/Sie	mögen

| Herr Wagner kauft Fischstäbchen. | | Die Kinder **mögen** | gern Fisch. |
| Herr Wagner kauft Fischstäbchen, | **weil** | die Kinder | gern Fisch **mögen.** |

3. Warum? – Weil …

a) ● Warum isst du keine Bohnen?
b) ● Warum isst du kein Kotelett?
c) ● Warum nimmst du keine Gurken?
d) ● Warum probierst du den Kartoffelsalat nicht?
e) ● Warum nimmst du keinen Pfeffer?
f) ● Warum nimmst du keine Zitrone zum Fisch?
g) ● Warum nimmst du keine Sahne?
h) ● Warum isst du keinen Kuchen?
i) ● Warum nimmst du keinen Gänsebraten?
j) ● Warum nimmst du drei Gläser Saft?
k) ● Warum isst du so wenig?
l) ● Warum nimmst du so viele Weintrauben?
m) ● Warum tust du so viel Zucker in den Tee?

■ Weil ich kein Gemüse mag.
■ Weil _____
■ Weil _____
■ Weil _____
■ Weil _____
■ Weil _____
■ Weil _____
■ Weil _____
■ Weil _____
■ Weil _____
■ Weil _____
■ Weil _____
■ Weil _____

kein Gemüse mögen
kein Schweinefleisch mögen
(mir) zu salzig sein
Nudelsalat lieber mögen
(mir) zu scharf sein
(mir) zu sauer sein
abnehmen wollen
(mir) zu süß sein
(mir) zu fett sein
Durst haben
keinen Hunger haben
viel Obst essen sollen
(mir) zu bitter sein

Wenn Maria kommt

Hoffentlich kommt Maria. Sie hat es nicht versprochen. Sie kommt, wenn sie es schafft – hat sie gesagt. Nach der Probe. Wenn Maria kommt, hat sie eine Nachricht. Hoffentlich.

Ich habe Durst. Eigentlich möchte ich ein Bier trinken, aber das schmeckt mir nicht, weil es im Café nur Bier in Flaschen gibt. Was steht auf der Speisekarte? Wasser, Cola, Limonade ... Keine Zeit zum Überlegen, weil die Bedienung schon neben mir steht. Ich bestelle ein Kännchen Kaffee und ein Stück Schwarzwälder Kirschtorte. Die mag ich am liebsten. Wenn ich Kaffee trinke, kann ich nachts nicht schlafen. Aber es ist ja erst vier Uhr. Und schlafen kann ich heute Nacht sicher sowieso nicht.

Die Frau am Nachbartisch isst einen Eisbecher mit viel Sahne. Sie trägt einen Hut und hat ihre Handtasche auf den Tisch gestellt. Ich trinke den Kaffee vorsichtig in kleinen Schlucken, weil er sehr heiß ist. Ich habe immer noch Durst. Warum habe ich keinen Eistee bestellt?

Neben der Garderobe sitzt eine Mutter mit einem Kleinkind. Sie redet ohne Pause mit einer Freundin. Das Kind malt mit einem Buntstift auf die Tischdecke. Alle Tische haben Decken. Einige haben Kaffeeflecken. Die da bekommt jetzt auch noch rote Striche. Was macht die Bedienung wohl, wenn sie das sieht?

Wenn Maria kommt, bestellt sie sicher ein Glas Tee. Sie trinkt immer Tee. Der ist gut für ihre Stimme, sagt sie.

Mein Tischnachbar liest Zeitung. Sicher hat er seine Brille vergessen, weil er die Zeitung so dicht vor seine Nase hält.

Halb fünf. Maria ist immer noch nicht da. Am Tisch vor dem Fenster sitzt ein Mädchen. Wie alt mag sie sein? Ich sehe ihr Gesicht nur halb. Sind das Tränen in ihren Augen? Schaut sie aus dem Fenster, weil sie auch wartet?

Jetzt winkt sie der Kellnerin und bezahlt. „Stimmt so", sagt sie, steht langsam auf, nimmt langsam ihren Mantel von der Garderobe, geht langsam zur Tür, schaut noch einmal zurück zum Tisch. Er ist jetzt leer. Weil er nicht gekommen ist? Weil sie jetzt gehen muss? Weil seine Liebe nicht groß genug war? Weil ein Traum zu Ende ist ...?

Ich rufe die Kellnerin. „Noch ein Stück bitte!" – „Oh, Ihnen schmeckt es aber!" – „Wie immer!" antworte ich. Stimmt, die Kirschtorte ist heute besonders gut. Aber am besten schmeckt es mir, wenn ich nicht allein essen muss. Eigentlich habe ich auch keinen Hunger mehr, aber vielleicht kommt Maria ja ...

Viertel vor fünf. Mein Blick wandert zur Tür. Nichts. Immer noch nichts. Wenn sie nicht bald kommt, ist auch mein Traum zu Ende. Dann gehe ich. Dann sollen sie es ohne mich machen. Was denkt die Bedienung wohl, wenn ich jetzt noch einen Kognak bestelle? Egal.

Da kommt der Kognak. Und da kommt – Maria. Ich habe sie nicht gesehen. Nur einen Augenblick habe ich die Tür nicht beobachtet. Aber jetzt ist sie da. Nur nicht nervös werden! Jetzt ruhig bleiben! Wenn ihre Nachricht schlecht ist – dann war's das eben. Dann kann man nichts machen. Irgendwie geht es trotzdem weiter.
„Hallo!", sage ich und stehe auf. Sie lächelt und küsst mich flüchtig auf die Wange. „Tut mir Leid", sagt sie, „die Probe hat so lange gedauert."

„Macht nichts", höre ich mich ganz ruhig sagen. „Wie war's denn?" Mein Puls schlägt 150.
„Was?" – „Na, die Probe." – „Ach so. Gut. Prima. Also, das Stück ist toll!" Das weiß ich, aber das will ich nicht hören. Wenn sie jetzt nichts sagt, dann ... Ich schaue ihr in die Augen. „Aber nimm doch erst mal Platz!"

Wieder kommt die Bedienung. Maria bestellt einen Becher Eis mit Sahne. Aber sie sagt nichts. Na gut, es hat nicht geklappt. Es gibt auch noch andere Städte für mich. Und andere Theater.

Was ich am meisten an Maria mag? Ihre Augen. Graublau, immer ein bisschen traurig. Aber plötzlich funkeln sie. Am schönsten ist Maria, wenn sie aufgeregt ist: „Weißt du was, mein lieber Curt? Ich habe mit dem Regisseur gesprochen. Alles klar – du bekommst die Rolle!"

4. Richtig (r) oder falsch (f)?

Maria …

a) **r** Maria trinkt am liebsten Tee.

b) ☐ Sie kommt um halb fünf.

c) ☐ Sie spielt eine Rolle in einem Film.

d) ☐ Die Probe hat lange gedauert.

e) ☐ Ihre Stimme ist am schönsten, wenn sie aufgeregt ist.

f) ☐ Heute trinkt Maria keinen Tee.

g) ☐ Sie hat eine gute Nachricht für Curt.

Curt …

a) ☐ Curt kann nachts nicht schlafen, wenn er Kaffee getrunken hat.

b) ☐ Er beobachtet die Leute im Café.

c) ☐ Die Kirschtorte schmeckt ihm heute nicht.

d) ☐ Curt küsst Maria auf den Mund.

e) ☐ Er möchte eine Rolle in einem Film haben.

f) ☐ Er bekommt eine Rolle in einem Theaterstück.

Das Café …

a) ☐ Im Café gibt es keine Limonade.

b) ☐ Neben der Garderobe sitzen zwei Frauen und ein Kind.

c) ☐ Alle Tische haben Tischdecken.

d) ☐ Die Frau am Nachbartisch malt auf die Tischdecke.

e) ☐ Der Tischnachbar von Curt trägt keine Brille.

f) ☐ Das Mädchen am Fenster schaut noch einmal zurück zu Curt.

g) ☐ Die Bedienung will Curt keinen Eistee bringen.

5. Was passt zusammen?

a) Maria kommt, ☐

b) Maria bestellt sicher ein Glas Tee, ☐

c) Curt trinkt den Kaffee vorsichtig, ☐

d) Weil ein Traum zu Ende ist, ☐

e) Auch für Curt ist ein Traum zu Ende, ☐

f) Wenn die Nachricht für Curt schlecht ist, ☐

1. wenn sie kommt.
2. wenn sie es schafft.
3. wenn Maria nicht bald kommt.
4. geht es trotzdem irgendwie weiter.
5. weil er sehr heiß ist.
6. geht das Mädchen.

Maria kommt.	**Sie**	bringt	eine Nachricht.
Wenn Maria kommt,		bringt **sie**	eine Nachricht.
Maria bringt eine Nachricht.		**Sie** kommt.	
Maria bringt eine Nachricht,	**wenn**	**sie** kommt.	

	Superlativ
schön	**am schön**sten
gut	**am besten**
gern	**am liebsten**
viel / sehr	**am meisten**

6. Wie frühstücken Sie?

a) Hören Sie die Interviews.
Welches Interview passt zu welcher Person?

Interview 1: Person Nr. ▢   Interview 3: Person Nr. ▢
Interview 2: Person Nr. ▢   Interview 4: Person Nr. ▢

b) Welche Aussagen passen zu welcher Person?

▢ frühstückt früher als die Familie.
▢ trinkt nur eine Tasse Kaffee und frühstückt später in der Kantine.
▢ isst morgens mehr als mittags oder abends.
▢ frühstückt nicht viel, sondern isst lieber gut zu Mittag.
▢ trinkt ein Glas Orangensaft.
▢ isst ein Brötchen mit Marmelade oder Honig.
▢ verträgt Tee besser als Kaffee.
▢ ist bei der Arbeit fröhlicher, wenn er gut gefrühstückt hat.
▢ isst ein Ei, Brötchen mit Wurst und Schwarzbrot mit Schinken.
▢ isst manchmal eine Scheibe Brot mit Käse.
▢ isst einen Teller Müsli.
▢ isst einen Becher Jogurt.
▢ gewinnt das Buch „Gesund frühstücken".

Komparativ		
spät	später	
früh	früher	
gern	lieber	als …
viel	mehr	
gut	besser	

7. Eine Einladung zum Essen

a) Hören Sie das Gespräch. Was ist richtig? ☒

1) ▢ Es gibt zuerst Suppe und danach Kalbsbraten.
▢ Es gibt zuerst Suppe und danach Lammbraten.
▢ Es gibt zuerst Salat und danach Schweinebraten.
2) ▢ Herr Breuer hat die Knödel gemacht.
▢ Herr Breuer hat den Braten gemacht.
▢ Herr Breuer hat die Suppe gemacht.
3) ▢ Frau Amato probiert den Wein. Aber sie möchte auch Mineralwasser.
▢ Frau Amato trinkt keinen Wein. Sie möchte nur Mineralwasser.
▢ Frau Amato trinkt kein Mineralwasser. Sie möchte nur Wein.
4) ▢ In Süddeutschland gibt es wenig Sonne, aber viele Weinberge.
▢ In Süddeutschland gibt es viel Sonne, aber keine Weinberge.
▢ In Süddeutschland gibt es viele Weinberge und viel Sonne.
5) ▢ Frau Amato möchte das Rezept einer Freundin geben.
▢ Frau Amato möchte das Rezept gern selbst ausprobieren.
▢ Frau Amato möchte das Rezept haben, aber sie kann nicht kochen.
6) ▢ Als Dessert gibt es Kirschen mit Sahne.
▢ Als Dessert gibt es Eis mit Sahne.
▢ Als Dessert gibt es Erdbeeren mit Sahne.

b) Hören Sie das Gespräch noch einmal und achten Sie auf die Ausdrücke.

1. Was sagt man, wenn man einen Stuhl anbietet?
   - ▨ „Machen Sie bitte Platz!"
   - ▨ „Nehmen Sie bitte Platz!"
   - ▨ „Platzen Sie bitte!"

2. Was sagt man, wenn man ein Glas Wein trinkt?
   - ▨ „Zum Wohl!"
   - ▨ „Alles Gute!"
   - ▨ „Viel Spaß!"

3. Was sagt man, wenn man mit dem Essen anfängt?
   - ▨ „Na dann!"
   - ▨ „Viel Glück!"
   - ▨ „Guten Appetit!"

4. Wie heißt die Antwort auf „Guten Appetit!"?
   - ▨ „Danke gleichfalls!"
   - ▨ „Egal!"
   - ▨ „Sie auch!"

5. Was kann man sagen, wenn man noch ein Stück Fleisch möchte?
   - ▨ „Ich will noch ein Stück Fleisch."
   - ▨ „Darf ich noch ein Stück Fleisch haben?"
   - ▨ „Geben Sie mir noch ein Stück Fleisch!"

6. Was kann man sagen, wenn man nichts mehr essen möchte?
   - ▨ „Es schmeckt ausgezeichnet, aber ich bin wirklich satt."
   - ▨ „Es schmeckt ausgezeichnet, aber ich mag nicht mehr."
   - ▨ „Es schmeckt ausgezeichnet, aber ich will nicht mehr."

> **Imperativ**
>
> Nehmen Sie Platz!

8. Im Restaurant

Hören Sie das Gespräch. Was ist richtig? ▨

a) Arnold und Sonja …
   - ▨ müssen warten, weil kein Tisch frei ist.
   - ▨ haben einen Tisch reserviert.
   - ▨ haben keinen Tisch reserviert.

b) Wie viel Bargeld hat Arnold dabei?
   - ▨ 170,– €
   - ▨ 50,– €
   - ▨ 40,– €

c) Sonja sagt:
   - ▨ „Nimm doch deine Kreditkarte."
   - ▨ „Nimm doch meine Kreditkarte."
   - ▨ „Hol doch deine Kreditkarte."

d) Arnold sagt:
   - ▨ „Gehen wir wieder."
   - ▨ „Kommen wir wieder."
   - ▨ „Gehen wir lieber."

e) Sonja sagt:
   - ▨ „Bestell ruhig das Kotelett. Ich nehme das Omelett."
   - ▨ „Bestell ruhig das Omelett. Ich nehme das Kotelett."
   - ▨ „Bestell ruhig das Omelett. Ich nehme auch das Omelett."

f) ▨ Sie essen beide eine Vorspeise.
   ▨ Nur Sonja isst eine Vorspeise.
   ▨ Sie essen beide keine Vorspeise.

> **Geh!**   **Gehen wir!**
> **Nimm** die Kreditkarte!   **Nehmen wir** die Kreditkarte!

9. Sprechen Sie nach. Achten Sie auf „-ich" und „-ig".

Michael ist wirklich richtig fleißig.
Sein Kuss war eigentlich ungewöhnlich flüchtig.
In der Küche ist es plötzlich unheimlich ruhig.
Die Nachricht ist hoffentlich wenig wichtig.
Michael spricht natürlich ein bisschen tschechisch.
Die Würstchen schmecken wirklich nicht schlecht.
Das Mädchen in der Küche isst ein Brötchen mit Honig.

10. Hören Sie zu, markieren Sie die Betonung und sprechen Sie nach.

● Trinkst du gerne <u>Saft</u>?
■ Ja, am liebsten <u>Apfelsaft</u>.
● Ich mag lieber <u>Traubensaft</u>.

● Isst du gerne Suppe?
■ Ja, am liebsten Hühnersuppe.
● Ich mag lieber Zwiebelsuppe.

● Isst du gerne Braten?
■ Ja, am liebsten Rinderbraten.
● Ich mag lieber Schweinebraten.

● Essen wir ein Eis?
■ Ja, für mich Zitroneneis!
● Und für mich Bananeneis!

das Schwein	–	**der** Braten	→	**der** Schweinebraten
das Huhn	–	**die** Suppe	→	**die** Hühnersuppe
die Zitrone	–	**das** Eis	→	**das** Zitroneneis

11. Hören Sie zu und sprechen Sie nach. Achten Sie auf die Intonation.

Wenn Maria kommt, ↗ bestellt sie sicher ein Glas Tee. ↘
Wenn ich Durst habe, ↗ trinke ich am liebsten Mineralwasser. ↘
Ich esse keine Sahne, ↗ weil ich abnehmen will. ↘
Herr Loos kauft kein Huhn, ↗ weil er kein Geflügel mag. ↘
Herr Meyer frühstückt nicht viel, ↗ sondern isst lieber gut zu Mittag. ↘
Frau Amato probiert den Wein, ↗ aber sie möchte auch Mineralwasser. ↘

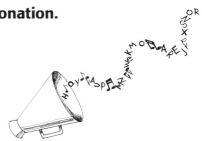

12. Hören Sie zu, markieren Sie die Intonation (↓ oder ↑) und sprechen Sie nach.

Nimmst du noch ein Stück Kuchen? ▨
Nimm doch noch ein Stück Kuchen. ▨

Trinken Sie doch noch eine Tasse Kaffee. ▨
Trinken Sie noch eine Tasse Kaffee? ▨

Bringen Sie mir bitte die Speisekarte. ▨
Bringen Sie mir bitte die Speisekarte? ▨

Gehen wir? ▨
Gehen wir. ▨

13. Hören Sie die Gespräche.

Gespräch 1

- ● Haben Sie gewählt?
- ■ Ja. Ich hätte gern das Schnitzel mit Pilzsoße.
- ● Mit Reis oder Pommes frites?
- ■ Lieber mit Pommes frites.
- ● Und was möchten Sie trinken?
- ■ Einen Rotwein. Würden Sie mir die Weinkarte bringen?
- ● Ja natürlich. Ich bringe Ihnen die Karte sofort.

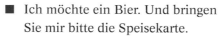

Gespräch 3

- ■ Bringen Sie mir bitte die Rechnung!
- ● Ja gern. Hat es Ihnen geschmeckt?
- ■ Ja, danke.
- ● Das macht 18,90 Euro.
- ■ 20 Euro. Das stimmt so.
- ● Danke schön.

Gespräch 2

- ■ Ich möchte ein Bier. Und bringen Sie mir bitte die Speisekarte.
- ● Gern, aber zwischen 15 und 18 Uhr können Sie nur kalt essen.
- ■ Ach so; und was kann ich jetzt bekommen?
- ● Wurstbrot, Käsebrot, Schinken-brot, Salatteller …
- ■ Ist der Salatteller mit Ei?
- ● Ja, mit Ei und Schinken.
- ■ Gut. Dann bringen Sie mir bitte einen Salatteller.
- ● Ein Salatteller, ein Bier … Kommt sofort.

14. Variieren Sie die Gespräche.

Gasthaus „Zum roten Hirsch"
Speisekarte

Suppen		Hauptgerichte (Beilagen inkl.)		Nachspeisen	
Gemüsesuppe	3,30	Kotelett	8,50	Eisbecher mit Sahne	3,95
Hühnersuppe	3,80	Schnitzel mit		Erdbeeren mit Sahne	3,80
Rinderbouillon	2,95	Pilzsoße/Sahnesoße	11,50	Obstsalat	3,25
		Rinderbraten	13,00		
Kalte Gerichte		Schweinebraten	12,50	**Getränke**	
		Hirschragout	15,00		
Wurstbrot	4,20	Fischplatte	16,00	Bier vom Fass	1,50
Käsebrot	3,90			Weißwein	3,50
Schinkenbrot	4,80	**Beilagen**		Rotwein	4,50
Salatteller	5,50			Limonade / Cola	1,40
		Kartoffeln		Mineralwasser	1,20
Salate		Knödel		Orangensaft	2,40
		Pommes frites		Cola	2,00
Tomatensalat	2,80	Reis		Kaffee (Tasse)	1,60
Gurkensalat	2,20			Tee (Tasse)	1,40
Bohnensalat	2,40				

15. **Hören Sie zu und schreiben Sie.**

_____ Café. _____, weil _____

_____. _____ Nachbartisch _____.

_____ Brötchen _____. Danach _____. _____ bringt

_____. _____ Herr Wagner _____.

16. **Ein Rezept.**

Bauernfrühstück

Zutaten:

800 g Kartoffeln
60 g Butter
2 Zwiebeln
6 Eier
1/4 l Sahne
Salz
Pfeffer
1 Bund Petersilie
200 g Schinken in Scheiben

- die Kartoffeln kochen
- die Kartoffeln schälen
- die Kartoffeln in Scheiben schneiden
- die Zwiebeln schälen
- die Zwiebeln in Würfel schneiden
- die Petersilie klein hacken
- die Butter in die Pfanne geben
- die Zwiebelwürfel kurz braten
- die Kartoffelscheiben dazutun
- die Kartoffelscheiben goldbraun braten
- die Eier schlagen
- die Sahne in die Eier gießen
- Eier und Sahne mit den Kartoffeln vermischen
- die Petersilie auf die Kartoffeln streuen
- das Ganze mit Salz und Pfeffer würzen
- zum Schluss den Schinken auf das Gericht legen

17. **Schreiben Sie das Rezept.**

Kochen Sie die Kartoffeln.

Schälen Sie ...

1. Was passt zusammen? Ergänzen Sie.

Bild A: Sie hört auf *6*
Bild B: Sie beginnt ▢
Bild C: Sie haben heute Zeit ▢
Bild D: Sie hat keine Lust ▢
Bild E: Er hilft ihr ▢
Bild F: Er hat vergessen ▢
Bild G: Er hat versucht ▢
Bild H: Sie schafft es, ▢
Bild I: Es gelingt ihnen nicht, ▢

1. die Wand zu streichen.
2. mit ihm zu tanzen.
3. den Stecker in die Steckdose zu stecken.
4. lange im Bett zu bleiben und auszuschlafen.
5. das Geschirr zu spülen und gleichzeitig zu telefonieren.
6. in ihrem Buch zu lesen.
7. den Tisch zu decken.
8. die Tür zuzumachen.
9. den Mixer zu reparieren, aber das war zu kompliziert.

Sie tanzen.	Sie haben Lust **zu** tanzen.
Sie tanzen weiter.	Sie haben Lust weiter**zu**tanzen.
Sie tanzen Tango.	Sie haben Lust Tango **zu** tanzen.

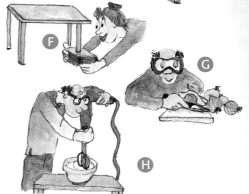

2. Was passt zusammen? Ergänzen Sie.

A: Er benutzt die Zange   **2**

B: Er benutzt das Bügeleisen

C: Sie benutzt den Besen

D: Sie benutzt die Kochlöffel

E: Sie benutzt den Föhn

F: Sie benutzt das Wörterbuch

G: Er benutzt die Taucherbrille

H: Er benutzt die Bohrmaschine

1. um ein Bild zu malen.
2. um die Flasche zu öffnen.
3. um den Tisch zu stützen.
4. um die Zeitung glatt zu machen.
5. um die Sahne zu schlagen.
6. um seine Augen zu schützen.
7. um die Farbe zu trocknen.
8. um Schlagzeug zu spielen.

3. Wozu kann man das benutzen? Ergänzen Sie.

a) Normalerweise benutzt man einen Föhn *um die Haare zu trocknen.*

   Aber die Frau nimmt den Föhn, *damit die Farbe schneller trocken wird.*

b) Normalerweise benutzt man ein Wörterbuch _____

   Aber die Frau nimmt das Wörterbuch, _____

c) Normalerweise benutzt man eine Taucherbrille _____

   Aber der Mann nimmt die Taucherbrille, _____

d) Normalerweise benutzt man eine Bohrmaschine _____

   Aber der Mann nimmt die Bohrmaschine, _____

damit die Zwiebeln nicht die Augen reizen.

damit der Tisch nicht wackelt.

um Wörter nachzuschlagen.

damit die Sahne steif wird.

um im Meer zu tauchen.

um ein Loch in die Wand zu bohren.

Er benutzt den Besen	Er **will** den Keller **sauber machen.**
	um den Keller **sauber zu machen.**
Er benutzt den Besen,	Der Keller **soll sauber werden.**
	damit der Keller **sauber wird.**

werden			
ich	werde	wir	werden
du	**wirst**	ihr	werdet
er/sie/es/man	**wird**	sie/Sie	werden

Mia am Fenster. Es ist sehr früh am Morgen, die Straße still und leer. Sie schaut nach draußen.

Zeitungen stecken schon in den Briefkästen. Langsam biegt ein Lastwagen um die Ecke. Sie bemerkt, dass Tauben auf den Baum fliegen. Blätter fallen. Sie hat Zeit, findet es schön, dass sie noch ein wenig träumen kann und schließt für einen Moment die Augen. Es ist noch zu früh, um zu frühstücken.

Plötzlich sind Schritte auf der Treppe. Im Aquarium werden die Fische unruhig. Der große Lastwagen steht unten vor dem Haus. Der Flur wird dunkel. Ein Schatten ist an der Wohnungstür. Es klingelt, die Tür geht auf. Jemand stößt gegen das Telefon, eine Kiste fällt um. Noch ein Schatten! Sie versucht, so schnell wie möglich ins Schlafzimmer zu kommen. Da ist sie sicher und kann alles in Ruhe beobachten.

Sie kommen näher, einen Karton in den Händen. Jetzt sind sie direkt vor der Tür. Durch den Türspalt kann sie einen Stiefel sehen, schwarz und unglaublich groß. Ihr Herz klopft. Sie fürchtet, dass sie gleich im Zimmer sind. Doch sie gehen weiter, durch den Flur zum Treppenhaus. Waren sie da, um den Fernseher zur Reparatur abzuholen? Aber warum so früh am Morgen?

Vorsichtig schiebt sie die Tür zum Flur auf. Der steht voll mit Kisten und Schachteln. Niemand ist da. An der Decke brennt nur eine Glühbirne. Jetzt beginnt das Licht zu zittern. Sie spürt, dass die zwei gleich zurück sind, schafft es gerade

noch, ins Bad zu flüchten. Sie bleibt ganz still in ihrem Versteck, damit niemand sie entdeckt. Aber was ist hier passiert?

Der Föhn liegt in der Badewanne neben ein paar Shampooflaschen. Die Dusche ist voll mit Plastiksäcken. Im Waschbecken stehen Kartons und oben an der Wand fehlt der Spiegelschrank.

Auch im Wohnzimmer ist alles anders. Man hat Schränke und Regale abgebaut und die Teile an die Seite gestellt. Die Vorhänge fehlen, die Teppiche sind zusammengerollt. Zwei Sessel liegen umgekehrt auf der Couch.

„Mia!" Sie hört, dass die ganze Familie schon wach ist. Man ruft sie, doch sie antwortet nicht. Jetzt kommen die Schritte näher und näher. Jemand stößt die Tür auf. Sie erschrickt. Vier Hände greifen nach Kisten und Kartons, zwei Augenpaare schauen sie an. Blitzschnell jagt sie zur Tür. Doch plötzlich ist alles dunkel. Sie kann nichts sehen. Sie ist gefangen. Ein Karton mit Vorhängen ist auf sie gefallen. Jetzt ist es zu spät. Von selbst kann sie nicht entkommen.

„Oh, wer ist das denn?" sagt eine Stimme. Jemand hebt ganz langsam den Karton und befreit sie. Sie bekommt sogar einen Keks. Sie denkt, dass die zwei vielleicht doch ganz nett sind. Aber da sind sie schon wieder weg. Ohne Pause zu machen, schleppen sie alle Möbel nach unten. Keine Kiste vergessen sie, jeden Karton räumen sie in ihren Lastwagen. Schließlich ist die Wohnung leer.

Dann geht es los. Jemand setzt sie vorne in die Mitte auf eine Kiste. Sie fahren durch viele Straßen. Später werden die Häuser selten. Bäume ziehen vorbei. Sie findet es spannend, neben dem Fahrer zu sitzen. So kann sie alles sehen. Am Horizont tauchen Wälder auf. Schließlich wird die Fahrt langsamer und dann hält der Wagen schon.

Das neue Haus ist weiß gestrichen, hinten im Garten wächst ein Apfelbaum. Sie ziehen ein. Alle tragen Kartons. Drinnen fangen sie an auszupacken. Jeder sucht etwas. „Wo ist die Kiste mit den Kassetten?" „In welchem Karton ist die Kaffeemaschine?" „Gibst du mir mal den Briefkastenschlüssel, damit ich unser Namensschild anbringen kann?" Es ist schwierig, die Sachen zu finden, denn überall herrscht Chaos.

Doch das neue Haus ist so schön und so groß. Vom Balkon ist die Aussicht wunderbar. Mia schaut nach oben. Zwischen den Blättern fliegen Schatten. Vögel! Da fällt ihr ein, dass sie noch nicht gefrühstückt hat. Ein Sprung! Aber sie springt nicht hoch genug. „Miau."

4. Welche Bilder passen zum Text? X

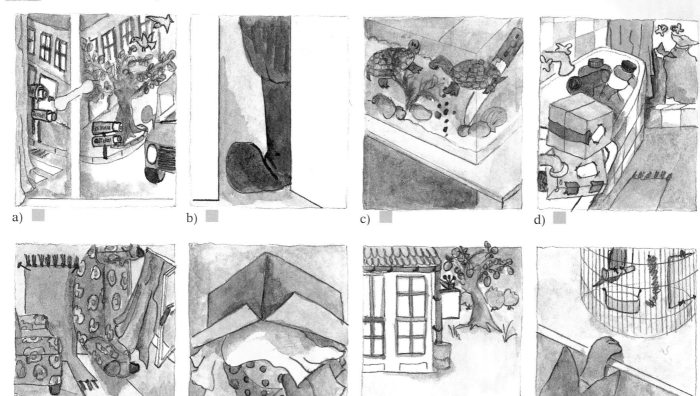

a) ▢   b) ▢   c) ▢   d) ▢

e) ▢   f) ▢   g) ▢   h) ▢

5. Was passt zum Text?

a) Mia hört, *2*
b) Weil es sehr früh am Morgen ist, ▢
c) Leute kommen in die Wohnung, ▢
d) Die Fische beginnen, ▢
e) Mia hat keine Chance, ▢
f) Beim Umzug arbeiten die Männer, ▢
g) Schließlich ist die Wohnung leer, ▢
h) Für Mia ist es spannend, ▢
i) Beim Einzug herrscht Chaos, ▢
j) Erst am Schluss erfährt man über Mia, ▢

1. unruhig durch das Aquarium zu schwimmen.
2. dass jemand im Treppenhaus ist.
3. gibt es kaum Verkehr auf der Straße.
4. von selbst aus dem Karton zu entkommen.
5. um Möbel abzuholen.
6. vorne im Lastwagen mitzufahren.
7. dass sie eine Katze ist.
8. deshalb ist es schwierig, die Sachen zu finden.
9. ohne Pause zu machen.
10. weil alle Möbel und Kisten im Lastwagen sind.

jeder Karton	alle Kartons	alles	Sie tragen alles nach unten.
jede Kiste	alle Kisten	nichts	Sie vergessen nichts.
jedes Haus	alle Möbel	etwas	Sie suchen etwas.

Sie bemerkt:	Tauben **fliegen**	auf den Baum.	
Sie bemerkt, **dass**	Tauben	auf den Baum **fliegen**.	

6. Das Bild mit dem Hirsch

Richtig (**r**) oder falsch (**f**)?

a) ▢ Hans-Dieter ist dabei, im Esszimmer Löcher zu bohren.

b) ▢ Er möchte, dass seine Frau zu ihm kommt.

c) ▢ Hans-Dieter meint, dass der Rahmen kitschig ist.

d) ▢ Elena sagt, dass das Bild romantisch ist und dass es ihr gefällt.

e) ▢ Elena versucht, im Wohnzimmer einen Platz für das Bild mit dem Hirsch zu finden.

f) ▢ Elena schlägt vor, das Bild zu messen.

g) ▢ Ohne Rahmen ist das Bild einen Meter breit und 70 Zentimeter hoch.

h) ▢ Elena möchte, dass sie das Bild neben dem Sofa aufhängen.

i) ▢ Hans-Dieter bohrt über dem Sofa vier Löcher für die Haken.

j) ▢ Der Vermieter hat gesagt, dass die Stromleitung mitten in der Wand ist.

k) ▢ Es klingelt und jemand klopft an die Tür.

l) ▢ Hans-Dieter und Elena sind ganz überrascht, dass ein Nachbar vor der Tür steht.

m) ▢ Tante Marga erwartet, dass das Bild schon hängt.

> Er bohrt **gerade** Löcher.
> Er **ist dabei**, Löcher **zu** bohren.

7. Tapeten mit Blumen

a) Richtig (**r**) oder falsch (**f**)?

a) ▢ Die Soße ist schon scharf, aber die Frau würzt sie noch schärfer.

b) ▢ Der Flur ist nicht sehr lang, aber länger als zwei Meter fünfzig.

c) ▢ Der Mann ist nur einen Meter sechzig groß, aber größer als seine Frau.

d) ▢ Das Maßband ist leider kürzer als einen Meter fünfzig.

e) ▢ Die Glühbirne im Flur ist nicht stark, aber stärker als 40 Watt.

f) ▢ Der Flur ist nicht sehr hoch, aber höher als zwei Meter.

g) ▢ Die Frau misst den Flur aus und wiederholt zum Schluss die Länge, die Breite und die Höhe.

h) ▢ Die Frau möchte Tapeten mit Blumen haben, weil sie das bei den Nachbarn gesehen hat.

Komparativ					
scharf	schärfer	groß	größer	kurz	kürzer
stark	stärker	hoch	höher		
lang	länger				

b) Was passt zusammen?

a) Sie nimmt noch etwas Pfeffer, damit die Soße *4*
b) Sie ist dabei, im Prospekt vom Baumarkt ▢
c) Sie erzählt ihrem Mann, dass der Baumarkt ▢
d) Er meint, dass seine Frau ▢
e) Sie benutzt das Maßband, um im Flur ▢
f) Er notiert, dass der Flur ▢
g) Für ihn ist es wichtig, ▢
h) Er ist einverstanden, nach dem Mittagsschlaf ▢
i) Sie möchte, dass sie gemeinsam ▢

1. viele Sonderangebote hat.
2. erst einmal Mittagsschlaf zu halten.
3. den Flur mit Blumentapeten tapezieren.
4. noch ein bisschen schärfer wird.
5. zum Baumarkt zu fahren.
6. den Flur auch später ausmessen kann.
7. zu lesen.
8. die Länge, die Breite und die Höhe zu messen.
9. nur einen Meter neunzig breit ist.

8. Möbel im Sonderangebot

a) Hören Sie die Gespräche und ergänzen Sie die Tabelle.

	Gespräch 1	Gespräch 2	Gespräch 3	
	Herr Fischer	**Frau Nolde**	**Herr Freund**	
Beruf:	*Rentner*	_____	_____	
Möbel:	_____	*Schreibpult*	_____	
Preis:	_____	_____	*1.111 €*	

Psychologe   Fernsehsessel   777 €
Schlafsofa   Schriftstellerin   850 €

b) Hören Sie die Gespräche noch einmal. Was passt?

Herr Fischer   hat das Möbelstück gekauft um ▢
möchte lieber ▢
findet, dass das Möbelstück ▢
hat vor, das Möbelstück ▢

Frau Nolde   hat das Möbelstück gekauft um ▢
möchte lieber ▢
findet, dass das Möbelstück ▢
hat vor, das Möbelstück ▢

Herr Freund   hat das Möbelstück gekauft um ▢
möchte den Besuch ▢
findet, dass das Möbelstück ▢
hat vor, das Möbelstück ▢

1. bei der Arbeit stehen zu können.
2. ein Bett für Gäste zu haben.
3. stehen als sitzen, wenn sie schreibt.
4. gemütlicher fernsehen zu können.
5. ins Gästezimmer zu stellen.
6. zu Hause als im Kino Filme anschauen.
7. praktisch ist.
8. gut zum Couchtisch passt.
9. lieber zu Hause als im Hotel unterbringen.
10. schön aussieht.
11. ins Arbeitszimmer ans Fenster zu stellen.
12. neben die Heizung zu stellen.

9. Hören Sie und sprechen Sie nach.

Zwei Wölfe liegen auf dem Dach
und sieben Schafe toben.
Drei Kinder spielen nah am Bach,
die Wölfe sind noch oben.
So ein Glück! Die Wölfe schlafen.
Kinder, seht doch auf das Dach!
Geht nach Hause mit den Schafen!
Denn die Wölfe sind bald wach.

Unten liegen ein paar Katzen
bequem auf ihren Luftmatratzen.
Sie sehen oben Hunde fliegen.
Die sehen unten Katzen liegen.
Die Hunde winken mit den Ohren.
Laut sind ihre zwei Motoren.
Die Katzen winken mit den Füßen,
um die Piloten zu begrüßen.

10. Vokale – lang oder kurz? Hören Sie und sprechen Sie nach.

a)
Ein Haar liegt in der Suppe.
Sie spielt mit einer Puppe.
Der Kellner ist bequem.
Das Haar ist ein Problem.
Der Kellner will nur schlafen.
Ein Boot liegt still im Hafen.
Das Haar ist von der Puppe.
Es liegt noch in der Suppe.

b)
● Die Jacke ist ganz nass.
■ Und auch mein Reisepass.
● Schau: Alles ist voll Schnee.
■ Macht nichts, wir kochen Tee.
● Der Ofen heizt sehr gut.
■ Er trocknet deinen Hut.
● Die Mützen und die Socken …
■ Sie sind bestimmt bald trocken.

c) Notieren Sie. Ist der Vokal kurz (k) oder lang (l)?

Suppe		Reisepass	Schnee		bequem		gut		schlafen		Socken	
Puppe		nass	Tee		Problem		Hut		Hafen		trocken	

11. Hören Sie und sprechen Sie nach.

Ergänzen Sie die Wörter.

Der Clown fällt auf die Nase.
Der Ball fällt auf die _____.

Am Morgen steht er schon am Meer,
denn Delfine mag er _____.

Ein Pfarrer mit acht Haaren
kann viel Shampoo _____.

Gute Nacht. Jetzt noch ein Kuss.
Aber dann ist wirklich _____.

Die Spinne sitzt im Zimmer
und spinnt ein Netz, wie _____.

Das Krokodil liegt ganz still,
weil es am Nil schlafen _____

will   sparen
immer
Schluss
Vase
sehr

- Oh, deine Wohnung ist ja schön und groß!
- Ja, das stimmt. Viel größer als die in der Berliner Straße.
- Wie viele Quadratmeter hat sie denn?
- Zusammen sind es 83.
- Und wie viele Zimmer hat sie?
- Drei Zimmer, Küche und Bad. Außerdem gibt es einen Balkon.
- Prima. Hast du lange gebraucht, um die Wohnung zu finden?

- Ein paar Wochen. Ich habe sie über eine Anzeige in der Zeitung bekommen.
- Und wie viel Miete bezahlst du jetzt?
- 550 Euro pro Monat, ohne Nebenkosten.
- Das geht ja.
- Übrigens, am Samstag mache ich eine Feier. Ich hoffe, dass du auch kommen kannst.

12. Variieren Sie das Gespräch.

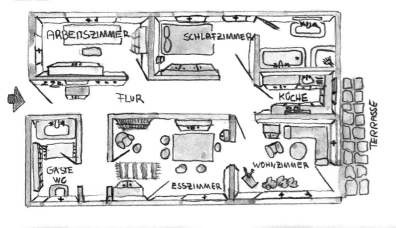

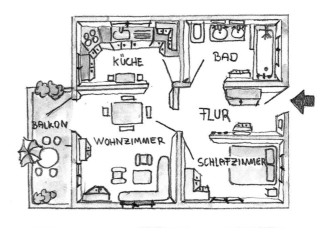

Aussehen:	schön, hell	schön, hoch
Größe:	90 m²	55 m²
Zimmer:	4 Zimmer, Küche, Bad, Gästetoilette	2 Zimmer, Küche, Bad
außerdem:	Terrasse	Balkon, Aufzug
bekommen über:	Freund	Makler
Miete (ohne Nebenkosten):	750 €	400 €
Einweihungsparty:	Freitag in 2 Wochen	Samstag in 3 Wochen

13. **Hören Sie zu und schreiben Sie.**

_____ Fischer _____, _____. _In ___
_____. _____, alles _____
_____. _____ Problem _____.
_____ Meter _____. ____ Sohn _____, _____.
Aber _____.

14. **Haustausch**

a) Lesen Sie die Anzeige.

Haustausch im Urlaub

Zeit: 1. bis 24. August

Wir bieten:
Unser Einfamilienhaus in Oberösterreich.
Herrliche Lage, direkt am Mondsee.

Wir suchen:
Haus mit Garten, an der Ostsee.

Wer möchte mit uns tauschen?

Fam. Goldau
A–5310 St. Lorenz, Tel: +43 6232 995176

b) Lesen Sie die Hinweise.

Bitte einschalten.

So ist die Heizung an.

Bitte nicht vergessen,
wenn Sie duschen wollen.

Nicht vergessen, fest
zuzudrehen.

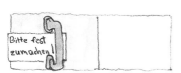

Wenn Sie Ihr Bier gern kalt
trinken ....

Es ist wunderbar, hier zu
wandern.

Fest drücken und dann
drehen.

Alles aus? – Alles zu?

c) Ergänzen Sie die Sätze.

St. Lorenz am Mondsee

Liebe Familie Nees,
vielen Dank für Ihren Brief und die Informationen zu Ihrem Haus an der Ostsee. Wir wünschen Ihnen ebenfalls viel Spaß und einen schönen Urlaub bei uns hier am Mondsee. Hier ist unsere Liste für Sie:

Für alle Fälle:
• Eine Liste mit Telefonnummern liegt neben dem Telefon (Ärzte, Feuerwehr, Autowerkstatt, Taxi usw.).
• Wichtig: Sie müssen immer zuerst eine Null wählen, _____.

Ankunft:
• Schlüssel: Holen Sie die Hausschlüssel bitte bei den Nachbarn (Familie Mitteregger) ab.
• Strom: Neben der Kellertür ist der Kasten mit den Sicherungen. Schalten Sie bitte die Hauptsicherung ein, _____.
• Heizung: Sie müssen nur den Hauptschalter drücken. Normalerweise leuchtet dann die Kontrolllampe. _____, warten Sie bitte ein paar Minuten und versuchen Sie es dann noch einmal.
• Warmwasser im Bad: Normalerweise soll der Regler auf Stufe I stehen. _____ _____ müssen Sie den Regler auf III stellen.

Verschiedenes:
• _____, finden Sie die Holzkohle im Keller.
• Die Müllabfuhr kommt immer am Donnerstag sehr früh morgens. Deshalb ist es am besten, die Müllsäcke schon am Mittwoch Abend _____.
• _____, muss man einen Trick benutzen: Drücken Sie fest gegen den Griff und drehen Sie ihn gleichzeitig nach rechts.
• Noch eine Bitte: Unsere Fische haben jeden Tag Hunger. Vergessen Sie bitte nicht, _____.
• Bitte beachten: Der Wasserhahn im Gäste-WC tropft, _____.
• Die Kühlschranktür klemmt ein bisschen. Es ist wichtig, _____.
• Ausflüge: Sie haben bestimmt vor, _____. Karten vom Mondsee und auch von Österreich finden Sie in der Kommode.
• Schließen Sie bitte immer die Kellertür, _____.

Abreise:
• Vergessen Sie nicht, _____. Machen Sie bitte alle Fensterläden zu, schließen Sie die Tür zweimal ab und bringen Sie dann den Schlüssel wieder zu Mittereggers.

Einen schönen Urlaub wünscht Ihnen
Familie Goldau

Um das Garagentor zu öffnen   wenn man ihn nicht fest zudreht   damit Sie Strom haben

an die Straße zu stellen

sie zu füttern   Wenn sie nicht sofort leuchtet

die Hauptsicherung und die Heizung auszuschalten   dass Sie sie fest zumachen

hier zu wandern   damit keine Mäuse ins Haus kommen

Wenn Sie grillen wollen   wenn Sie telefonieren wollen   Um zu duschen

a) Die Banane ist weiß.

b) Das Meer ist rot.

c) Die Lippen sind gelb.

d) Die Sahne ist schwarz.

e) Die Blätter sind blau.

f) Die Kohle ist grün.

1. Ergänzen Sie.

a) Eigentlich sind Bananen *gelb*.

b) Eigentlich ist das Meer _____.

c) Eigentlich sind Lippen _____.

d) Eigentlich ist _____.

e) Eigentlich _____.

f) Eigentlich _____.

2. Vergleichen Sie. Auf dem Bild rechts fehlen 10 Dinge.

Was fehlt auf dem Bild rechts?

a) der rote Ball

b) die schwarze Handtasche

c) das gelbe Auto

d) die grünen Gummistiefel

e) das _____ Fahrrad

f) der _____ Regenschirm

g) der _____ Koffer

h) die _____ Handschuhe

i) die _____ Blumenvase

j) der _____ Hut

k) die _____ Strümpfe

l) die _____ Schuhe

blauen   rote   schwarze   blaue

rote   grüne   gelben   schwarzen

der rote Ball	die roten Bälle
die rote Tasche	die roten Taschen
das rote Auto	die roten Autos

3. Was passt zusammen?

a) Ein alter Mann ▢   1. trinkt Wein.
b) Eine dicke Frau ▢   2. steht auf dem Ofen.
c) Ein verliebtes Paar ▢   3. läuft über die Brücke.
d) Fette Würste ▢   4. schwimmen im Sahnesee.
e) Ein großer Käse ▢   5. nascht Schokolade.
f) Eine heiße Suppe ▢   6. isst ein Eis.
g) Ein langes Brot ▢   7. liegt auf der Wiese.
h) Rote Kirschen ▢   8. hängen im Apfelbaum.

4. Was ist noch auf dem Bild?

a) ein _____ Fluss
b) eine _____ Torte
c) ein _____ Schwein
d) _____ Weintrauben
e) eine _____ Limonade
f) ein _____ Pudding
g) ein _____ Pferd
h) _____ Hühner

gelbe   roter
blauer   dickes
weißes   große
bunte   blaue

der Mann	ein alter Mann
die Frau	eine alte Frau
das Paar	ein altes Paar
die Würste	fette Würste

Über Geschmack kann man nicht streiten

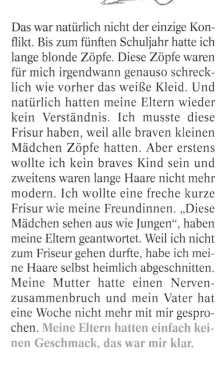

Liebe Leserin, lieber Leser, habe ich eigentlich das Recht, über den Geschmack anderer Leute zu urteilen? Da fällt mir zum Beispiel meine Freundin Vera ein. Sie liebt die Abwechslung und macht jede Mode mit: Kurze Röcke, lange Röcke, enge Kleider, weite Kleider, hohe Schuhe, flache Schuhe, große Hüte, kleine Hüte. Ständig kauft sie neue Sachen und findet es toll, wenn sie jeden Tag ihre private Modenschau machen kann. Leider hat sie kein Gefühl dafür, was zu ihr passt. Muss eine erwachsene Frau denn nicht irgendwann einen eigenen Stil entwickeln? Wenn ich sie treffe, ist ihre erste Frage immer: „Na, wie steht mir das?" Ich gebe ihr schon lange keine ehrliche Antwort mehr, weil sie dann beleidigt ist. Ich selbst trage meistens eine dunkle Hose und einen hellen Pullover. Das findet Vera ausgesprochen langweilig. Vielleicht hat sie ja sogar ein bisschen Recht, aber über dieses Thema will ich mit Vera nicht diskutieren. Schließlich ist sie meine Freundin und es gibt wichtigere Dinge. **Sie hat ihren Geschmack und ich habe meinen.**

Mein Sohn heißt Michael und ist 17. Er hat einen ganz speziellen Geschmack. Neulich hat er sein Zimmer renoviert. Jetzt gibt es da eine rote Wand, eine grüne Wand und zwei gelbe Wände. Die Decke wollte er schwarz streichen, aber da habe ich protestiert. Jetzt ist die Decke grau. Das war unser Kompromiss. Warum keine schwarze Zimmerdecke? Mein Sohn findet das schön. Er sagt, dass er dann an den schwarzen Nachthimmel und das unendliche Universum denkt, wenn er im Bett liegt. Davon bekommt man schreckliche Alpträume, sage ich, und außerdem ist eine schwarze Decke hässlich. Michael bleibt bei seiner Meinung. Er ist sowieso sicher, dass ein Erwachsener ihn nicht verstehen kann. **Deshalb habe ich aufgehört, mit Michael über Geschmack zu streiten.**

Mit meiner Tochter Lara ist es auch nicht ganz einfach. Unser aktuelles Thema heißt ‚Piercing'. Ist es nicht verrückt, überall Löcher in die Haut zu bohren,

Oder doch? –
Unsere Redakteurin
Helga Fächer, 39 und
Mutter von zwei Kindern,
macht sich heute
Gedanken zum Thema
Geschmack.

nur um Schmuckstücke zu befestigen? Diese Mode ist einfach pervers, finde ich. Meine Tochter hat da eine andere Meinung. Sie findet es toll. Bisher konnte ich das Schlimmste verhindern, weil sie erst 14 ist und gelegentlich noch auf mich hört. Also sind wir zusammen zum Juwelier gegangen und jetzt hat sie rechts zwei und links drei Ringe im Ohr. Glücklich bin ich nicht, weil ich finde, dass ein Ohrring pro Ohr genug ist. Trotzdem muss ich erst einmal zufrieden sein, denn für die Zukunft sehe ich schwarz. Ich weiß nämlich, dass Lara feste Pläne hat: Erst will sie einen kleinen Ring am Auge und dann einen roten Stein an der Nase. Aber was soll ich tun? **Meine Tochter hat einfach einen verrückten Geschmack.**

Allerdings muss ich sagen, dass meine Eltern es auch nicht leicht mit mir hatten. Als kleines Kind musste ich sonntags immer ein weißes Kleid tragen. Das war damals so üblich. Aber ich habe dieses Kleid gehasst. Es war unbequem und ich konnte nicht richtig spielen, weil es natürlich sauber bleiben musste und keine Flecken bekommen durfte. Wenn ich das Kleid anziehen musste, habe ich immer einen Wutanfall bekommen. Ich wollte immer Jeans anziehen, weil ich dann rennen und auf Bäume klettern konnte. Nur Jeans waren für mich schön, genau mein Geschmack. Aber meine Eltern hatten eine klare Meinung: **Ein Kind hat noch keinen Geschmack.**

Das war natürlich nicht der einzige Konflikt. Bis zum fünften Schuljahr hatte ich lange blonde Zöpfe. Diese Zöpfe waren für mich irgendwann genauso schrecklich wie vorher das weiße Kleid. Und natürlich hatten meine Eltern wieder kein Verständnis. Ich musste diese Frisur haben, weil alle braven kleinen Mädchen Zöpfe hatten. Aber erstens wollte ich kein braves Kind sein und zweitens waren lange Haare nicht mehr modern. Ich wollte eine freche kurze Frisur wie meine Freundinnen. „Diese Mädchen sehen aus wie Jungen", haben meine Eltern geantwortet. Weil ich nicht zum Friseur gehen durfte, habe ich meine Haare selbst heimlich abgeschnitten. Meine Mutter hatte einen Nervenzusammenbruch und mein Vater hat eine Woche nicht mehr mit mir gesprochen. **Meine Eltern hatten einfach keinen Geschmack, das war mir klar.**

Gerade muss ich an meine kleine Nichte denken, weil sie heute Geburtstag hat. Das Kind hat lange Haare und trägt am liebsten Zöpfe. Ihre Mutter findet diese Frisur sehr unpraktisch, weil es viel Zeit kostet, die Haare zu kämmen. Aber meine Nichte will keine kurzen Haare, weil sie ja ein Mädchen ist und nicht wie ein Junge aussehen möchte. Gestern war ich mit ihr in der Stadt, um für sie ein Geburtstagsgeschenk zu kaufen. Sie wollte unbedingt ein weißes Kleid haben. Immer muss sie Jeans tragen, das arme Kind. Also habe ich ihr ein weißes Kleid gekauft, und sie sieht entzückend aus. **Das Kind hat Geschmack.**

Bis zum nächsten Mal
Ihre Helga Fächer

5. Welcher Satz passt zu welcher Person?

Helga Fächer (H); Vera (V); Michael (M); Lara (L)

a) H Ihre langen Zöpfe hat sie selbst abgeschnitten.
b) Einen einfachen Kleidungsstil findet sie langweilig.
c) Demnächst möchte sie noch mehr Schmuck im Gesicht haben.
d) Sie findet schwarze Zimmerdecken hässlich.
e) Erwachsene können seinen Geschmack nicht verstehen.

f) Sie zieht nur moderne Kleidung an.
g) Seine Zimmerdecke wollte er am liebsten schwarz haben.
h) In einem Ohr trägt sie drei Ringe.
i) Ihre Eltern wollten ein braves Kind mit Zöpfen.
j) Sie ist vierzehn Jahre alt.
k) Ihre Nichte will keine Frisur wie ein Junge haben.

6. Was schreibt Helga Fächer? – Richtig (r) oder falsch (f)?

a) f Sie trägt sehr oft helle Hosen und dunkle Pullover.
b) Ihre Nichte muss sonntags immer ein weißes Kleid anziehen.
c) Sie gibt ihrer Freundin nicht immer eine ehrliche Antwort.
d) Ihre Tochter denkt im Bett an den schwarzen Nachthimmel.
e) Ihrer Nichte hat sie einen roten Pullover zum Geburtstag geschenkt.
f) Lange Haare findet ihre Nichte schön.
g) Als Kind wollte sie keine langen Zöpfe mehr haben.
h) Ihr Sohn möchte im Bett an das unendliche Universum denken.

i) Sie findet es entzückend, wenn Mädchen einen kleinen Ring am Auge tragen.
j) Den verrückten Geschmack ihrer Tochter findet sie schrecklich.
k) Ihr Sohn hat in seinem Zimmer eine rote Wand.
l) Sie wollte immer ein braves Kind sein.

Sie trägt	einen roten Pullover. eine graue Hose. ein weißes Kleid. grüne Schuhe.	Sie trägt	den roten Pullover. die graue Hose. das weiße Kleid. die grünen Schuhe.

7. Was passt zusammen?

a) Wenn sie ihr weißes Sonntagskleid anziehen musste,
b) Michael durfte seine Zimmerdecke nicht schwarz streichen,
c) Obwohl sie ihre Zöpfe behalten sollte,
d) Helga konnte nicht auf Bäume klettern,
e) Weil ihre Nichte zum Geburtstag ein weißes Kleid haben wollte,
f) Helga wollte kurze Haare haben,
g) Weil das weiße Kleid keine Flecken bekommen durfte,

1. ist Helga mit ihr in die Stadt gegangen.
2. wenn sie ihr weißes Kleid getragen hat.
3. hat Helga immer einen Wutanfall bekommen.
4. weil das modern war.
5. konnte Helga nicht richtig spielen.
6. weil seine Mutter das hässlich findet.
7. hat Helga sie abgeschnitten.

Präsens	er will	er soll	er muss	er darf	er kann
Präteritum	er wollte	er sollte	er musste	er durfte	er konnte

8. „Meine Handtasche ist weg!"

Lesen Sie die Texte. Hören Sie dann das Interview.
Welcher Text passt? ✗

a) Die alte Dame ist auf dem Polizeirevier, um einen
Diebstahl zu melden. Sie erzählt, dass sie mit dem
Bus gefahren ist. Neben ihr hat ein junger Mann mit
langen Haaren gesessen. Er hatte eine rote Mütze auf
und eine schwarze Lederjacke an. An der Haltestelle
„Goetheplatz" ist er ausgestiegen. Ein paar Minuten
später wollte die alte Dame ein Taschentuch aus ihrer
Handtasche nehmen. Da hat sie gemerkt, dass ihre
Tasche nicht mehr da war. Zum Glück war nur wenig
Geld darin.

b) Die alte Dame ist auf dem Polizeirevier, um einen
Diebstahl zu melden. Sie sagt, dass sie mit der U-Bahn
nach Hause fahren wollte. Da ist ein Mann mit einem
schwarzen Bart und einer roten Mütze eingestiegen
und hat sie nach der Uhrzeit gefragt. Danach ist eine
Frau mit einem bunten Kleid gekommen. An der
nächsten Station hat ihr diese Frau plötzlich die Handtasche weggerissen. Dann sind beide ausgestiegen und
weggerannt. Zum Glück war kein Geld in der Tasche.

c) Die alte Dame ist auf dem Polizeirevier, um einen
Diebstahl zu melden. Sie ist sehr aufgeregt, weil man
ihr die Handtasche gestohlen hat. Der Dieb war ein
kleiner Mann mit einem schwarzen Bart und einer
großen Sonnenbrille. Die alte Dame erzählt, dass sie
mit der U-Bahn gefahren ist und gerade aussteigen
wollte. Plötzlich hat dieser Mann neben ihr gestanden. Er hat ihr die Tasche aus der Hand gerissen und
ist weggerannt. Zum Glück hatte sie kein Geld dabei.

> mit ein**em** schwarz**en** Bart
> mit ein**er** rot**en** Mütze
> mit ein**em** bunt**en** Kleid
>
> mit lang**en** Haaren

9. „Ich kenne ihn doch gar nicht!"

Hören Sie den Dialog. Richtig (**r**) oder falsch (**f**)?

Der Kollege ...
a) ☐ kommt mit dem Flugzeug aus Berlin.
b) ☐ kommt um Viertel nach drei am Bahnhof an.
c) ☐ ist ziemlich groß.
d) ☐ ist nicht sehr groß.
e) ☐ trägt eine schmale Brille.
f) ☐ hat immer eine bunte Krawatte an.
g) ☐ trägt meistens einen schwarzen Hut.
h) ☐ hat schwarze Haare.
i) ☐ ist rothaarig.
j) ☐ trägt einen Ohrring im linken Ohr.
k) ☐ ist noch ziemlich jung.

10. „Das muss ich unbedingt mitnehmen!"

Wer sagt was? (M = Mann; F = Frau)

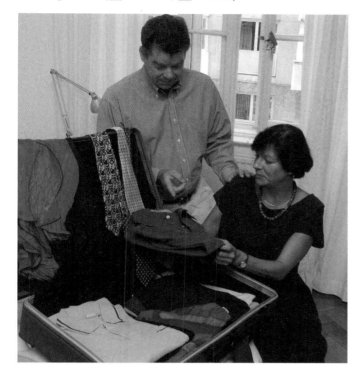

a) ▨ „Was für ein Koffer ist das denn?"
b) ▨ „Ich habe ihn geliehen, weil er so schön groß ist."
c) ▨ „Welches Hemd ist schmutzig?"
d) ▨ „Was für eine Krawatte ist besser?"
e) ▨ „Welche Jacke passt besser zu dieser Hose?"
f) ▨ „Aber du hast doch schon zwei eingepackt!"
g) ▨ „Welcher Schal ist nicht da?"
h) ▨ „Ich will im Urlaub meine Ruhe haben!"
i) ▨ „Ich habe meinem Chef gesagt, dass er mich anrufen kann."
j) ▨ „Was für Ferien sollen das sein?"

Welcher Schal?	– **Der** graue Schal.
Welche Jacke?	– **Die** blaue Jacke.
Welches Hemd?	– **Das** weiße Hemd.
Welche Schuhe?	– **Die** schwarzen Schuhe.
Was für ein Koffer?	– **Ein** brauner Koffer.
Was für eine Krawatte?	– **Eine** helle Krawatte.
Was für ein Hemd?	– **Ein** blaues Hemd.
Was für Ferien?	– Schöne Ferien.

11. „Das ist ein schrecklicher Typ!"

Lisa spricht über ihren neuen Kollegen. Was passt zusammen?

a) „Alle Frauen finden ihn toll, ▨
b) „Er merkt einfach nicht, ▨
c) „Ich habe keine Lust, ▨
d) „Es geht mir auf die Nerven, ▨
e) „Wenn er morgens ins Büro kommt, ▨
f) „Mit seinen weißen Socken ▨
g) „Wenn der Chef ins Zimmer kommt, ▨
h) „Morgens kommt er meistens zu spät, ▨

1. trinkt er immer zuerst Milch."
2. ihm dauernd Ratschläge zu geben."
3. wird er immer ganz nervös."
4. dass ich seine Witze blöd finde."
5. sieht er einfach lächerlich aus."
6. weil er Probleme mit seinem Auto hat."
7. dass er so viel redet."
8. weil er so gut aussieht."

12. Sprechen Sie nach.

Fritz ist ein schlauer Bauer.
Er steigt auf eine Mauer.
Da merkt der schlaue Bauer:
Die Äpfel sind noch sauer.

Fritz ist ein lieber Vater
und Kurt ein schwarzer Kater.
Der liebe Fritz sucht Kurt im Keller.
Der schwarze Kater ist viel schneller.

13. Sprechen Sie nach.

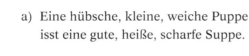

a) Eine hübsche, kleine, weiche Puppe
   isst eine gute, heiße, scharfe Suppe.

b) Eine dicke, warme, rote Mütze
   fliegt in eine tiefe, kalte, nasse Pfütze.

c) Eine große, schwere, schwarze Tasche
   liebt eine kleine, leichte, rote Flasche.

14. Sprechen Sie nach.

a) War es heute brav,
   das kleine weiße Schaf?

   Ein kleines weißes Schaf
   ist doch immer brav!

b) Schneidet es denn besser,
   das neue scharfe Messer?

   Ein neues scharfes Messer
   schneidet immer besser!

c) Kennt denn die kleine Maus
   das leere alte Haus?

   Ein leeres altes Haus
   kennt doch jede Maus!

● Schau mal, die Frau da drüben. Die kenne ich.

■ Wen meinst du?

● Die Frau mit dem großen Hut und der grünen Jacke.

■ Meinst du die mit dem gelben Schirm in der Hand?

● Ja, die meine ich. Komm, lass uns mal zu ihr gehen.

15. **Variieren Sie das Gespräch.**

… Mann dort unten
  … mit dem blauen Mantel und dem roten Schal
  … mit der braunen Tasche?
  … möchte ihn gern begrüßen

… Frau da vorne
  … mit dem langen Kleid und den grünen Schuhen
  … mit dem kleinen Hund?
  … lass uns mal „Guten Tag" sagen

… Mann da hinten
  … mit der roten Jacke und der schwarzen Mütze
  … mit dem blauen Koffer?
  … möchte dich gern vorstellen

… Frau da oben
  … mit dem weißen Rock und dem schwarzen Pullover
  … mit den langen Haaren?
  … möchte gern mit ihr reden

● Schau mal, der Mann da drüben. Den kenne ich.

■ Wen meinst du?

● Den Mann mit dem blauen Mantel und dem roten Schal.

■ Meinst du den mit der braunen Tasche?

● Ja, den meine ich.
  Komm, ich möchte ihn gern begrüßen.

16. **Hören Sie zu und schreiben Sie.**

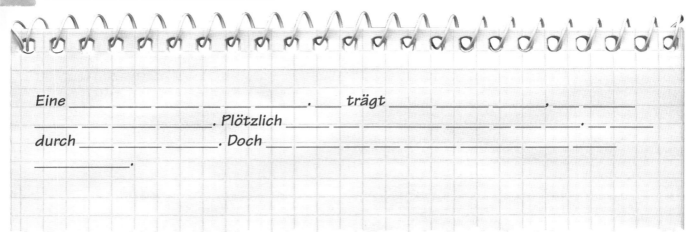

Eine _____ _____ _____ _____ _____. _____ trägt _____ _____ _____, _____ _____
_____ _____ _____ _____. Plötzlich _____ _____ _____ _____ _____. _____
durch _____ _____. Doch _____ _____ _____
_____.

17. **Beschreiben Sie das Bild.**

In der Mitte steht ein rundes Haus. Es sieht ungewöhnlich aus: Das Dach ist aus einem gelben Brief, die Wände bestehen aus _____ Büchern. Links neben dem Haus brennt eine _____ Kerze. Daneben wächst ein _____ Baum.
Zwischen seinen Blättern sieht man zwei braune und zwei _____ Augen. Hinter dem Haus beginnt ein Wald. Er ist auch _____ . Vor dem Haus gibt es einen _____ Garten mit _____ Blumen und einer _____ Brücke. Darüber hängt ein _____ Käfig. Darauf sitzen zwei _____ Tauben. Links im Hintergrund kann man einen _____ Stern erkennen. Am rechten Rand sieht man einen _____ Tisch, darunter das Meer. Darin schwimmt ein _____ Delfin.

dicken	roter		grüne	weißen	grünen		blaue
		kleinen					
bunten	offener		langen	kleiner		blau	weiße

> Ein Garten ist **vor** dem Haus.
> Ein Garten ist **davor**.
>
> Tauben sitzen **auf** dem Käfig.
> Tauben sitzen **darauf**.

18. Ergänzen Sie den Brief.

Lieber Jan,

gestern habe ich eine Kunstausstellung im Rathaus besucht. Drei Bilder haben mir besonders gut gefallen. Auf dem ersten Bild sieht man im Vordergrund einen langen Tisch. Darauf liegt ein grüner Stern, darunter steht ein gelber Vogel. In der Mitte gibt es einen blauen Wald. Darüber fliegt ein weißer Fisch. Im Hintergrund geht ein Mann mit einem roten Schirm am Himmel spazieren.

Auf dem zweiten Bild ist im Vordergrund eine graue Straße. Darauf fährt ein

_____ _____. In der Mitte sieht man eine _____ _____.

Darauf wachsen _____ _____. Darunter steht eine _____

_____. Im Hintergrund erkennt man zwei _____ _____.

Auf dem dritten Bild kann man im _____ ein _____ _____

sehen. Darin sitzt eine _____. Sie hat lange _____ _____

und schöne braune _____. In der _____ sieht man ein _____

Meer. Darauf schwimmt ein _____. Im _____ erkennt man ein

_____ _____ mit _____ _____.

Ich möchte gerne noch einmal in die Ausstellung gehen.
Hast du nicht Lust mitzukommen?

Liebe Grüße
Sara

Bild 3

Mitte	weiß	Sofa
Hintergrund	blau	Haare
Vordergrund	blond	Puppe
	grün	Augen
	offen	Fenster
	rund	Haus
	gelb	Buch

Bild 2

rot	Segelboot
bunt	Blumen
gelb	Brücke
breit	Bäume
blau	Kerze

1. Ergänzen Sie.

Er rasiert ihn.   Er rasiert sich.   Sie schaut sie an.   Sie schaut sich an.

Es versteckt es.   Es versteckt sich.   Sie waschen sie.   Sie waschen sich.

a) Er _____.   b) Er _____.   c) Sie _____.   d) Sie _____.

e) Sie _____ ins Bett.   f) Sie _____ ins Bett.   g) Er _____.   h) Er _____.

fotografiert sich   legen sie   zeichnet sich   kämmt es   legen sich   fotografiert sie   zeichnet ihn   kämmt sich

2. Was passt?

a) **6** Komm, wir verstecken uns!
b) ▨ Ich muss sie unbedingt kämmen.
c) ▨ Du musst dich unbedingt rasieren.
d) ▨ Du musst ihn schnell rasieren.
e) ▨ Ich muss mich unbedingt kämmen.

f) ▨ Komm, wir verstecken sie!
g) ▨ Ihr müsst euch waschen!
h) ▨ Ihr müsst ihn waschen!
i) ▨ Schauen Sie sich doch im Spiegel an!
j) ▨ Schauen Sie sie bitte genau an!

sich waschen	
ich wasche **mich**	
du wäschst **dich**	
er/sie/es/man wäscht **sich**	
wir waschen **uns**	
ihr wascht **euch**	
sie/Sie waschen **sich**	

3. Was passt?

a) Die Arbeiter demonstrieren `6`.

b) Die Sekretärin schreibt einen Brief ▇.

c) Die Studentin hilft der Schülerin ▇.

d) Der Chef ruft ▇.

e) Die Lehrer nehmen ▇ teil.

f) Der Manager berichtet ▇.

g) Der Patient wartet ▇.

h) Der Kunde schimpft ▇.

i) Der Tourist erkundigt sich ▇.

j) Die Marktfrau handelt ▇.

k) Der Lehrling bereitet sich ▇ vor.

l) Der Student bewirbt sich ▇.

1. mit dem Automechaniker
2. um eine Stelle als Animateur
3. an die Firma „Hansen & CO"
4. mit Obst

5. auf den Arzt
6. für mehr Lohn
7. nach dem Fahrplan
8. auf die Prüfung

9. bei den Hausaufgaben
10. über die Verkaufszahlen
11. an einer Konferenz
12. nach der Sekretärin

warten auf berichten über demonstrieren für sich bewerben um …	+ Akkusativ

helfen bei fragen nach teilnehmen an …	+ Dativ

■ Klassentreffen

Vera Schreiber, 38

Gleich nach dem Abitur konnte ich mich noch nicht für ein bestimmtes Studium entscheiden. Deshalb bin ich erst einmal als Aupairmädchen ins Ausland gegangen. Zuerst war ich bei einer Familie in London und danach noch ein Jahr in Mexico, in Puebla. In dieser Zeit habe ich meine Sprachkenntnisse in Englisch und Spanisch verbessert. Nach zwei Jahren bin ich nach Deutschland zurückgekommen und habe mich entschlossen, Lehrerin zu werden. Also habe ich angefangen, Sprachen zu studieren. Als junge Studentin habe ich meinen Mann kennen gelernt. Das war aber nicht an der Uni. Ich hatte Zahnschmerzen und in der Praxis des Doktors hat ein junger Zahnarzt als Urlaubsvertretung gearbeitet. Das war mein Rolf. Ich habe mich sofort in ihn verliebt und wir haben bald geheiratet. Kurz nach meinem ersten Staatsexamen ist unser Sohn auf die Welt gekommen. Weil meine Mutter sich jeden Vormittag um das Kind gekümmert hat, konnte ich mich in Ruhe auf das zweite Staatsexamen vorbereiten. Ich habe dann acht Jahre an einem Gymnasium Englisch und Spanisch unterrichtet. Mit 35 wollte ich noch ein Kind haben. Nach der Geburt unserer Tochter habe ich Erziehungsurlaub genommen. Die Kleine ist jetzt drei und der Große zwölf Jahre alt. In die Schule gehe ich nicht wieder zurück. Ich habe schon vor vielen Jahren angefangen, Kinderbücher zu schreiben. Gestern habe ich einen Brief meines Verlegers bekommen. Ich soll ein großes Märchenbuch für Kinder bearbeiten. Über diesen Auftrag habe ich mich natürlich sehr gefreut.

Jens Zuchgarn, 39

Ich habe immer gedacht, dass ich einmal Arzt werde wie mein Vater und mein Großvater. Nach dem Abitur wollte ich nicht zur Bundeswehr, sondern ich habe mich für den Zivildienst entschieden. Ich habe versucht, eine Zivildienststelle im Krankenhaus zu bekommen, und das hat

Vor 20 Jahren haben sie Abitur gemacht, neun Schülerinnen und zehn Schüler der Klasse 13 b. Damals war alles offen und jeder hatte seine Träume und Pläne für die Zukunft. Die meisten wollten studieren, einige eine Lehre machen und ein paar wollten zunächst einmal ins Ausland gehen. Zum Klassentreffen nach zwanzig Jahren sind fünfzehn gekommen. Vier haben wir gefragt, wie ihr Leben seit dem Abitur verlaufen ist.

wollte unbedingt, dass ich die Tradition der Familie fortsetze. Um mein Studium zu finanzieren, habe ich in einer Werbeagentur gearbeitet. Das hat mir großen Spaß gemacht und ich habe viele Erfahrungen gesammelt. Nach dem Abschluss des Studiums habe ich mich selbstständig gemacht. Ich habe jetzt eine eigene Werbeagentur. Meine Frau ist Grafikerin und arbeitet mit mir zusammen. In zwei Monaten bekommen wir unser erstes

Kind. Wir wissen schon, dass es ein Mädchen wird. Auch meine Eltern freuen sich sehr auf ihr erstes Enkelkind. Und mein Vater ist inzwischen sogar ein bisschen stolz auf mich.

Claudia von Bornfeld, 37

Nach dem Abitur habe ich ein Stipendium bekommen, weil ich gute Noten hatte. Das hat mir sehr geholfen, weil meine Eltern kein Geld hatten, mir das Jurastudium zu finanzieren. Und so musste ich neben dem Studium auch nicht arbeiten und konnte nach zehn Semestern mein erstes Staatsexamen machen. Da hatte ich auch schon das Ziel, in die Wirtschaft zu gehen. Richterin oder Rechtsanwältin wollte ich nicht werden. Am meisten habe ich mich für

auch geklappt. Aber bei der Arbeit habe ich gemerkt, dass ich doch nicht für den Beruf des Arztes geboren bin. Ich konnte einfach kein Blut sehen. Ich habe dann Psychologie und Philosophie studiert. Mein Vater hat sich furchtbar über meine Entscheidung geärgert. Er

internationales Handelsrecht interessiert. Nach dem zweiten Staatsexamen war ich Assistentin an der Universität und habe meinen Doktor gemacht. Dann habe ich mich bei der Deutschen Bank beworben und hatte sofort Glück: Ich habe eine Stelle in der Auslandsabteilung bekommen. Mein Beruf und meine Karriere sind sehr, sehr wichtig für mich. Ich reise viel, beruflich und privat; deshalb habe ich in der ganzen Welt gute Bekannte. Der größte Wunsch meiner Eltern ist es, ein Enkelkind zu haben. Aber zu meinem Leben passt kein Kind und auch kein Ehemann. Welcher Mann akzeptiert schon, dass er immer an zweiter Stelle steht. Zurzeit bin ich mit einem Kollegen zusammen, aber jeder von uns hat seine eigene Wohnung und das soll auch so bleiben.

Richard Schmidt, 38

Meine Abiturnoten waren nicht so toll. Aber das war mir egal, weil ich sowieso nicht studieren wollte. Seit meiner Kindheit war klar, dass ich einmal das kleine Hotel meines Onkels bekommen sollte, weil er keine Kinder hatte. Deshalb habe ich nach der Bundeswehr eine Lehre als Koch gemacht und anschließend eine Hotelfachschule besucht. Danach habe ich bei meinem Onkel gearbeitet. Wir hatten viel vor: die Zahl der Zimmer zu vergrößern, die Einrichtung der Küche komplett zu erneuern, einen Aufzug und eine Sauna einzubauen und das Restaurant neu einzurichten. Aber dann hatten wir Pech: Im Zentrum unseres Ortes hat ein Konzern ein großes Hotel mit 150 Betten gebaut. Diese Konkurrenz hat uns kaputt gemacht. Bald konnte mein Onkel die Kredite der Banken nicht mehr bezahlen und musste verkaufen. Danach habe ich ein Restaurant übernommen, aber das war nur für kurze Zeit. Ich habe da zu viele Fehler gemacht, weil ich noch wenig Erfahrung hatte. Den Traum, mich selbstständig zu machen, habe ich danach aufgegeben. Vor acht Jahren habe ich mich dann bei einer Steak-House-Kette beworben. Heute bin ich Geschäftsführer einer Filiale. Mit meinem Beruf bin ich jetzt ganz zufrieden. Am meisten Spaß macht mir aber mein Hobby. Jede freie Minute bin ich auf dem Flugplatz bei meinem Oldtimer-Flugzeug, um daran zu basteln oder damit zu fliegen.

4. Was passt?

a) Vera Schreiber
   3 ☐ ☐ ☐

b) Jens Zuchgarn
   ☐ ☐ ☐ ☐

c) Claudia von Bornfeld
   ☐ ☐ ☐ ☐

d) Richard Schmidt
   ☐ ☐ ☐ ☐

1. wollte eigentlich Medizin studieren.
2. hat ihr Studium durch ein Stipendium finanziert.
3. ist gleich nach dem Abitur im Ausland gewesen.
4. hat kein gutes Abitur gemacht.
5. hat nach dem zweiten Staatsexamen ihren Doktor gemacht.
6. hat neben dem Studium in einer Werbeagentur gearbeitet.
7. hat nicht studiert.
8. hat nach dem zweiten Staatsexamen Sprachen unterrichtet.
9. ist nur kurze Zeit selbstständig gewesen.
10. ist heute selbstständig.
11. findet ihre Karriere wichtiger als eine eigene Familie.
12. hat sich in einen jungen Zahnarzt verliebt.
13. arbeitet mit seiner Frau zusammen.
14. hat eine Stelle als Geschäftsführer gefunden.
15. ist beruflich oft im Ausland.
16. hat sich entschlossen, ihren Beruf aufzugeben.

5. Was ist richtig? ☒

a) Vera Schreiber ...
   ☐ hat ihren Mann im Büro des Rechtsanwalts kennen gelernt.
   ☐ hat ihren Mann in der Praxis des Zahnarztes kennen gelernt.
   ☐ hat ihren Mann im Haus des Verlegers kennen gelernt.

b) Jens Zuchgarn ...
   ☐ hat sich nach dem Abschluss des Studiums selbstständig gemacht.
   ☐ hat sich nach dem Abschluss der Lehre selbstständig gemacht.
   ☐ hat sich nach dem Abschluss des Zivildienstes selbstständig gemacht.

c) Claudia von Bornfeld:
   ☐ Der größte Wunsch ihrer Eltern ist es, ein Enkelkind zu haben.
   ☐ Der größte Wunsch ihrer Eltern ist es, dass sie heiratet.
   ☐ Der größte Wunsch ihrer Eltern ist es, dass sie ihren Beruf aufgibt.

d) Richard Schmidt ...
   ☐ ist heute Chef eines Konzerns.
   ☐ ist heute Geschäftsführer einer Filiale.
   ☐ ist heute Manager eines Hotels.

Nominativ		Genitiv
der Doktor	die Praxis	**des** Doktors/**eines** Doktors
die Familie	die Tradition	**der** Familie/**einer** Familie
das Studium	der Abschluss	**des** Studiums/**eines** Studiums
die Banken	die Kredite	**der** Banken/**von** Banken

Zeitangaben

vor vielen Jahren
nach dem Abitur
seit meiner Kindheit
in zwei Monaten
für kurze Zeit

6. Das Schulsystem in Deutschland – eine Fernsehdiskussion

Richtig (r) oder falsch (f)?

a) ☐ Alle Kinder ab 4 Jahren müssen eine Vorschule besuchen.

b) ☐ Mit 6 Jahren beginnt die Schulpflicht und alle Kinder müssen die Grundschule besuchen.

c) ☐ Nach der Grundschule kann man zwischen verschiedenen Sekundarschulen wählen.

d) ☐ Die Sekundarschulen unterscheiden sich in der Länge des Schulbesuchs.

e) ☐ Hauptschüler verlassen die Schule nach der 9. Klasse.

f) ☐ Bis zum Realschulabschluss braucht man 10 Jahre.

g) ☐ Nach dem Abschlusszeugnis der Realschule kann man nicht auf das Gymnasium gehen.

h) ☐ Alle Schüler mit Abiturzeugnis müssen zuerst eine Lehre machen.

i) ☐ Nicht alle Schüler mit Abitur gehen auf die Universität oder Hochschule.

7. Klasse 10b vor dem Realschulabschluss

a) Was sagt der Reporter am Anfang? Was passt?

a) Guten Morgen, **2**
b) Wir besuchen heute ☐
c) Es sind nur noch wenige Wochen ☐
d) Wir haben uns schon mit einigen ☐
e) Wir wollen die Schulabgänger ☐

1. die Klasse 10b der Uhland-Realschule.
2. liebe Hörerinnen und Hörer.
3. nach ihren Zukunftsplänen fragen.
4. bis zum Ende des Schuljahres.
5. Schülern und Schülerinnen bekannt gemacht.

b) Ergänzen Sie die Namen: *Kira, Carsten, Ulf, Lisa.*

Kira hat schon eine Lehrstelle gefunden.

_____ möchte später zur Polizei gehen.

_____ will später nur noch halbtags arbeiten.

_____ hat sich um eine Lehrstelle als Automechaniker bemüht.

_____ wollte eigentlich eine Ausbildung als Fotografin machen.

_____ interessiert sich nur für Musik.

_____ unterhält sich gern mit Menschen.

_____ will gar keine Lehrstelle haben.

_____ geht noch drei Jahre aufs Gymnasium, um Abitur zu machen.

_____ freut sich auf das Ende der Schulzeit.

_____ hat sich sehr über die Zusage des Salons gefreut.

_____ hat sich über die meisten Antworten sehr geärgert.

_____ soll zuerst eine Lehre machen.

_____ sagt, dass der Reporter wie seine Eltern redet.

Er freut sich **auf** das Ende der Schulzeit.
Sie freut sich **über** die Zusage des Salons.

8. Drei Frauen und ihr Beruf.

a) Ergänzen Sie die Sätze.

Helga Schneider, 27, Kellnerin,
- will nicht mehr in der Küche mithelfen, weil sie **3**
- beklagt sich darüber, dass die Gäste ▨
- wartet darauf, dass sie ▨
- möchte am liebsten die Stelle wechseln, weil der Geschäftsführer ▨

Susanne Balzer, 29, Dachdeckerin,
- hat gerade die Meisterprüfung gemacht und erzählt, dass ihr Freund ▨
- ist sehr zufrieden damit, dass sie ▨
- beklagt sich darüber, dass so viele junge Leute arbeitslos sind, aber dass sie ▨
- findet es lustig, dass ein alter Mitschüler ▨

Martina Harms, 28, Fernfahrerin,
- freut sich darauf, dass sie ▨
- hat morgen eigentlich ein Tennisspiel und findet es schade, dass sie ▨
- regt sich darüber auf, dass einige Kollegen ▨
- hat einen Freund und erzählt, dass sie ▨

1. jetzt ihre eigene Chefin ist.
2. dummes Zeug über sie reden.
3. sich dafür nicht interessiert.
4. sich bei ihr um eine Stelle beworben hat.
5. sich zu sehr für sie interessiert.
6. über alles mit ihm reden kann.
7. am Wochenende freihat.
8. trotzdem keinen Lehrling finden kann.
9. immer weniger Trinkgeld geben.
10. daran nicht teilnehmen kann.
11. endlich mehr Gehalt bekommt.
12. ihr sehr dabei geholfen hat.

b) Welche Antwort ist richtig? **X**

Worauf bereitet Helga Schneider sich vor?
- ▨ Auf die Meisterprüfung.
- **X** Auf die Führerscheinprüfung.
- ▨ Auf den Realschulabschluss.

Von wem hat Susanne Balzer die Firma übernommen?
- ▨ Von ihrem Bruder.
- ▨ Von ihrem Onkel.
- ▨ Von ihrem Vater.

Um wen muss Martina Harms sich kümmern?
- ▨ Um ihre kranke Mutter.
- ▨ Um ihren kranken Bruder.
- ▨ Um ihre kranke Tochter.

Auf wen wartet Helga Schneider?
- ▨ Auf ihren Freund.
- ▨ Auf ihren Chef.
- ▨ Auf ihren Mann.

Worüber freut sich Susanne Balzer?
- ▨ Dass ihre Firma viele Aufträge hat.
- ▨ Dass sie so viele Freunde hat.
- ▨ Dass sie so wenig Arbeit hat.

Wovor hat Martina Harms Angst?
- ▨ Dass sie keine Aufträge mehr bekommt.
- ▨ Dass ihr Freund ihre Arbeit nicht akzeptiert.
- ▨ Dass sie ihre Stelle aufgeben muss.

| **Worüber** regt sie sich auf? | **Darüber.** |
| **Über wen** regt sie sich auf? | **Über ihn.** |

9. Sprechen Sie nach.

Die Tante singt, der Onkel springt,
der Junge trinkt, der Enkel winkt.
Die Tante springt, der Onkel singt,
der Junge winkt, der Enkel trinkt.

Die Tante winkt, der Onkel trinkt,
der Junge singt, der Enkel springt.
Die Tante sinkt, der Onkel sinkt,
die Sonne sinkt, der Junge winkt.

10. Sprechen Sie nach und ergänzen Sie „nk" oder „ng".

a) Er steht am Eingang und wi___t la___sam.
b) Sie de___t an die Einladu___, denn sie braucht noch ein Gesche___.
c) Die la___e Schla___e liegt im Schra___ und ihre Augen fu___eln.
d) Der Ju___e ist kra___, deshalb hat er keinen Hu___er.
e) Sie machen die Vorhä___e zu und fa___en an, Ta___o zu tanzen.
f) Er hat angefa___en, am Fluss zu a___eln, und hat viele Fische gefa___en.

11. Sprechen Sie nach und ergänzen Sie.

Der Wagen ihres Vaters ist schnell.
Die Hose ihre___ Bruder___ ist hell.
Die Pferde ihre___ Tante sind grau.
Das Mofa ihre___ Freundes ist blau.

Die Pizza seine___ Schwester ist heiß.
Die Hüte seine___ Onkel___ sind weiß.
Die Haare seine___ Mutter sind rot.
Die Freundin seine___ Bruder___ fährt Boot.

12. Sprechen Sie nach und ergänzen Sie.

Er sitzt auf dem Boden des _____
und isst den Rest seines Brotes.

Er sieht den Sprung eines _____
und winkt mit dem Bein eines Tisches.

Sie springt vom Rand des _____
ins kalte Wasser des Baches.

Sie steigt vom Rücken des _____
und wärmt sich am Feuer des Herdes.

Die Bratwurst im Mund des _____
hat fast das Gewicht eines Pfundes.

Man sieht den Beginn eines _____
am blauen Ufer des Flusses.

Kusses   Bootes   Hundes   Daches   Pferdes   Fisches

● Hallo, Gerd, das ist ja eine Überraschung! Arbeitest du jetzt hier?

■ Ja, ich habe mir eine neue Stelle gesucht. Jetzt bin ich schon seit vier Monaten hier.

● Hat dir dein alter Arbeitsplatz denn nicht mehr gefallen?

■ Na ja, weißt du, ich habe dort viel zu wenig verdient. Ich konnte mir ja nicht einmal ein Auto leisten. Außerdem habe ich mich überhaupt nicht mit dem Chef verstanden.

● Ja, ich erinnere mich, dass du dich immer über ihn geärgert hast. – Und wie hast du diese Stelle gefunden?

■ Durch eine Anzeige in der Zeitung. Ich habe mich beworben und sie wollten mich sofort einstellen.

● Da hast du aber Glück gehabt.

■ Ja, das stimmt. Ich verdiene mehr, kann viel selbstständiger arbeiten und die Kollegen sind auch sehr nett. Ich fühle mich hier richtig wohl.

● Das kann ich mir vorstellen. Mehr kann man sich eigentlich nicht wünschen.

■ Da hast du Recht. – So, was kann ich für dich tun?

13. Variieren Sie das Gespräch.

In der alten Firma:

> sich nicht mit den Kollegen verstehen
> sich dauernd mit dem Chef streiten
> nicht selbstständig arbeiten können
> nicht genug verdienen
> einen weiten Weg zur Arbeit haben
> keine Aufstiegsmöglichkeiten haben
> sich nur eine kleine Wohnung leisten können

In der neuen Firma:

> sich gut mit der Chefin verstehen
> mehr Verantwortung haben
> ein gutes Gehalt bekommen
> Kolleginnen und Kollegen: sympathisch
> Aufstiegsmöglichkeiten: ausgezeichnet
> Abteilungsleiter werden können
> sich eine große Wohnung leisten können

Dativ					
Ich wünsche	**mir**		Wir wünschen	**uns**	
Du wünschst	**dir**	ein Auto.	Ihr wünscht	**euch**	ein Auto.
Er/sie/es wünscht	**sich**		Sie/sie wünschen	**sich**	

14. Hören Sie zu und schreiben Sie.

____ ____ ____ ____ ____ ____ ____ *Freundin.* __ ____ ____ ____
Hausaufgaben _____ *. Schnell* _____ __ ____ ____ *.* _____ *blondes*
_____ __ ____ *.* ____ *Schülerin* _____ *,* ____
_____ *. Endlich* _____ *.*

15. Eine steile Karriere

Ergänzen Sie den Lebenslauf von Werner Hellmann.

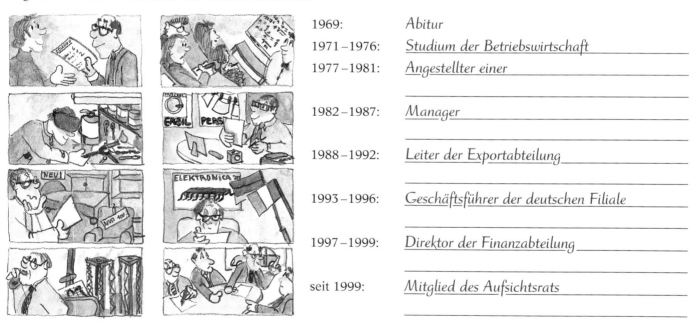

1969:	Abitur
1971–1976:	Studium der Betriebswirtschaft
1977–1981:	Angestellter einer
1982–1987:	Manager
1988–1992:	Leiter der Exportabteilung
1993–1996:	Geschäftsführer der deutschen Filiale
1997–1999:	Direktor der Finanzabteilung
seit 1999:	Mitglied des Aufsichtsrats

einer mittelgroßen Werkzeugmaschinenfabrik
eines bekannten Waschmittelherstellers
einer norddeutschen Möbelfirma
eines französischen Elektronikunternehmens
eines internationalen Ölkonzerns
eines großen deutschen Automobilunternehmens

der Direktor des/eines	großen Konzerns
der Leiter der/einer	kleinen Firma
der Manager des/eines	bekannten Unternehmens
die Direktoren der	großen Konzerne
die Direktoren	großer Konzerne

16. Ein ungewöhnlicher Lebenslauf

Ergänzen Sie den Text.

a) Am 29. Februar des Jahres 1968 ist Tim Töpfer als Sohn des Bäckermeisters Friedrich Töpfer und seiner Frau Helma geb. Wissmann in Pinneberg in der Nähe von Hamburg geboren.

b) Zunächst hat er die Grundschule in Pinneberg besucht und ist dann in Hamburg _____ gekommen.
Nur ein Jahr vor dem Abitur hat er _____ aufgehört und sich einen Job gesucht.

c) Zuerst hat er für wenig Lohn als Tankwart _____ gearbeitet, weil er sich schon immer _____ interessiert hat.

d) Dann ist er zwei Jahre lang _____ auf einem Containerschiff gefahren.

e) 1989 hat er mit seinem Motorrad _____ teilgenommen, konnte die Fahrt aber nicht zu Ende machen, weil der Motor kaputtgegangen ist.

f) Weil ihm Afrika gefallen hat, ist er dort geblieben und hat eineinhalb Jahre _____ gearbeitet.

g) 1991 ist er mit einer Menge afrikanischer Waren im Gepäck nach Deutschland zurückgekehrt und hat sich in Berlin _____ selbstständig gemacht.

h) Nach drei Jahren hat er das Geschäft aufgegeben. Von 1994 bis 1998 hat er dann als freier Journalist für eine Tageszeitung _____ berichtet.

i) Anfang 1999 hat er sich _____ entschlossen.
Ein halbes Jahr ist er durch Venezuela, Ecuador und Bolivien gereist.
In Bogotá hat er sich _____ verliebt und seine Reise unterbrochen.

j) Zurzeit lebt er mit ihr in einem Dorf in den Anden und beschäftigt sich damit, ein Buch _____ zu schreiben.

über seine	zu einer
mit der	auf ein
für eine	als
in eine	für
an der	über
bei einer	mit einem

junge Frau	große Ölfirma
Tankstelle	Seemann
Sportveranstaltungen	Gymnasium
Reiseerlebnisse	Souvenirladen
Schule	Rallye Paris-Dakar
Reise durch Südamerika	Autos und Motorräder

1. Welche Schlagzeilen passen zu den Bildern?

▢ Manager des Fußballvereins kochte beim Sommerfest 600 Liter Gulaschsuppe.

▢ Händler auf dem Kölner Flohmarkt verkaufte Original von Picasso für 50 Euro.

▢ Fünfjähriger spielte erfolgreich beim Turnier des Schachclubs mit.

▢ Putzfrau fand 8000 Dollar in einer Plastiktüte.

▢ Bekanntes Fotomodell heiratete in Seebruck unter Wasser.

▢ Vater vergaß seine Kinder auf einer Autobahnraststätte.

▢ 80-jähriger Rentner fuhr beim Frankfurter Radrennen mit.

▢ Die Temperatur stieg in Helsinki auf 42 Grad.

2. Was ist passiert? Ergänzen Sie die Verben im Perfekt.

a) „Beim Sommerfest hat der Manager des Fußballvereins 600 Liter Gulaschsuppe _gekocht_."

b) „Auf dem Kölner Flohmarkt hat ein Händler ein Original von Picasso für 50 Euro _____."

c) „Beim Turnier des Schachclubs hat ein Fünfjähriger erfolgreich _____."

d) „In Seebruck hat ein bekanntes Fotomodell unter Wasser _____."

e) „In einer Plastiktüte hat eine Putzfrau 8000 Dollar _____."

f) „Auf einer Autobahnraststätte hat ein Vater seine Kinder _____."

g) „Beim Frankfurter Radrennen ist ein 80-jähriger Rentner _____."

h) „In Helsinki ist die Temperatur auf 42 Grad _____."

geheiratet   gestiegen
mitgefahren
        mitgespielt
verkauft
    gefunden   vergessen

	Präteritum	Perfekt
kochen	kochte	hat gekocht
verkaufen	verkaufte	hat verkauft
mitspielen	spielte mit	hat mitgespielt
heiraten	heiratete	hat geheiratet

	Präteritum	Perfekt
finden	fand	hat gefunden
vergessen	vergaß	hat vergessen
mitfahren	fuhr mit	ist mitgefahren
steigen	stieg	ist gestiegen

3. Nie mehr Pilze aus dem Wald

a) Lesen Sie den Zeitungstext.

Im Bayrischen Wald machte eine Familie mit drei Kindern Urlaub. Bei einer Wanderung fanden sie viele Pilze und sammelten eine ganze Plastiktüte voll. In der Ferienwohnung gab es dann Reis mit Pilzsoße.
Das Essen schmeckte auch den Kindern gut. Doch dann bekam die kleine Tamara Bauchweh. Wenig später fühlten sich die Geschwister nicht wohl. Und schließlich hatten die Eltern Bauchschmerzen.
Die Mutter rief den Notdienst an. Man brachte die ganze Familie mit Pilzvergiftung ins Krankenhaus. Aber sie hatten Glück. Alle durften schon nach zwei Tagen wieder nach Hause. „Wir sind froh, dass man uns so schnell geholfen hat," sagte uns die Mutter. „Pilze gibt es bei uns nur noch aus der Dose!"

b) Wie heißen die Verbformen im Text?

Eine Familie *macht* Urlaub   *machte* _____

Sie *finden* viele Pilze.   _____

Sie *sammeln* eine ganze Tüte voll.   _____

Es *gibt* Reis mit Pilzsoße.   _____

Das Essen *schmeckt* gut.   _____

Tamara *bekommt* Bauchweh.   _____

Die Geschwister *fühlen* sich nicht wohl.   _____

Die Eltern *haben* auch Bauchschmerzen.   _____

Die Mutter *ruft* den Notdienst an.   _____

Man *bringt* alle ins Krankenhaus.   _____

Sie *dürfen* nach zwei Tagen nach Hause.   _____

Die Mutter *sagt:* „Pilze gibt es nur noch

aus der Dose!"   _____

4. Ein Baum bringt Glück

a) Lesen Sie die Zusammenfassung.

Franz K. will einen Baum pflanzen.
Er gräbt ein Loch.
Er stößt auf eine Metalldose.
Er macht die Metalldose auf.
Er sieht, dass Ringe, Halsketten, Münzen und eine Uhr darin liegen.
Auf der Rückseite der Uhr steht der Name seines Urgroßvaters.
Er hat nicht gewusst, dass es den Schmuck noch gibt.
Das berichtet Herr K. den Zeitungsreportern.

b) Ergänzen Sie den Text mit den Verben im Präteritum.

Im Garten vor seinem Haus _____ der Bankkaufmann Franz K. einen Baum pflanzen. Er _____ ein tiefes Loch und _____ dabei auf eine kleine Metalldose. Als er sie vorsichtig _____ , _____ er, dass Ringe, Halsketten, Münzen und eine goldene Uhr darin _____ . Auf der Rückseite der Uhr _____ der Name des Urgroßvaters. „Meine Familie wohnt seit Generationen hier. Aber ich _____ nicht, dass es den schönen alten Schmuck noch _____," _____ uns Herr K. „Ich habe auch unseren Nachbarn empfohlen, mehr Bäume zu setzen. Es lohnt sich: so oder so."

	Präsens	Präteritum
machen	macht	machte
aufmachen	macht auf	machte auf
wollen	will	wollte
wissen	weiß	wusste

	Präsens	Präteritum
geben	gibt	gab
anrufen	ruft an	rief an
liegen	liegt	lag
stehen	steht	stand

aufmachte   berichtete   wollte   stieß   wusste   stand   grub   lagen   gab   sah

Ein glücklicher Pechvogel

Die einen nennen ihn einen Pechvogel, die anderen sagen, er ist ein Glückspilz. Ständig erlebt Peter Ertl, 35, Unfälle und Pannen. Aber immer hat er Glück im Unglück.

Wir treffen Peter Ertl in seinem Garten. Er weiß, dass wir von der Zeitung kommen und einen Artikel über ihn schreiben möchten, weil er überall als Pechvogel bekannt ist. Gerade ist er dabei, ein Baumhaus für seine Kinder zu bauen. „Einen Augenblick! Gleich bin ich unten bei Ihnen," ruft er von oben und winkt fröhlich. Er hält sich an einem Ast fest, aber der Ast bricht ab und Peter Ertl fällt auf den Rasen, direkt vor unsere Füße. Doch gleich steht er wieder auf und lacht: „Nichts passiert!" Das ist – wieder einmal – gut gegangen.

Während wir zusammen ins Haus gehen, beginnt er von seinen Erlebnissen zu erzählen.

Eines Morgens reparierte er im Keller eine Wasserleitung. Als er eine Zange aus dem Werkzeugkasten nahm, stieß er mit der Schulter gegen ein altes Holzregal. Es fiel um und Herr Ertl lag darunter zwischen kaputten Marmeladengläsern. Seine linke Hand blutete und er rief seine Frau. Während sie ihm die Finger verband, sah er, dass die Stromleitung hinter dem Regal ganz schwarz war. Aber die wollte er dann nicht selbst reparieren, sondern rief einen Elektriker. Der meinte: „Das Kabel war ja total defekt. Hinter einem Holzregal ist das eine sehr gefährliche Sache. Sie haben Glück, dass es noch nicht gebrannt hat!"

Zwei Tage später kehrte Herr Ertl mit einem großen Besen den Platz vor seiner Garage. Dabei rutschte er auf den nassen Blättern aus und fiel mit dem Rücken gegen das Garagentor. Er bekam blaue Flecken und hatte tagelang Rückenschmerzen. Doch auch dieser Unfall hatte einen Vorteil: Normalerweise klemmte das Garagentor, wenn man es öffnen wollte. Nach Peters Sturz ging es wieder ohne Probleme auf und zu.

Nur kurze Zeit danach passierte ihm das nächste Missgeschick. Eines Nachmittags stieg er nach der Gartenarbeit in sein Auto, um in die Stadt zu fahren. Im Wagen wollte er seine Schuhe wechseln. Als er sich nach vorn beugte, blieb sein Kopf im Lenkrad stecken. Es war ihm unmöglich, sich zu befreien. Deshalb rief er laut um Hilfe. Endlich hörten einige Nachbarn seine Hilferufe, aber auch ihnen gelang es nicht, seinen Kopf herauszuziehen. Also holten sie einen Automechaniker. Der montierte das Lenkrad ab.

Da saß Peter zwar aufrecht im Wagen, aber das Lenkrad hatte er immer noch um den Hals. Immerhin konnte er jetzt aus dem Wagen steigen, doch allmählich wurde er nervös. Schließlich cremten sie Peters Haare, Gesicht und Hals ein, zogen kräftig und er kam endlich frei. An diesem Tag wollte Peter nicht mehr mit seinem Auto fahren. Stattdessen feierte er mit den Nachbarn seine Rettung.

Am Freitag darauf fuhr seine Frau mit den Kindern für zwei Tage zur Großmutter und Herr Ertl wollte sich ein gemütliches Wochenende machen. Aber dann kam alles ganz anders. Am Nachmittag klingelte seine Nachbarin an der Tür, weil ihre Katze verschwunden war. Peter Ertl half ihr sofort, sie zu suchen. Er fuhr mit dem Fahrrad durch das ganze Viertel und rief nach der Katze, fand sie aber nicht. Spät am Abend saß er in seinem Wohnzimmer und las ein Buch. Plötzlich hörte er ein Geräusch von oben. Er stand auf und stieg auf den Dachboden. Da entdeckte er die Katze hinten in einer Ecke. Natürlich wollte er sie schnell fangen und zu seiner Nachbarin bringen. Aber dabei fiel die schwere Eisentür hinter ihm ins Schloss. Die Tür kann man von innen nur mit einem Schlüssel öffnen, aber der hing in der Küche. Also war er in seinem eigenen Haus gefangen. Obwohl er immer wieder um Hilfe rief, bemerkte ihn niemand. Erst am nächsten Morgen rettete ihn der Briefträger mit einer Leiter. „Das war eine interessante Nacht", berichtete Herr Ertl. „Ich habe nämlich stundenlang aufgeräumt und dabei eine Schachtel mit alten Fotos gefunden. Außerdem habe ich in einer Kiste viele schöne ausländische Briefmarken entdeckt. Dem Briefträger habe ich gleich eine geschenkt."

Frau Ertl kommt aus dem Haus und bringt ein Tablett mit Gläsern und Saft. „Ja, ja," sagt sie, „das mit der Katze und den Briefmarken war so eine Geschichte. Aber wollen Sie wissen, wie ich meinen Mann kennen gelernt habe? Das war in einem großen Hotel an der Nordsee. Ich kam zurück vom Strand und wollte mit dem Lift in den neunzehnten Stock fahren. Im vierten Stock stieg ein Mann in den Fahrstuhl und drückte auch auf den Knopf neunzehn. Der Lift fuhr an, aber plötzlich blieb er stehen. Der Mann drückte den Schalter für den Notruf, aber dabei brach der Schalter ab und das Licht ging aus. Erst schwiegen wir, aber dann fingen wir beide an zu lachen. Während wir über eine Stunde im Fahrstuhl warteten, unterhielten wir uns und ich merkte, dass Peter sehr sympathisch war. Am nächsten Tag trafen wir uns am Strand. Nach ein paar Monaten haben wir geheiratet."

„Ja, so war das", sagt Herr Ertl. „Aber warten Sie einen Moment. Ich habe eine Überraschung. Heute ist nämlich …" – „Peter, wohin willst du denn?" fragt seine Frau. Nach einigen Minuten kommt Peter mit einem Tablett und einer Torte zurück. „Die habe ich selbst gemacht. Für dich. Zum Hochzeitstag." Er schneidet die Torte an und sagt: „So, das erste Stück ist für dich, Schatz. Probier mal." – „Mmh, die sieht ja lecker aus," sagt sie und sticht mit der Gabel in die Torte. Dabei gibt es ein merkwürdiges Geräusch. „Aber schau mal, was ist das denn?" Frau Ertl zeigt auf ein Stück Metall auf ihrem Teller. Herr Ertl weiß gleich Bescheid: „Da ist er ja wieder, der Briefkastenschlüssel! Den habe ich schon den ganzen Morgen überall gesucht."

5. Peter Ertl hatte oft Pech.

Was passt zusammen?

a) Als der Ast abbrach, ■
b) Als er eine Zange aus dem Werkzeugkasten nahm, ■
c) Während er unter dem Regal lag, ■
d) Während er den Platz vor der Garage kehrte, ■
e) Als er im Auto die Schuhe wechseln wollte, ■
f) Während sein Kopf im Lenkrad steckte, ■
g) Während er die Katze fangen wollte, ■
h) Während er im eigenen Haus gefangen war, ■
i) Als er im Fahrstuhl den Notrufschalter drückte, ■

1. brach er ab und das Licht ging aus.
2. rutschte er aus und fiel gegen das Garagentor.
3. hörte niemand seine Hilferufe.
4. fiel er auf den Rasen.
5. fiel die Eisentür ins Schloss.
6. stieß er mit der Schulter gegen ein Regal.
7. rief er seine Frau.
8. holten die Nachbarn einen Automechaniker.
9. blieb sein Kopf im Lenkrad stecken.

6. Aber er hatte auch immer wieder Glück.

Was passt zusammen?

a) Während seine Frau ihm die Finger verband, ■
b) Obwohl das Kabel schon ganz schwarz war, ■
c) Obwohl das Garagentor normalerweise klemmte, ■
d) Als die Nachbarn sein Gesicht eincremten, ■
e) Als er auf den Dachboden stieg, ■
f) Während er auf dem Dachboden gefangen war, ■
g) Als der Briefträger kam, ■
h) Als der Lift stehen blieb, ■
i) Als seine Frau ein Stück Torte aß, ■

1. fand sie den Briefkastenschlüssel.
2. stieg er auf eine Leiter und rettete ihn.
3. fand er alte Fotos und eine Kiste mit Briefmarken.
4. lernte er seine Frau kennen.
5. brannte es nicht.
6. konnten sie das Lenkrad von seinem Kopf ziehen.
7. fand er die Katze in einer Ecke.
8. entdeckte er eine defekte Stromleitung.
9. ging es nach Peters Sturz wieder auf und zu.

	Präsens	Präteritum		Präsens	Präteritum		Präsens	Präteritum
abbrechen	bricht ab	brach ab	helfen	hilft	half	stoßen	stößt	stieß
anfangen	fängt an	fing an	kommen	kommt	kam	treffen	trifft	traf
bleiben	bleibt	blieb	lesen	liest	las	unterhalten	unterhält	unterhielt
fallen	fällt	fiel	nehmen	nimmt	nahm	verbinden	verbindet	verband
gehen	geht	ging	schweigen	schweigt	schwieg	werden	wird	wurde
gelingen	gelingt	gelang	sehen	sieht	sah	ziehen	zieht	zog
hängen	hängt	hing	sitzen	sitzt	saß			

7. Nachrichten im Lokalrundfunk

Was ist richtig? ✗

a) Am Morgen überfiel ein Verbrecher mit der
   Schusswaffe
   ▢ die Sparkasse in Edewecht.
   ▢ einen Supermarkt in Edewecht.
   ▢ eine Drogerie in Edewecht.

Nach dem Überfall rannte der Verbrecher
▢ zur U-Bahn.
▢ zu seinem Motorrad.
▢ in ein Parkhaus.

Ein älterer Herr erkannte den Gangster
▢ am Nachmittag in der Fußgängerzone wieder.
▢ am Abend in einer Kneipe wieder.
▢ am Nachmittag in einem Kaufhaus wieder.

b) Die Pilotin eines Sportflugzeugs landete gestern
   auf einer Bundesstraße, weil
   ▢ der Motor ihres Flugzeugs brannte.
   ▢ sie die Straße für die Landebahn
     des Flugplatzes hielt.
   ▢ sie kein Benzin mehr hatte.

Auf der Straße befanden sich
▢ nur wenige Autos.
▢ viele Autos.
▢ keine Autos.

Die Polizei
▢ brachte Benzin für das Flugzeug.
▢ organisierte eine Umleitung.
▢ holte das Flugzeug von der Straße.

c) Eine ältere Dame meldete sich bei der Polizei,
   ▢ weil ihre Freundin seit Tagen die Tür nicht aufmachte.
   ▢ weil ihre Freundin seit Tagen nicht mehr mit ihr
     telefonierte.
   ▢ weil ihre Freundin seit Tagen nicht mehr einkaufen
     ging.

Die ältere Dame dachte zuerst
▢ an einen Selbstmord.
▢ an ein Verbrechen.
▢ an einen Unfall.

Nach zwei Tagen bekam sie
▢ ein Telegramm aus Paris.
▢ einen Brief aus Wien.
▢ einen Anruf aus Madrid.

	Präsens	Präteritum
brennen	brennt	brannte
rennen	rennt	rannte
erkennen	erkennt	erkannte
denken	denkt	**dachte**
bringen	bringt	**brachte**

8. Autofahrer vor Gericht

Was ist richtig? ☒

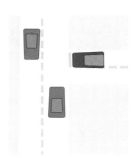

a) Herr Hübner ist
   der Angeklagte. ▨
   ein Zeuge. ▨
   ein Anwalt. ▨

b) Der Richter fordert Herrn Hüber auf,
   laut und deutlich zu sprechen. ▨
   seinen Pass vorzuzeigen. ▨
   die Wahrheit zu sagen. ▨

c) Der Unfall passierte zwischen
   Paderborn und Würzburg. ▨
   Bielefeld und Paderborn. ▨
   Detmold und Bielefeld. ▨

d) Als der Unfall passierte,
   war es neblig. ▨
   regnete es. ▨
   schneite es. ▨

e) Die Straße war
   trocken. ▨
   nass. ▨
   glatt. ▨

f) Herr Hübner sagt, er fuhr
   50-60 km/h. ▨
   60-70 km/h. ▨
   70-80 km/h. ▨

g) Herr Hübner sagt, das andere Auto
   hielt nicht an. ▨
   hielt an. ▨
   fuhr vorsichtig. ▨

h) Von vorn kam ein
   Pkw. ▨
   Lkw. ▨
   Bus. ▨

i) Herr Hübner bremste, aber
   die Bremsen funktionierten nicht. ▨
   nicht stark genug. ▨
   es war schon zu spät. ▨

9. Kuriose Meldungen aus dem ganzen Land

Was passt zusammen? Machen Sie Vorschläge. Hören Sie dann den Text.

a) Wegen eines Computerfehlers **3** **H**
b) Während einer Konferenz ▨ ▨
c) Trotz des schlechten Wetters ▨ ▨
d) Wegen eines Streiks ▨ ▨
e) Während einer Taxifahrt ▨ ▨
f) Trotz des Badeverbots ▨ ▨
g) Während der Parlamentssitzung ▨ ▨
h) Wegen einer Panne ▨ ▨

während	
wegen	+ Genitiv
trotz	

1. fuhr ein Segelboot aus Cuxhaven ab
2. hatte eine Dame plötzlich Bauchweh
3. bekam eine Angestellte 30.000 € Gehalt
4. schlief ein Minister ein
5. sprang ein Mädchen in einen See
6. fiel ein Dachdecker durch die Decke
7. musste ein Mann aus Schwerin eine Nacht im Freien verbringen
8. blieb ein Brief in Flensburg liegen

A und landete mitten auf dem Tisch.
B und kam erst 17 Jahre später in Hamburg an.
C und konnte seine Rede nicht halten.
D und kam erst drei Tage später in Bremerhaven an.
E und wachte zwischen Kühen und Schafen auf.
F und fand eine Kiste mit römischen Geldstücken.
G und bekam ein Baby.
H und buchte sofort eine Reise nach Mexiko.

10. Hören Sie und sprechen Sie nach.

Als sie den grünen Tee in ihre Tasse goss,
und er auf dem Balkon ein süßes Eis genoss,
da hörten sie, dass jemand schnell das Fenster schloss
und unten in dem Bad sehr laut das Wasser floss.

Als sie bei der Laterne um die Ecke bog,
weil Pof, ihr Hund, mal wieder an der Leine zog,
bemerkte sie, dass über ihm ein Vogel flog,
und sah, dass Pof noch immer vierzehn Kilo wog.

11. Was passt?

Hören Sie, sprechen Sie nach und ergänzen Sie die Verben.

Als er mit der Pistole nah am Ufer stand,
in seinem Mantel suchte und ein Halstuch _____,
ganz vorsichtig und langsam seine Hand verband,
da sah er, dass sein Wagen in dem See _____.

Als er mit dem Löffel in die Küche rannte,
weil in seiner Pfanne das Omelett _____,
sah er, dass die Köchin ihn sofort erkannte,
lachte nur, als sie ihn einen Dummkopf _____.

Während sie den langen Brief zu Ende schrieb
und auf ihrem Tisch im Zimmer sitzen _____,
sah sie, dass das Wasser nicht mehr weiter stieg,
und küsste seine Lippen, als er glücklich _____.

Als Peter von der Arbeit schnell nach Hause ging,
mit seiner linken Hand den großen Topf _____ ,
da sah er, dass am Fenster seine Wäsche hing,
und seine Frau ihn freundlich an der Tür _____.

verschwand   auffing   nannte   fand   verbrannte   schwieg   blieb   empfing

● … Und, wie war der Film?

■ Wirklich spannend, vom Anfang bis zum Schluss.

● Erzähl doch mal.

■ Es begann damit, dass ein Mann im Rollstuhl am Fenster saß. Es war dunkel im Zimmer. Er hatte ein Fernglas und beobachtete das Nachbarhaus.

● Und was passierte dann?

■ Plötzlich sah er, dass in der Wohnung gegenüber ein Mann eine Frau ermordete.

● Und dann?

■ Er versuchte mit der Hilfe seiner Freundin den Mord zu beweisen, weil ihm die Polizei nicht glaubte.

● Wie ging es dann weiter?

■ Dann wurde es sehr gefährlich für die beiden, denn der Mörder wusste inzwischen, dass es einen Zeugen gab.

● Und wie ging die Geschichte zu Ende?

■ Das möchte ich dir nicht verraten. Den Film musst du wirklich selbst sehen!

12. **Variieren Sie das Gespräch. Benutzen Sie das Präteritum.**

a)

1	2	3	4
Der Film beginnt auf einem Bahnhof. Zwei fünfzehnjährige Jungen stehlen aus Spaß einen Koffer.	Sie fliehen damit in ein Hochhaus und steigen in einen Fahrstuhl.	Zwischen dem zwölften und dreizehnten Stock bleibt der Fahrstuhl plötzlich stecken.	Sie öffnen den Koffer und entdecken eine Bombe mit Zeitschaltung.

b)

1	2	3	4
Die Geschichte beginnt in einer einsamen Gegend. Ein junges Ehepaar verirrt sich mit dem Auto.	Als das Benzin zu Ende geht, finden sie ein Haus. Ein alter Mann öffnet die Tür und sie fragen nach dem Telefon.	Aber er spricht nicht mit ihnen, sondern zeigt ihnen ein Zimmer. Sie müssen bleiben, weil es dunkel wird.	Mitten in der Nacht wachen sie durch ein seltsames Geräusch auf. Da sehen sie, dass der alte Mann im Garten ein Loch gräbt.

stiegen   entdeckten   öffneten
begann   blieb   stahlen   flohen

fragten   mussten   sprach   zeigte   sahen
begann   fanden
grub   wachten auf   ging   öffnete   verirrte   wurde

13. **Hören Sie zu und schreiben Sie.**

_____ _____ _____ _____ _____ _____ gut. _____ _____ _____ _____ _____
Goethestraße _____ , _____ _____ . _____ er _____ , _____
_____ _____ _____ _____ _____ nicht _____ _____ . _____ _____ _____
Haus _____ _____ . _____ _____ _____ davor.

14. **Machen Sie ganze Sätze aus den Schlagzeilen.**

Berlin: Bus gegen Brandenburger Tor gefahren – 10 Fahrgäste im Krankenhaus

In Berlin fuhr ein Bus gegen das Brandenburger Tor. 10 Fahrgäste liegen jetzt im Krankenhaus.

Potsdam: Schlange im Badesee entdeckt – Suche nach dem Besitzer ohne Erfolg geblieben

In Potsdam _____

Salzburg: Schule nachts abgebrannt – Feuerwehr 30 Minuten zu spät

Zürich: Mann mit Freundin in Japan telefoniert – Rechnung über 6000 Franken bekommen

Bonn: Pilot auf dem Rhein gelandet – kein Benzin mehr im Tank

Kopenhagen: Schornsteinfeger vom Dach gefallen – keine Verletzungen

15. Ein Schwein hatte Glück

Ordnen Sie die Sätze und schreiben Sie den Text im Präterium.

a) *Vor einem Jahr kaufte Herr M. von*
   seinem Nachbarn ein junges Schwein.

b) *Er brachte es*

c)

d)

e)

f)

g)

h)

i)

j)

k)

l)

m)

n)

- Seinem Vater gefällt das nicht. Er sagt immer zu Heino: „Ein Schwein ist kein Haustier! Wir wollen Fleisch und Wurst daraus machen."
- Dort parkt er den Wagen auf dem Hof und geht in den Laden.
- Dort findet er Rosa. Sie liegt in ihrem Stall und ist müde von dem langen Spaziergang.
- Heimlich bringt er ihm immer sein Frühstücksbrot, bevor er zur Schule geht.
- Als er wiederkommt, ist die Wagentür offen und Rosa ist weg.
- Er bringt es in den Stall und sein kleiner Sohn Heino gibt ihm den Namen Rosa.
- Und als er merkt, dass Rosa ihm folgt wie ein Hund, geht er täglich mit ihr spazieren.
- Er sucht lange nach ihr; dann fährt er ärgerlich nach Hause zurück.
- Da kommt gerade Heino von der Schule nach Hause. Er weint, weil er an das Schwein denkt.
- Sein Vater führt ihn zu Rosa und sagt: „Du hast ganz Recht. Rosa ist wirklich ein Haustier!"
- Alle finden, dass Rosa ein hübsches Schwein ist; aber ganz besonders liebt Heino das Tier.
- Dann kommt der Tag. Herr M. fährt mit Rosa ins nächste Dorf zur Metzgerei.
- Herr M. lacht und erzählt die Geschichte seiner Frau.

EINTAUCHEN

1. Welcher Satz passt zu welchem Foto?

Das ist der Taxifahrer, der mich in Salzburg zum Bahnhof gebracht hat.

Das ist die Seilbahn, die auf die Zugspitze fährt.

Das ist das Goethehaus in Frankfurt, das an diesem Tag leider geschlossen war.

So sehen die Blumen aus, die in den Alpen wachsen.

Das ist der Bär, den ich in Berlin auf einem Flohmarkt gekauft habe.

So sieht die berühmte Sachertorte aus, die man in Wien in jedem Café bekommt.

Hier siehst du das Märchenschloss, das der bayrische König Ludwig II. gebaut hat.

So sehen die Hüte aus, die man bei Festen im Schwarzwald trägt.

… **der** Taxifahrer,	**der** mich zum Bahnhof gebracht hat.
… **die** Seilbahn,	**die** auf die Zugspitze fährt.
… **das** Goethehaus,	**das** in Frankfurt steht.
… **die** Blumen,	**die** in den Alpen wachsen.

	Der Taxifahrer hat	mich zum Bahnhof gebracht.
Das ist **der** Taxifahrer, **der**		mich zum Bahnhof gebracht hat.
	Den Bär habe	ich in Berlin gekauft.
Das ist **der** Bär, **den**		ich in Berlin gekauft habe.

2. Ergänzen Sie die Nummern.

a) So sieht der Maibaum aus,

b) Das ist der junge Mann,

c) Das ist die S-Bahn in Frankfurt,

d) Hier siehst du die Nordsee,

e) So sieht das Käsefondue aus,

f) Das ist das Restaurant,

g) Hier siehst du die schwarz-weißen Kühe,

h) So sieht der Berg aus,

i) Hier sieht man die Bratwurst,

j) Das ist das Museum,

k) So sehen die Weißwürste aus,

l) Das sind die Delfine,

1. der mir Dresden gezeigt hat.
2. das auf einem Berg bei St. Moritz steht.
3. die man in München oft zum Frühstück isst.
4. das ich in Düsseldorf besucht habe.
5. die typisch für Norddeutschland sind.
6. der in München auf dem Viktualienmarkt steht.
7. die ich vor dem Heidelberger Schloss gegessen habe.
8. das mir in der Schweiz so gut geschmeckt hat.
9. die ich im Duisburger Zoo gesehen habe.
10. den ich in Österreich bestiegen habe.
11. die vom Bahnhof zum Flughafen fährt.
12. die leider keine Badetemperatur hatte.

Es muss ja nicht immer Neuschwanstein sein …

König Ludwigs Märchenschloss Neuschwanstein, der Kölner Dom, der Wiener Prater, das Matterhorn bei Zermatt – das sind wohl die Sehenswürdigkeiten, für die sich Touristen auf einer Reise durch Österreich, Deutschland oder durch die Schweiz am meisten interessieren. **Städte und Landschaften bieten aber manchmal auch Besonderheiten und Naturphänomene, die nicht so bekannt sind, aber für die sich ein Umweg lohnt. Unser Kuriositäten-Führer zeigt Ihnen einige Beispiele.**

● ● ● ● ● ● ● ● ● ●

Das Meer ohne Wasser

Da steht man am Strand und das Meer ist weg! Tatsächlich: An der deutschen Nordseeküste, vor der zehn große und viele kleine Inseln liegen, verabschiedet sich das Meer zweimal am Tag und für einige Stunden gibt es kein Wasser zwischen dem Land und den Inseln. Dann kann man zum Beispiel zu Fuß von Cuxhaven zu der kleinen Insel Neuwerk gehen oder man steigt in eine Pferdekutsche, mit der viele Touristen dorthin fahren. Sogar die Post kommt mit dem Pferdewagen nach Neuwerk. Eine besondere Attraktion ist das jährliche Pferderennen von Cuxhaven, bei dem die Pferde über das feuchte „Wattenmeer" rasen. Natürlich kommt das Wasser auch zweimal am Tag an die Küste zurück und bedeckt wieder den Meeresboden, über den die Leute gewandert und die Kutschen gefahren sind. Dann kann man auch mit dem Boot zu den Inseln kommen.

Die Bahn, die durch die Luft schwebt

Schon am Ende des 19. Jahrhunderts gab es in Wuppertal große Verkehrsprobleme. Die Stadt liegt in einem engen Tal, durch das ein kleiner Fluss mit Namen Wupper fließt. Man suchte ein Verkehrsmittel, das möglichst schnell Personen von einem Stadtteil in den anderen bringen konnte, ohne den restlichen Verkehr zu stören. Da kam ein Ingenieur aus Köln auf die Idee, eine Bahn zu bauen, die nicht auf Schienen fährt, sondern an Schienen hängt. Die Wuppertaler waren begeistert und fanden sofort die richtige Strecke, auf der die neue Bahn fahren sollte: Über der Wupper. Mitte des Jahres 1898 begannen sie mit dem Bau, und bereits 1901 konnten sie ihre Schwebebahn einweihen. Seitdem transportiert sie jedes Jahr mehr als 23 Millionen Passagiere auf einer Länge von 13,3 Kilometern.

Die wilden Pferde von Westfalen

An jedem letzten Samstag im Mai kann man in der Nähe der Stadt Dülmen in Westfalen ein seltsames Ereignis erleben: Junge Männer, die blaue Jacken und rote Halstücher tragen, treiben Pferde auf eine Wiese, die von starken Zäunen umgeben ist. Sie beginnen, die ein Jahr alten männlichen Tiere zu fangen, denen man danach ein Brandzeichen ins Fell drückt – der Wilde Westen mitten in Deutschland! Normalerweise leben diese Tiere völlig frei in einem Naturpark: Es sind die letzten echten Wildpferde, die es noch in Europa gibt. In dem 360 Hektar großen Park, in dem sie ohne die Hilfe der Menschen unter freiem Himmel leben, finden sie Gras und junge Pflanzen genug, um sich zu ernähren. Aber sie müssen auch mit Kälte, Regen und Sturm fertig werden, so wie ihre Vorfahren, die nach der letzten Eiszeit aus dem Süden Russlands nach Mitteleuropa kamen. Nur einmal im Jahr holen die Menschen die jungen Hengste aus der Herde. Sie werden Reitpferde oder müssen Kutschen ziehen. Die anderen laufen wieder hinaus in die Landschaft – und in die Freiheit.

Die „Straßenbahn" von Interlaken

Vor der einzigen Ampel, die es in der Marktgasse in Interlaken gibt, stehen kurz vor 17.15 Uhr ein paar Autos. Die Ampel ist auf Rot gesprungen, und auch die Fußgänger und Radfahrer müssen stehen bleiben. Dann senkt sich eine Schranke quer über die Straße. Plötzlich taucht zwischen den Häusern, zwischen denen man eigentlich andere Autos erwartet hat, ein riesiger Zug auf. Mitten durch die Schweizer Stadt sucht sich der Intercityexpress „Thuner See" seinen Weg zum Bahnhof Interlaken-Ost. Der Hochgeschwindigkeitszug, der an dieser Stelle natürlich sehr langsam fährt, kommt aus dem 1000 Kilometer entfernten Berlin. Er verbringt hier die Nacht und macht sich erst am nächsten Morgen um 8.45 Uhr wieder auf die Rückreise. Dann gehen in der Marktgasse die Schranken wieder nach unten, und die 410 Meter lange „Straßenbahn" von Interlaken fährt in der Gegenrichtung an der Ampel vorbei, vor der die Fußgänger, Auto- und Radfahrer geduldig warten.

Das Gold der Alpen

„Die Traumstraße der Alpen" nennt man die Großglockner-Hochalpenstraße, über die jährlich eine Million Autos von Norden nach Süden fahren und dabei bis auf eine Höhe von 2577 Metern steigen müssen. Von den Wiesen im Tal über die nackten Felsen bis zum ewigen Eis im Gebirge durchquert man alle Klima- und Vegetationszonen, die es zwischen den Alpen und der Arktis gibt. Hier trifft man auch das Murmeltier, dem es offensichtlich gefällt, sich den Touristen zu zeigen. Schließlich steht man vor dem Großglockner, der mit 3.798 Metern der höchste Berg Österreichs ist. Hinunter geht es nach Heiligenblut. Die Stadt bietet eine seltene Attraktion: Für wenig Geld bekommt man das Recht, einen Tag lang Gold zu suchen! An drei Stellen, an denen man mit der Hand Gold waschen darf, kann man mit etwas Glück ein winziges Stück von dem gelben Metall finden und darf es behalten. Nicht umsonst heißen die Berge hinter Heiligenblut die „Goldberge".

3. Welche Fotos passen?

1. Das Meer ohne Wasser
2. Die Bahn, die durch die Luft schwebt
3. Die wilden Pferde von Westfalen

4. Die „Straßenbahn" von Interlaken
5. Das Gold der Alpen

4. Was passt? Ergänzen Sie.

a) An der deutschen Nordseeküste, ☐ verabschiedet sich das Wasser zweimal am Tag.
b) Das Pferderennen, ☐ ist eine Attraktion von Cuxhaven.
c) Die Bahn, ☐ heißt „Schwebebahn".
d) Der Naturpark, ☐ liegt in Westfalen.
e) Junge Männer, ☐ treiben die Pferde auf eine Wiese.
f) Die Häuser, ☐ stehen in Interlaken.
g) Der Hochgeschwindigkeitszug, ☐ fährt sehr langsam durch die Stadt.
h) Die Straße, ☐ nennt man die Traumstraße der Alpen.
i) Die österreichische Stadt, ☐ heißt Heiligenblut.

1. über die jährlich eine Million Autos nach Süden fahren,
2. in dem die letzten Wildpferde Europas leben,
3. in der man Gold suchen darf,
4. der aus Berlin kommt,
5. zwischen denen ein riesiger Zug fährt,

6. bei dem die Pferde über den feuchten Meeresboden laufen,
7. die blaue Jacken und rote Halstücher tragen,
8. vor der zehn große und viele kleine Inseln liegen,
9. die an Schienen in der Luft hängt,

	Die Pferde leben **in dem** Park.	
Der Park		liegt in Westfalen.
Der Park,	**in dem** die Pferde leben,	liegt in Westfalen.

… **der** Park, **in dem** die Pferde leben, …
… **die** Ampel, **vor der** die Leute warten, …
… **das** Rennen, **bei dem** die Pferde laufen, …
… **die** Häuser, **zwischen denen** Autos stehen, …

5. Der Wetterbericht. Was passt?

Norddeutschland (N)
Westdeutschland (W)
Ostdeutschland (O)
Süddeutschland (S)

a) **S** Ein Hoch über dem Balkan bestimmt das Wetter.
b) Das Wetter bleibt angenehm mild.
c) Ein Tief über Skandinavien bringt kühle und feuchte Meeresluft.
d) Es gibt nur wenige Wolken.
e) Am Abend kommt es zu Gewittern.
f) Im Bergland regnet es stellenweise.
g) Im Lauf des Tages gibt es Schauer.
h) Es regnet nicht.
i) Es ist heiter bis bewölkt.
j) In den Flusstälern kann es Nebel geben.
k) Die Temperaturen liegen zwischen 14 und 16 Grad.
l) Die Temperaturen steigen auf 27 Grad.
m) Es gibt Temperaturen um 20 Grad.
n) Die Temperaturen liegen zwischen 16 und 18 Grad.
o) Der Wind kommt aus Nordwesten.
p) Der schwache Wind weht aus Westen.
q) Der starke Wind weht aus Süden oder Osten.
r) Der Wind erreicht Windstärke 7.
s) Der Wind weht aus südwestlichen Richtungen.

6. Telefonische Grüße aus dem Urlaub

a) Was ist richtig? **X**

1. Frau Kurz macht mit ihrem Mann und ihren beiden Kindern Urlaub in Österreich.
2. Sie ruft ihre Mutter an, weil sie ihr die Telefonnummer des Hotels geben möchte.
3. Die Kinder haben während der Hinfahrt Bilderbücher angeschaut.
4. Die Anreise war anstrengend, weil die Kinder dauernd Streit hatten.
5. Vor der Grenze haben sie drei Stunden im Stau gestanden, weil es stark geschneit hat.
6. Die Hinfahrt war problemlos, obwohl es stark geregnet hat.
7. Frau Kurz sagt, dass ihr Mann bei der Ankunft ganz schön fertig war.
8. Heute scheint die Sonne und es ist ziemlich warm.
9. Heute früh waren es minus 12 Grad.
10. Die Kinder haben leider keinen Platz im Skikurs bekommen.
11. Herr und Frau Kurz sind immer in der Nähe, wenn die Kinder im Skikurs sind.
12. Die Kinder haben keine Lust, mit ihrer Oma zu telefonieren.

Es regnet.
Es schneit.
Es ist bewölkt.
Es ist windig.
Es sind 20 Grad.
Es gibt ein Gewitter.
Die Sonne scheint.
Der Wind weht.
Das Wetter ist schön.

b) Was ist richtig? ☒

1. ░ Brigitte sagt: „Du bist der Mann, dessen Bild ich immer vor Augen habe."
2. ░ Brigitte sagt: „Du bist die Sonne, deren Licht auf mein Leben scheint."
3. ░ Bernd hat schlechtes Wetter, aber er findet es nicht schlimm.
4. ░ Bernd hat gutes Wetter, nur vorhin hat es ein bisschen geregnet.
5. ░ Brigitte hat Angst, weil es bei ihr gerade ein Gewitter gibt.
6. ░ Brigitte freut sich, weil bei ihr die Sonne scheint.
7. ░ Brigitte ist nicht mitgekommen, weil sie nicht so lange laufen kann wie Bernd.
8. ░ Bernd wollte nicht, dass Brigitte mit ihm in die Berge kommt.
9. ░ Bernd macht nur drei Tage Wanderurlaub.
10. ░ Bernd macht gerade Pause an einem Bach.
11. ░ Brigitte hat ihm Wurst und Käse in den Rucksack gepackt.
12. ░ Bernd hat nur eine Flasche Wasser dabei.
13. ░ Bernd muss noch vier Stunden bis zur Berghütte laufen.

c) Was ist richtig? ☒

1. ░ Frau Kerner ruft eine Nachbarin an, deren Schwester ihre Blumen gießt.
2. ░ Frau Kerner telefoniert mit ihrer Schwester, die sich zu Hause um ihre Wohnung kümmert.
3. ░ Sie macht Urlaub auf der Nordseeinsel „Spiekeroog".
4. ░ Sie ist mit ihrer Katze auf die Insel „Sylt" gefahren.
5. ░ Sie liest und geht viel spazieren.
6. ░ Sie hatte keine Probleme, ein schönes Hotel zu finden.
7. ░ Sie wohnt in einem Gasthaus, dessen Toiletten auf dem Hof sind.
8. ░ Sie schwimmt jeden Tag im Meer, obwohl das Wasser ziemlich kalt ist.
9. ░ Sie geht nur bis zu den Knien ins Wasser, weil es immer sehr windig und kühl ist.
10. ░ Sie findet es toll, dass auf der Insel keine Autos fahren dürfen.
11. ░ Gestern war sie auf dem Meer und hat geangelt.
12. ░ Sie hat Zwillingsschwestern kennen gelernt, deren Bruder ein Boot hat.

Der Mann,	**dessen** Bild immer vor meinen Augen ist, …
Die Nachbarin,	**deren** Schwester meine Blumen gießt, …
Das Gasthaus,	**dessen** Toiletten auf dem Hof sind, …
Die Schwestern,	**deren** Bruder ein Boot hat, …

7. Ein Fernsehquiz

a) Aus welcher Stadt kommen die Personen Nr. 1 bis 5?

░ Hamburg
░ Köln
░ Heidelberg
░ Zürich
░ Wien

b) Was sagen die Personen Nr. 1 bis 5, um sich zu verabschieden?

░ Ade!
░ Uf Wiederluege!
░ Tschüs!
░ Servus!
░ Tschö!

8. Hören Sie und sprechen Sie nach.

Der Mann liest den Brief.
Der Mann wartet auf den Bus.
Der Mann liest den Brief und wartet auf den Bus.
Der Mann, der den Brief liest, wartet auf den Bus.
Der Mann, der auf den Bus wartet, liest den Brief.
Der Mann freut sich über den Brief und lacht.
Der Mann, der sich über den Brief freut, lacht.

Die Frau streichelt den Delfin.
Die Frau will den Delfin fotografieren.
Die Frau, die den Delfin streichelt, will ihn fotografieren.
Die Frau, die den Delfin fotografieren will, streichelt ihn.
Die Frau, die den Delfin streichelt und ihn fotografieren will, sitzt im Segelboot.
Die Frau, die den Delfin fotografieren will und im Segelboot sitzt, streichelt ihn.
Die Frau, die im Segelboot sitzt und den Delfin streichelt, will ihn fotografieren.

9. Sprechen Sie nach und ergänzen Sie das Relativpronomen.

a) Die Tochter _____ Musikers, _____ Zeitung wegfliegt, spielt Flöte.

b) Der Hund _____ Frau, _____ Sohn ruhig schläft, springt.

c) Die alte Frau gibt _____ Kindern, mit _____ sie auf der Bank sitzt, Bonbons.

d) Die Mutter _____ Mädchens, _____ Mütze in die Pfütze fällt, schläft.

e) Die Fahrerin _____ Autos, _____ Seitenfenster offen ist, sieht eine Zeitung
    auf dem Spiegel.

f) Die Regenschirme _____ Touristen, _____ Koffer an der Haltestelle stehen,
    fliegen weg.

g) Der Fahrer _____ Busses, _____ Tür offen ist, hält nicht.

h) Die Fahrerin _____ grünen Autos, _____ Dach offen ist, fängt einen Regenschirm.

i) Der Junge gibt _____ Vogel, _____ er streichelt, ein Stück Schokolade.

deren
der
dem
denen
des
den
dessen

● Wohin sollen wir bloß dieses Jahr in Urlaub fahren? Hast du schon eine Idee?

■ Na klar! Ich möchte wieder nach Italien fahren.

● Immer Italien! Irgendwann wollten wir doch mal in ein Land fahren, das wir noch nicht kennen!

■ Meinetwegen! Am Mittelmeer gibt es noch viele Orte, wo wir noch nicht waren.

● Genau! Aber ich möchte irgendwohin, wo es nicht so viele Touristen gibt. Was hältst du von einer griechischen Insel?

■ Warum nicht? Ich will auf jeden Fall irgendwo Urlaub machen, wo ich den ganzen Tag schwimmen kann. Das ist alles, was ich möchte.

● Und ich möchte mich vor allem erholen: Viel lesen und vielleicht ein bisschen wandern.

■ Dann ist doch alles klar. Lass uns mal die Kataloge anschauen.

10. Variieren Sie das Gespräch.

Italien – Mittelmeer – griechische Insel		Meinetwegen!
Österreich – Alpen – Schweizer Badeort		Von mir aus!
Dänemark – Skandinavien – finnischer See		In Ordnung!
Norddeutschland – Ostsee – schwedische Insel		Einverstanden!

irgendwo,	wo es nicht so viele Touristen gibt	sich erholen
irgendwohin,	wo es nicht so voll ist	sich ausruhen
ein Ort,	wo es nicht so laut ist	Sport treiben
eine Gegend,	wo es nicht so heiß ist	wandern
ein Land,	wohin man mit Kindern fahren kann	tauchen
ein Strand,	wohin man den Hund mitnehmen kann	surfen
ein Hotel,	wohin man mit der Bahn fahren kann	segeln
…		Museen besuchen
		Höhlen besichtigen

11. **Hören Sie zu und schreiben Sie.**

Brigitte _____ _____ _____ __ __ _____. __ __ __ __ _____, __ direkt __
_____ _____ _____. ___ __ ____ _____, obwohl __ _____ _____ __
__ __ _____. __ __ ____, __ ___ _____ erholen ___. ___
____ Bücher ____, __ ___ ____ __.

12. **Ergänzen Sie den Brief.**

der	ich vom Balkon habe
die	direkt am See liegt
das	das Seminar leiten
die	Wasser wunderbar klar ist
den	wir einen Vortrag über neue Technologien hören
dessen	meine Firma mich geschickt hat
mit denen	wir uns über die Schweizer Milchproduktion informieren
zu dem	am Bodensee wächst
in dem	wir uns die Herstellung des berühmten Appenzeller Käses anschauen
in der	das Klima sehr mild ist
auf der	ich hinüber nach Bregenz fahren will
auf der	du sicher auch noch kennst

Olma Messen St.Gallen

Konstanz, den 19. März

Lieber Torsten,

viele Grüße aus Konstanz am Bodensee, *wo ich einige Tage verbringe.* Hier ist der Frühling schon angekommen.

Ich wohne in einem Hotel, *das direkt* _____ .

Die Aussicht, _____ , ist herrlich: Vor mir liegt der See, _____ . Und ich kann bis hinüber in die Schweiz und nach Österreich schauen.

Vielleicht denkst du jetzt, dass ich hier Urlaub mache. Aber das stimmt nicht. Ich besuche hier ein Marketing-Seminar, _____

_____ . Thema: „Der Wirtschaftsraum Bodensee".

Das klingt vielleicht langweilig, ist es aber überhaupt nicht. Die Dozenten, _____

_____ , sind wirklich sehr gut. Außerdem machen wir eine Menge Ausflüge und Besichtigungen. Morgen besuchen wir zum Beispiel das Technologiezentrum Konstanz, _____

_____ .

Am Donnerstag fahren wir in die Schweiz nach Sankt Gallen. Dort findet eine Landwirtschaftsmesse statt, _____

_____ . Danach besichtigen wir eine Käsefabrik in Appenzell, _____

_____ .

Neben dem Seminar bleibt natürlich auch genügend Freizeit. Hast du schon mal den Wein probiert, _____ ? Einfach fabelhaft, sage ich dir! Gestern war ich auf der Mainau. Auf dieser kleinen Insel, _____ , wachsen sogar Zitronen! Stell dir vor: Dort habe ich zufällig einen alten Schulfreund getroffen, _____

_____ : Christoph! Er ist jetzt verheiratet und macht hier in der Gegend Urlaub.

Jetzt muss ich aber zum Ende kommen. Gleich treffe ich meine Kollegen, _____

_____ .

Die österreichische Seite des Sees kenne ich nämlich noch nicht.

Ich rufe dich an, wenn ich wieder zu Hause bin.

Bis dann!

Dein
Thomas

Radolfzell

Ravensburg

Mainau

Konstanz

Friedrichshafen

BODENSEE

Frauenfeld

Lindau

Bregenz

Winterthur

St. Gallen

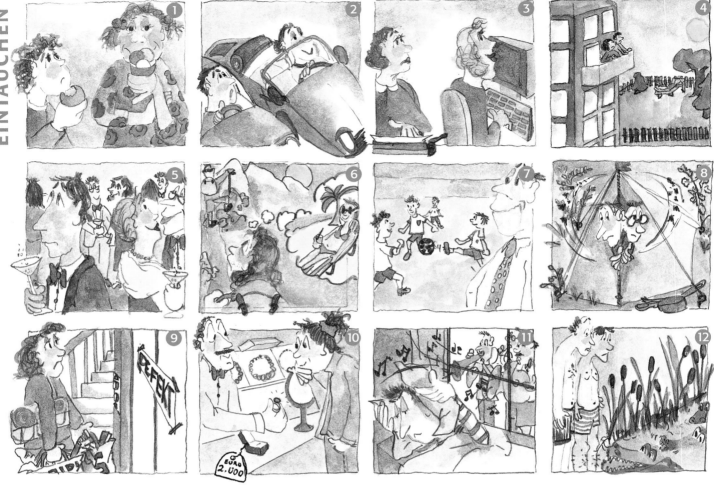

1. Welcher Satz passt zu welchem Bild?

8 Sie sind in ihrem Zelt, aber lieber wären sie draußen.

☐ Sie hat eine Schreibmaschine, aber sie hätte lieber einen Computer.

☐ Er würde gerne schlafen, aber die Musik ist zu laut.

☐ Er ist auf einer Party, aber lieber wäre er zu Hause im Bett.

☐ Sie haben einen Balkon, aber sie hätten lieber einen Garten.

☐ Er hat ein Auto, aber er hätte gern einen Sportwagen.

☐ Er ist erwachsen, aber jetzt wäre er lieber ein Kind.

☐ Sie ist in den Bergen, aber sie wäre lieber am Meer.

☐ Sie würde gern mit dem Aufzug fahren, aber er ist kaputt.

☐ Er hat einen Apfel, aber er hätte lieber ein Eis.

☐ Sie würden gerne baden, aber im Fluss sind Krokodile.

☐ Sie würde den Ring gerne kaufen, aber er ist zu teuer.

er/sie/es	hat	er/sie/es	**hätte**
sie	haben	sie	**hätten**
er/sie/es	ist	er/sie/es	**wäre**
sie	sind	sie	**wären**
er/sie/es	kauft	er/sie/es	**würde kaufen**
sie	kaufen	sie	**würden kaufen**

2. Ergänzen Sie die Sätze.

a) Er ist kein Vogel. Wenn er ein Vogel wäre, würde er fliegen.

b) Sie hat kein Geld. Wenn sie Geld hätte, _____ sie sich ein Würstchen kaufen.

c) Er hat kein Auto. Wenn er ein Auto _____ , _____ er fahren.

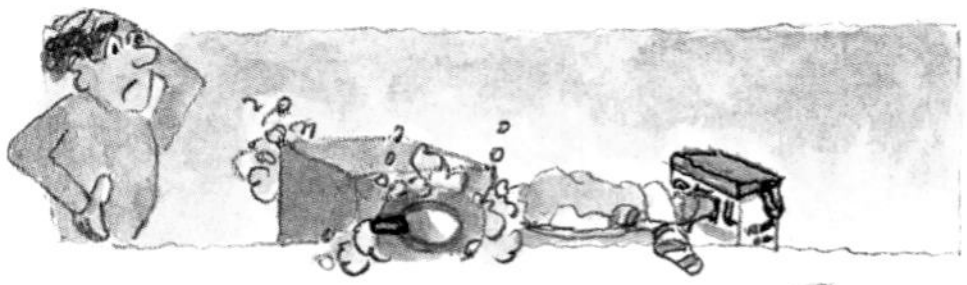

d) Er ist kein Monteur. Wenn _____ , _____ .

e) Sie sind nicht müde. Wenn _____ , _____ .

f) Er hat keine Leiter. Wenn _____ , _____ .

g) Sie haben ihren Ball nicht mehr. Wenn _____ , _____ .

h) Sie sind nicht ängstlich. Wenn _____ , _____ .

i) Sie hat keinen Kamm. Wenn _____ , _____ .

nicht über die Brücke gehen   die Äpfel pflücken

sich die Haare kämmen

schlafen   Fußball spielen

die Waschmaschine reparieren

Er **ist** kein Vogel. Er **würde** gern fliegen.
Wenn er ein Vogel **wäre, würde** er fliegen.

Was wäre, wenn ...

...der Mensch nicht mehr altern würde? Jung bleiben bis zum Tod – ein alter Traum der Menschheit. Bald könnte er Wirklichkeit werden. Die biologische Forschung sucht Antworten auf die Frage: Warum altern menschliche und tierische Zellen? Erste Erfolge gibt es schon bei Insekten: Es ist bereits gelungen, die Lebenszeit bestimmter Fliegen künstlich zu verlängern. Und es ist gar nicht unwahrscheinlich, dass es eines Tages für den Menschen die Wunderpille gegen Krankheit und Alter gibt. Vielleicht wird schon die Generation unserer Enkel 120 Jahre alt ohne Falten im Gesicht und ohne Gicht in den Knochen. Wir haben zwei Leser gefragt: Würden Sie sich diesen Zustand wünschen?

Ja

Das wäre doch fantastisch! So könnte man sein Leben bis zum Ende voll und ganz genießen. Niemand freut sich doch, wenn die Haare ausfallen und die Haut schlaff und faltig wird. Ich sähe gern mit 90 Jahren noch so aus wie jetzt. Ich treibe viel Sport und kann mir nicht vorstellen, dass ich irgendwann nur noch im Sessel sitzen kann, weil ich keine Kraft mehr habe. Ich möchte auch im Alter geistig und körperlich fit bleiben. Für mich ist das keine Frage; ich würde diese Wunderpille sofort nehmen.

Sie hätte doch nur Vorteile. Die Kinder wären glücklich, weil sie junge und vitale Eltern und Großeltern hätten, die alles mit ihnen unternehmen könnten. Niemand müsste mehr die Alten pflegen und die Altenheime könnte man in Freizeitanlagen umbauen.

Es gäbe keinen Neid der Alten auf die Jungen mehr und kein Mann würde mehr seine Frau verlassen, weil er seine junge Nachbarin attraktiver fände.

Sven Kramer,
23, Student

Außerdem wäre es auch für die Gesellschaft ein großer Gewinn, weil die Alten mit ihren Kenntnissen und Erfahrungen viel länger im Beruf bleiben könnten. Es gäbe keine Rentner mehr, was ja auch viel Geld sparen würde.

Schlimm wäre es wohl nur für die Ärzte und Schönheitschirurgen, weil sie dann keine Patienten mehr hätten. ■

Nein

Das ist für mich ein schrecklicher Gedanke. So ein Leben wäre gegen die Natur. Und ich bin ganz sicher, dass es die Menschen nicht glücklich machen würde. Sie wären dann noch egoistischer und kälter. Ein ganzes Leben jung und schön: Da würde das Aussehen einen noch höheren Stellenwert bekommen. Eitelkeit würde die Welt regieren. Wenn es keine Sorgen mehr gäbe, dann würde jeder ausschließlich an sich und sein Vergnügen denken.

Anne Klinge,
27, Lehrerin

Meiner Meinung nach ist das Alter keine Krankheit, die man besiegen muss. Der Alterungsprozess, genauso wie der Tod, gehört doch zum natürlichen Lebensrhythmus, sonst würden die Menschen nicht mehr menschlich fühlen. Mitleid, Sorge und Trauer würde es dann ja nicht mehr geben.

Außerdem möchte ich nicht nur noch überall junge Gesichter sehen. Was für eine Vorstellung! Dann würde ich zum Beispiel einen Mann treffen und wüsste nicht, ob er 30 oder 90 Jahre alt ist. Vielleicht würde ich mich spontan verlieben, bevor ich wüsste, wie alt er ist. Das wäre doch schlimm; das Aussehen muss doch zum Alter passen.

Und was ist mit der Überbevölkerung auf der Erde? Diese Wunderpille würde das Problem noch verstärken. Die Menschen hätten ja alle ein viel längeres Leben und könnten noch mehr Kinder bekommen.

Übrigens würden die Arbeitslosen auch immer mehr: Wie sollten die Jugendlichen denn einen Job finden, wenn kein Alter mehr in Rente ginge?

Also für mich ist das ganz klar: Es wäre nicht das Paradies, das die Forscher sich vorstellen. Ich finde, die dürften gar nicht an diesem Projekt weiterarbeiten. Sie sollten sich lieber damit beschäftigen, Medikamente gegen wirkliche Krankheiten zu entwickeln. ■

3. Was steht oben im Text? x

a) ☐ Es ist ein alter Traum der Menschheit, bis zum Tod jung zu bleiben.

☐ Es ist ein alter Traum der Menschheit, jung zu sterben.

b) ☐ Die Forscher wollen wissen, ob menschliche und tierische Zellen altern.

☐ Die Forscher wollen wissen, warum menschliche und tierische Zellen altern.

c) ☐ Man hat es geschafft, bestimmte Fliegen künstlich zu verlängern.

☐ Man hat es geschafft, dass bestimmte Fliegen länger leben.

d) ☐ Es ist möglich, dass es eines Tages eine Pille gegen das Altern gibt.

☐ Es ist möglich, dass es eines Tages eine Pille gegen den Tod gibt.

4. Wer gebraucht diese Argumente? Sven (S) oder Anne (A)?

a) ☐ Ein Leben ohne Altern wäre gegen die Natur.

b) ☐ Die Wunderpille hätte nur Vorteile.

c) ☐ Jeder würde nur noch an sein Vergnügen denken.

d) ☐ Man könnte sein Leben voll und ganz genießen.

e) ☐ Die Kinder wären glücklich über junge und vitale Eltern und Großeltern.

f) ☐ Es gäbe kein Mitleid, keine Sorge, keine Trauer mehr.

g) ☐ Man müsste die alten Leute nicht mehr pflegen.

h) ☐ Man wüsste nicht, ob jemand 30 oder 90 Jahre alt ist.

i) ☐ Die Alten könnten viel länger im Beruf bleiben.

j) ☐ Die Jugendlichen fänden keinen Job.

k) ☐ Das Aussehen bekäme einen höheren Stellenwert.

l) ☐ Die Ärzte und Schönheitschirurgen hätten keine Patienten mehr.

m) ☐ Man sähe überall nur noch junge Gesichter.

n) ☐ Man könnte Altenheime in Freizeitanlagen umbauen.

5. Wie passen die Sätze zum Text?

a) Man könnte die Altenheime in Freizeitanlagen umbauen, ☐

b) Die Kinder wären glücklich, ☐

c) Kein Mann würde seine Frau verlassen, ☐

d) Die Alten wären ein großer Gewinn für die Gesellschaft, ☐

e) Man würde viel Geld sparen, ☐

f) Die Menschen wären nicht glücklich, ☐

g) Jeder würde nur noch an sein Vergnügen denken, ☐

h) Das Problem der Überbevölkerung würde stärker, ☐

i) Es gäbe immer mehr Arbeitslose, ☐

1. weil man keine Renten mehr bezahlen müsste.

2. weil die Menschen länger leben und noch mehr Kinder bekommen würden.

3. weil es keine Sorgen mehr gäbe.

4. weil ihre vitalen Eltern und Großeltern alles mit ihnen unternehmen könnten.

5. weil sie noch egoistischer und kälter wären.

6. weil sie mit ihren Kenntnissen und Erfahrungen viel länger im Beruf bleiben könnten.

7. weil kein Alter mehr in Rente ginge, sondern immer weiter arbeiten würde.

8. weil sie genauso attraktiv wie die junge Nachbarin wäre.

9. weil man keine Alten mehr pflegen müsste.

er/sie/es	kann	könnte	gibt	gäbe
	muss	müsste	sieht	sähe
	darf	dürfte	findet	fände
	soll	sollte	geht	ginge
	weiß	wüsste	…	

ein alter Mensch	ein Alter
einen alten Menschen	einen Alten
der alte Mensch	der Alte
den alten Menschen	den Alten

6. Immer höflich.

Was ist richtig? ☒

a) Der Mann sagt:

☐ „Hätten Sie wohl ein neues Messer für mich?"

☐ „Ach, wenn ich doch nur ein neues Messer hätte!"

☐ „Ein neues Messer, aber schnell bitte!"

b) Die Frau sagt:

☐ „Ich muss unbedingt mal Ihren Kuli haben."

☐ „Geben Sie mir Ihren Kuli oder nicht?"

☐ „Könnte ich bitte mal kurz Ihren Kuli haben?"

c) Das Mädchen sagt:

☐ „Ich brauche die Butter."

☐ „Würdest du mir bitte mal die Butter geben?"

☐ „Wenn ich nur die Butter hätte!"

d) Die alte Dame sagt:

☐ „Ich hätte es gern, wenn Sie mir in den Zug helfen würden."

☐ „Helfen Sie mir in den Zug!"

☐ „Wären Sie wohl so nett, mir in den Zug zu helfen?"

e) Der Polizist sagt:

☐ „Dürfte ich bitte Ihren Führerschein sehen?"

☐ „Ich möchte Ihren Führerschein sehen."

☐ „Ich will sofort Ihren Führerschein sehen."

7. Wünsche.

a) Was sagt der Mann?

☐ „Ich will endlich besseres Wetter!"

☐ „Wenn doch nur das Wetter besser wäre!"

☐ „Das Wetter soll besser sein!"

c) Was sagt die Lehrerin?

☐ „Du musst größer schreiben."

☐ „Kannst du nicht größer schreiben?"

☐ „Du könntest etwas größer schreiben."

b) Was sagt die Frau?

☐ „Die Suppe dürfte schärfer sein."

☐ „Die Suppe darf sehr scharf sein."

☐ „Ich will eine scharfe Suppe."

d) Was sagt die Frau?

☐ „Wenn ich nur meine Brille hätte!"

☐ „Leider habe ich meine Brille nicht."

☐ „Ich muss eine Brille haben."

8. Frau Dr. Remmer weiß Rat.

Zu welchem Anruf passen die Sätze?
Erster Anruf = (1)   Zweiter Anruf = (2) Dritter Anruf = (3)

a) ☐ „Könnte es nicht sein, dass Sie Ihrer Freundin zu
    wenig Freiheit lassen?"

b) ☐ „Es könnte vielleicht helfen, wenn Sie kurz
    vorher ein Glas warme Milch trinken."

c) ☐ „Sie könnten regelmäßig in eine Disco gehen."

d) ☐ „Sie könnten Ihre Gedanken in ein Tagebuch
    schreiben, bevor Sie ins Bett gehen."

e) ☐ „An Ihrer Stelle würde ich warten, bis sie selbst
    anruft."

f) ☐ „Ich würde an Ihrer Stelle jeden Abend einen
    kleinen Spaziergang machen."

g) ☐ „Würde es Ihnen gefallen, wenn Ihre Freundin
    auch so eifersüchtig wäre?"

h) ☐ „Wäre es nicht die einfachste Lösung, wenn Sie es
    mit einer Anzeige versuchen würden?"

i) ☐ „Nehmen Sie keine Tabletten, weil Sie mit der
    Zeit immer höhere Mengen brauchen."

j) ☐ „Es wäre sicher die beste Lösung, wenn Sie mit
    ihr darüber reden würden."

k) ☐ „Ich würde Ihnen raten, Kontakt zu Ihren nettes-
    ten Kollegen zu suchen."

l) ☐ „Sie sollten sich auf jeden Fall immer ein Freizeit-
    programm für das Wochenende machen."

m) ☐ „Sie könnten ein kleines Fest in Ihrer Wohnung
    machen und Ihre Nachbarn einladen."

n) ☐ „Sie hätten sicher einen besseren Schlaf, wenn Sie
    nachts das Fenster öffnen würden."

o) ☐ „Mehr Geduld wäre in Ihrem Fall besser als der
    schönste Blumenstrauß."

9. Eine Frage an Silvester.

Was passt zusammen?

a) Er würde sich sicher kein Mäusepaar mehr holen, ☐
b) Er würde seinen alten Wagen nicht mehr in die Werkstatt bringen, ☐
c) Er würde den Computer nicht noch einmal kaufen, ☐
d) Er würde seinen Fernseher nicht mehr verleihen, ☐
e) Er würde seinen besten Pullover nicht mehr selbst waschen, ☐
f) Er würde keinen Winterurlaub mehr machen, ☐
g) Er würde nicht mehr auf dem Balkon grillen, ☐

1. weil er ihn immer noch nicht wieder hat.
2. weil er gleich danach endgültig kaputt ging.
3. weil er ihn in den Mülleimer werfen musste.
4. weil es immer mehr Kinder und
   Enkelkinder bekommt.
5. weil er seinen Nachbarn einen neuen
   Sonnenschirm kaufen musste.
6. weil das neueste Modell viel besser ist.
7. weil er immer der schlechteste Skiläufer
   auf der Piste war.

ein besser**er** Schlaf	der besser**e** Schlaf	der best**e** Schlaf
ein besser**e** Lösung	die besser**e** Lösung	die best**e** Lösung
ein besser**es** Modell	das besser**e** Modell	das best**e** Modell
besser**e** Lösungen	die besser**en** Lösungen	die best**en** Lösungen

10. Gedanken am Meer.

Hören Sie zu und sprechen Sie nach.

Wenn ich ein Boot hätte,
    würde ich aufs Meer fahren.
Wenn ich aufs Meer fahren würde,
    würde vielleicht ein Sturm kommen.
Wenn ein Sturm käme,
    würde ich ins Wasser fallen.
Wenn ich ins Wasser fallen würde,
    müsste ich schwimmen.
Wenn ich schwimmen müsste,
    wäre ich bald sehr müde.
Wenn ich müde wäre,
    würde mich sicher ein Delfin retten.
Oh, das wäre schön!

11. Qualen der Liebe – erster Teil.

Hören Sie zu und sprechen Sie dann den Text frei.

Gestern musste er arbeiten. Heute müsste er nicht
    arbeiten. Aber er arbeitet trotzdem.
Gestern konnte er nicht kommen. Heute könnte er
    kommen. Aber er kommt trotzdem nicht.
Gestern durfte er mich nicht anrufen. Heute dürfte er
    mich anrufen. Aber er ruft trotzdem nicht an.

12. Qualen der Liebe – zweiter Teil.

Hören Sie zu, ergänzen Sie und sprechen Sie nach.

Wenn ich doch nur den Namen _____
von dem Mädchen, das mich küsste!
Leider hat sie nichts gesagt.
Warum hab' ich nicht gefragt!

Ich müsste wissen, was man tut.
Dann _____ sicher alles gut.
Könnte sie ihr Herz verlieren,
wenn wir durch den Wald spazieren?

Sollte ich ihr Rosen schenken?
Doch was würde sie dann denken?
Ich wäre gern in ihrer Nähe!
Wenn ich sie nur _____!

Ich _____ ihr ein Bild von mir –
und dazu ein Kuscheltier.
Wäre sie davon entzückt?
Oder fände sie's verrückt?

Ich _____ ihr auch ein Gedicht.
Doch läse sie es – oder nicht?
Vielleicht würde sie nur lachen.
Oh, was könnte ich nur machen?

gäbe
wieder sähe
schriebe
würde
wüsste

● Ich habe den Hund hier noch nie gesehen. Wem könnte er nur gehören?

■ Ich weiß nicht. Wenn er in unserer Straße wohnen würde, würden wir ihn kennen.

● Sicher ist er ein Familienhund. Sonst wäre er nicht so lieb.

■ Ich finde ihn ja auch nett. Aber was machen wir jetzt mit ihm?

● Wir könnten ihm eine Decke in die Garage legen, damit er schlafen kann.

■ Ach, das meine ich doch nicht. Wir müssten etwas tun. Müssten wir nicht die Polizei anrufen?

● Wieso die Polizei? Er hat doch nichts gestohlen.

■ Mach keine Witze! Was würdest du denn vorschlagen, bitte?

● Ich würde ihn am liebsten behalten. Er ist so süß.

■ Du hast verrückte Ideen! Das geht doch nicht. Der Hund gehört doch jemandem.

13. Finden Sie eine Reihenfolge für das Ende des Gesprächs.

▨ Wenn sich niemand meldet, behalten wir ihn. Ich könnte den armen Kerl auch nicht ins Tierheim bringen.

▨ Dann wäre doch bestimmt eine Suchanzeige in der Zeitung, oder nicht?

▨ Die Zeitung liegt neben dir. Aber wenn wir nichts finden, behalten wir den Hund.

1 Es könnte doch auch sein, dass seine Familie ihn nicht mehr haben will.

▨ Ja, wahrscheinlich. Hol sie doch mal her.

▨ Natürlich, aber es könnte auch sein, dass sie ihn überall suchen.

14. Variieren Sie das Gespräch.

Ich weiß nicht.	Mach keine Witze.	Du hast verrückte Ideen!
Ich habe keine Ahnung.	Nun sei mal ein bisschen ernst.	Du hast wirklich unmögliche Einfälle!
Frag mich nicht.	Mach dich nicht lustig.	Ideen hast du!

Das geht doch nicht.	Es könnte doch auch sein, dass …	Natürlich, aber …
Das kann man doch nicht machen.	Es wäre doch auch möglich, dass …	Sicher, aber …
Das ist doch unmöglich.	Könnte es nicht auch sein, dass …?	Ja schon, aber …

15. Hören Sie zu und schreiben Sie.

Kurt _____ . _____ Modell _____
_____ . ___ Wagen _____ , _____
_____ . _____ , _____
Führerschein ___ . _____ .

16. Ein fantastisches Angebot

a) Lesen Sie zunächst den Brief von Hannes.

Lieber Marc,

ich schreibe dir heute, weil ich deinen Rat brauche. Stell dir vor: Mein Chef hat mir angeboten, fünf Jahre für die Firma nach Südamerika zu gehen! Ich soll ab dem nächsten Jahr die Leitung unserer Filiale in São Paulo übernehmen. Zuerst habe ich ja gedacht, das wäre eine ganz schöne Idee, aber dann fiel mir ein, dass es eine Menge Schwierigkeiten geben würde:

Ich habe mir doch gerade erst das teure Apartment in der Innenstadt gekauft. Wenn ich es sofort wieder verkaufen müsste, würde ich einen ziemlich großen Verlust machen. Und außerdem: Wohin mit den Möbeln?

Meinen Sportwagen könnte ich natürlich auch nicht mitnehmen. Aber das wäre nicht das größte Problem; den müsste ich eben verkaufen, obwohl mir das sehr Leid täte.

Tja, und dann ist da auch noch „Urmel", mein Foxterrier. Den dürfte ich gar nicht mitnehmen, das ginge schon wegen der Einreise- bestimmungen nicht. Ich hätte keine Ahnung, was ich mit ihm machen sollte.

Ich hätte natürlich auch ein bisschen Angst davor, meine Freunde zu verlieren. Wenn man so lange weg ist und sich nicht sieht – wer weiß? Ich würde auch die Jazzband vermissen, in der ich seit Jahren Saxophon spiele.

Ich weiß gar nicht, wie das Klima dort ist. Hitze und Feuchtigkeit vertrage ich nicht. Das wäre nichts für meine Gesundheit. Und Portugiesisch kann ich auch nicht. Das müsste ich erst noch lernen.

Aber das größte Problem ist meine Freundin! Ute würde bestimmt nicht akzeptieren, dass sie so lange von mir getrennt wäre. Und mitkommen würde sie auch nicht. Dann müsste sie ja ihren Job aufgeben.

Du siehst also, ich habe eine fantastische Chance, aber ich kann mich nicht entscheiden. Was würdest du tun, wenn du an meiner Stelle wärst? Ich hoffe auf eine ehrliche Antwort von dir.

Dein Freund
Hannes

b) Ergänzen Sie den Antwortbrief mit Ausdrücken im Konjunktiv.

Lieber Hannes,

erst einmal herzlichen Glückwunsch zu der tollen Chance, die du bekommen hast! Wenn ich an deiner Stelle wäre, würde ich sofort zusagen. So ein Angebot kann man doch nicht ablehnen! Und meiner Meinung nach kann man deine Probleme alle lösen.

Dein Apartment ____. Es gibt so viele Leute, die eine Wohnung suchen. Und im Mietvertrag könntest du festlegen, dass der Mieter nach fünf Jahren ____. Die Möbel würde ich bei einem Umzugsunternehmen unterstellen. Die haben extra Lagerhallen für solche Fälle, und ich glaube nicht, dass es ____.

Für deinen Sportwagen ____. Was soll der denn kosten? Ich könnte mir vorstellen, dass ich ____. Dein Hund ist natürlich ein Problem. Ich kann verstehen, dass du ____. Aber frag doch mal Roland. Der hat doch schon zwei Hunde. Ich bin sicher, dass es „Urmel" ____.

Du solltest auf alle Fälle dein Saxophon mitnehmen! Überall gibt es Leute, die gern Musik machen. Und ich wette, dass du schon nach zwei Monaten ____.

Ich glaube auch nicht, dass du ____, deine Freunde zu verlieren. Es gibt doch Post und Telefon! Außerdem hast du einen Internet-Anschluss und E-Mail. Ich verspreche dir, dass ich dir jede Woche ____. Das mache ich mit meiner Schwester in Manila auch.

Um das Klima da unten mach dir mal keine Sorgen! Da gibt es Medikamente. Wie wäre es, wenn du schon bald ____?

Du würdest doch erst nächstes Jahr abreisen. Für einen Sprachkurs ____. Außerdem kannst du schon Spanisch, und ich bin überzeugt, dass du schon in drei Monaten

____.

Und nun zu deiner Freundin. Willst du meine ehrliche Meinung wissen? Ich finde, sie ____ : du oder ihr Job! Wenn ich ____, würde ich auf jeden Fall mitkommen. Auch für Ute wäre es doch eine tolle Chance, die große weite Welt kennen zu lernen.

Nun kennst du also meine Meinung. Ich finde, du ____. So eine Gelegenheit bekommt man nur einmal im Leben. Du Glückspilz! Ich wäre gern an deiner Stelle. Denk über meine Vorschläge nach und lass mich deine Entscheidung bald wissen!

In alter Freundschaft

Dein Marc

wieder ausziehen müssen	die Stellung sofort annehmen sollen	ihn nicht gern abgeben
über ein halbes Jahr Zeit haben	mit einem Arzt darüber sprechen	einen elektronischen
perfekt Portugiesisch sprechen können	in einer neuen Band mitspielen	Brief schicken
viel kosten	Angst haben müssen	sich selbst für den Wagen
sich entscheiden müssen	vermieten können	interessieren
schnell einen Käufer finden	bei ihm gut gehen	sie sein

148 einhundertachtundvierzig

1. Was passt?

Nr. 1: Der Mann fragt, wann das Handballspiel beginnt.

Nr. 2: Die Frau fragt, ob das Handballspiel pünktlich beginnt.

Nr. 3: Das Mädchen möchte wissen, wo die Toiletten sind.

Nr. 4: Der Junge möchte wissen, ob die Toiletten am Eingang sind.

Nr. 5: Die Frau fragt, D

Nr. 6: Der Mann erkundigt sich, ▨

Nr. 7: Die Frau möchte wissen, ▨

Nr. 8: Der Junge fragt, ▨

Nr. 9: Das Kind fragt, ▨

Nr. 10: Die Frau erkundigt sich, ▨

A) ob die Pommes frites gut schmecken.

B) ob die Schuhe bequem sind.

C) wie die Pommes frites schmecken.

D) warum der 100-Meter-Lauf später beginnt.

E) wem die Schuhe gehören.

F) wer den Ball hat.

2. Ergänzen Sie die Sätze.

Nr. 11: Der Mann fragt, *ob das Fußballspiel …* _____

Nr. 12: Die Frau fragt, _____

Nr. 13: Der Junge fragt, _____

Nr. 14: Das Mädchen möchte wissen, _____

Nr. 15: Die alte Dame erkundigt sich, _____

Der Mann fragt:	„Wann	beginnt	das Handballspiel?"	
Der Mann fragt,	wann		das Handballspiel	beginnt.
Die Frau fragt:		„Beginnt	das Handballspiel pünktlich?"	
Die Frau fragt,	ob		das Handballspiel pünktlich	beginnt.

3. Was passt?

4 Er sieht den Ball nicht kommen.

▨ Er hört den Schiedsrichter nicht pfeifen.

▨ Er lässt die Bratwurst fallen.

▨ Er hört den Trainer schimpfen.

▨ Er lässt einen Luftballon steigen.

▨ Er sieht die Spieler trainieren.

Der Ball kommt.
Er sieht den Ball nicht.
Er sieht den Ball nicht kommen.

„Schlank, fit und schön"

So wünschen sich die meisten Menschen ihren Körper. Laut Umfrage einer Krankenkasse haben zwei von fünf Deutschen schon einmal eine Diät gemacht, um eine ideale Figur zu bekommen. Aber der Erfolg ist oft nur von kurzer Dauer: Fast jeder Zehnte wiegt nach einer Schlankheitskur sogar mehr als vorher. Von ihren ganz persönlichen Erfahrungen mit dem Abnehmen berichtet unsere Redakteurin Elke Widder.

Ich weiß noch genau, wie alles anfing. Es war an einem Sonntag und ich hatte Besuch von meiner Mutter. „Du magst das sicher nicht hören, aber du bist zu dick!", stellte sie nach der ersten Tasse Kaffee fest. „Willst du nicht mal etwas für deine Figur tun? So, wie du aussiehst, ist es ja kein Wunder, dass du noch keinen Mann hast." Meine Mutter war schon immer sehr direkt, aber das konnte ich mir nicht gefallen lassen. Also bestrafte ich sie, indem ich noch zwei Stück Torte aß, obwohl ich eigentlich gar keinen Appetit mehr hatte.

Am nächsten Tag fragte ich meine Freundin Gisela: „Sag mal, findest du mich zu dick?" – „Ach was", antwortete sie. „Es muss ja nicht jeder so schlank sein wie ein Fotomodell. Wenn du dich wohl fühlst, ist doch alles in Ordnung." Irgendwie fand ich diese Antwort nicht sehr befriedigend. Seit der Bemerkung meiner Mutter war ich nämlich gar nicht mehr sicher, ob ich mich wirklich wohl fühlte. Und außerdem war Gisela schon immer viel dünner als ich. Also beschloss ich, ein paar Pfund abzunehmen.

Ich fing an, alle möglichen Nahrungsmittel zu essen, die mir eigentlich nicht schmecken, aber die zu einer typischen Diät gehören: Obst, Salat, Gemüse, Käse ohne Fett und Wurst ohne Geschmack. Statt Limonade trank ich Mineralwasser und den Zucker im Kaffee ließ ich weg.

Nach vier Wochen wog ich zwei Kilo mehr. Das konnte ich zuerst nicht verstehen. Aber vielleicht kam es daher, dass ich nachts immer so schrecklich hungrig war und noch einmal in den Kühlschrank schauen musste. Es ist wundervoll, morgens um drei Uhr bei Kerzenlicht in der Küche zu sitzen und eine große Packung Eis zu essen – oder zwei Tafeln Schokolade. Solche Sachen schmecken nämlich noch besser, wenn man eine Diät macht.

„Das habe ich kommen sehen", sagte meine Mutter. „Soll ich dir einen Rat geben? Das Abnehmen klappt am besten, wenn man gar nichts isst. Warum machst du nicht eine Nulldiät?"

Die sollte man natürlich nicht alleine zu Hause machen, weil da die ärztliche Aufsicht fehlt. Aber meine Mutter hatte auch schon die Adresse einer Kurklinik in Norddeutschland. Für den Urlaub hatte ich ja eigentlich vor, zum Baden ans Mittelmeer zu fahren. Aber dann meldete ich mich doch in dieser Klinik an. Drei Wochen lebte ich an der Ostsee nur von Tee und dünnen Suppen.

Es war auch gar nicht so schlimm; man konnte sich tatsächlich daran gewöhnen. Und der Erfolg war fantastisch: Acht Kilo weniger. Trotzdem musste irgendwas an dieser Methode falsch sein: Es dauerte nicht einmal zwei Monate, da hatte ich das gleiche Gewicht wie vorher.

Meine Nachbarin Gerda war von meinem Misserfolg überhaupt nicht überrascht. „Das hättest du dir doch schon vorher denken können", sagte sie. „Nur durch Hungern kann man eben nicht abnehmen." Nach ihrer Überzeugung sind alle Diäten reiner Unsinn. Aber sie hat es auch leicht: Sie ist sehr sportlich und hat keine Probleme mit ihrer Figur.

„Das Wichtigste ist Sport", meinte sie. „Du brauchst vor allen Dingen Bewegung." Aber zum Turnen in einem Sportverein hatte ich keine Lust. Ich mag keine festen Termine in meiner Freizeit. Diese Entschuldigung ließ sie allerdings nicht gelten: „Warum kaufst du dir nicht ein Sportgerät? Damit kannst du ganz bequem zu Hause trainieren."

Ich treibe eigentlich gar nicht gern Sport, weil ich noch nie verstanden habe, warum man ohne vernünftigen Grund schwitzen soll. Trotzdem ging ich am nächsten Tag in ein Sportgeschäft und kaufte einen Heimtrainer. Der Verkäufer riet mir, morgens und abends je eine halbe Stunde damit zu trainieren. Das Gerät, das wie ein Fahrrad ohne Räder aussieht, stellte ich in mein Schlafzimmer, weil es sonst keinen Platz in meiner kleinen Wohnung gab. Die ersten Tage liefen nach Plan, aber dann kam irgendwie immer etwas dazwischen. Morgens stand ich zu spät auf und abends war ich meistens verabredet. Oder ich war zu müde, oder es gab einen guten Film im Fernsehen. Oder ich war einfach zu faul. Jedenfalls stand das Ding nach einem Vierteljahr im Keller.

Und da steht es immer noch. Die Idee, ich müsste unbedingt abnehmen, habe ich inzwischen fallen lassen. Heute ist es mir egal, ob ich ein paar Kilo mehr oder weniger wiege. Sogar meine Mutter hat aufgehört mich zu kritisieren. Sie hat nämlich die Hoffnung, dass ich doch noch einen Ehemann bekomme. Denn seit einem halben Jahr habe ich eine feste Beziehung. Und mein Freund mag es gern, wenn Frauen nicht so mager sind. Ein dünnes Fotomodell hat er niemals haben wollen.

Warum habe ich damals nicht gleich auf meine Freundin Gisela gehört?

4. Welche Zusammenfassung ist richtig? ☒

a) Elke Widder wollte ein paar Pfund abnehmen, weil ihre Freundin sie zu dick fand. Die Methode war ganz einfach: Sie durfte nur Obst und Gemüse essen. Das schmeckte ihr gut, aber sie nahm trotzdem zu. Danach machte sie am Mittelmeer eine Nulldiät und verlor dabei zehn Kilo. Um ihr Gewicht halten zu können, wollte sie anschließend viel turnen. Aber dann lernte sie ihren Freund kennen und sie musste mit dem Sport aufhören.

b) Eigentlich wollte Elke Widder gar nicht abnehmen; erst ihre Mutter brachte sie auf diese Idee. Bei ihrer ersten Diät wollte sie nur Lebensmittel essen, die gut für die Figur sind. Aber das schaffte sie nicht, weil sie nachts immer so hungrig war. Bei der nächsten Diät durfte sie drei Wochen fast gar nichts essen. Dann versuchte sie es mit einem Heimtrainer, aber ihr Trainingsplan funktionierte nicht, weil immer etwas dazwischen kam. Jetzt hat sie den Plan ganz fallen lassen und ist trotzdem zufrieden.

c) Elke Widder wollte ihre Mutter ärgern. Deshalb aß sie nachts immer Schokolade. Davon wurde sie natürlich dicker und musste eine Nulldiät machen. Nach der Diät nahm sie aber wieder zu. Deshalb meldete sie sich mit ihrer Nachbarin in einem Sportverein an. Nun geht sie abends immer zum Turnen. Ihr Freund findet das toll, denn er wollte schon immer eine sportliche Frau haben.

5. Was passt zusammen?

a) Seit der Bemerkung ihrer Mutter war Elke nicht mehr sicher, **7**
b) Nach dem Gespräch mit Gisela beschloss Elke, ▢
c) Nach ihrer ersten Diät konnte sie zunächst nicht verstehen, ▢
d) Elke verbrachte ihren Urlaub in einer Kurklinik an der Ostsee, ▢
e) Elkes Nachbarin riet ihr, ▢
f) Elke treibt nicht gern Sport, ▢
g) Jetzt ist es Elke egal, ▢
h) Heute fragt Elke sich, ▢

1. ein paar Pfund abzunehmen.
2. ob sie ein bisschen mehr oder weniger wiegt.
3. warum sie nicht gleich auf ihre Freundin gehört hat.
4. weil man dabei schwitzen muss.
5. warum sie zwei Kilo mehr wog als vorher.
6. anstatt zum Baden ans Mittelmeer zu fahren.
7. ob sie sich wirklich wohl fühlte.
8. sich ein Sportgerät zu kaufen und zu Hause zu trainieren.

Präteritum	Perfekt
Sie **konnte** es nicht verstehen.	Sie **hat** es nicht verstehen **können**.
Sie **sah** es kommen.	Sie **hat** es kommen **sehen**.
Sie **ließ** den Plan fallen.	Sie **hat** den Plan fallen **lassen**.

Verb	Nomen	
abnehmen	**das Abnehmen**	Das Abnehmen klappt am besten, wenn …
hungern	**das Hungern**	Durch Hungern kann man abnehmen.
turnen	**das Turnen**	Zum Turnen hat sie keine Lust.

6. „Was tun Sie für Ihren Körper?"

Was passt zu welcher Person? Notieren Sie: Person 1, 2 oder 3.

Person 1

Person 2

Person 3

a) Wer hat sich im Sportstudio schon beim ersten Mal eine Verletzung am Knie geholt? 1
b) Wer isst ab und zu auch mal Schokolade?
c) Wer geht dreimal pro Woche zum Schwimmen?
d) Wer hat schon von klein an viel Sport gemacht?
e) Wer sollte ein paar Kilo weniger haben?
f) Wer würde sich ohne Sport nicht wohl fühlen?
g) Wer hat mit 14 zum ersten Mal eine Diät gemacht?
h) Wer findet es schlimm, dass es so viele Vorurteile über dicke Menschen gibt?
i) Wer meint, dass man sich mit einer Diät nur das Leben schwer macht?
j) Wer sagt, dass alle immer nur vom Abnehmen reden?

k) Wer ist nicht bereit, immer nur Salat zu essen?
l) Wer isst sehr viel Obst und ist deshalb selten erkältet?
m) Wer isst ab 18.00 Uhr grundsätzlich nichts mehr?
n) Wer macht immer eine Diät, wenn die weiteste Hose nicht mehr passt?
o) Wer lässt sich zweimal pro Jahr vom Arzt untersuchen?
p) Wer meint, dass eine vernünftige Ernährung der Gesundheit am besten dient?
q) Wer ist der Überzeugung, dass man keine Tiere essen sollte?
r) Wer isst alles, was ihm schmeckt?
s) Wer hat mit 16 aufgehört, Fleisch zu essen?

einmal	zweimal	dreimal
das erste **Mal**	das zweite **Mal**	das dritte **Mal**
zum ersten **Mal**	zum zweiten **Mal**	zum dritten **Mal**

7. „Es ist bestimmt nur eine Erkältung."

Was passt zusammen?

a) Franco weiß nicht so ganz genau, 3
b) Franco kann nicht sagen, wie hoch das Fieber ist,
c) Heike erklärt ihm,
d) Franco liegt im Bett,
e) Halsschmerzen hat Franco nicht,
f) Franco erzählt Heike,
g) Franco möchte nicht,
h) Heike war bisher der Meinung,
i) Franco ist einverstanden,

1. dass er auch Husten und Schnupfen hat.
2. dass Männer viel Mut haben.
3. ob er eine Grippe oder eine Erkältung hat.
4. aber der ganze Körper tut ihm weh.
5. dass ihm der Arzt eine Spritze gibt.
6. weil er sein Thermometer nicht finden kann.
7. dass Heike ihm Medikamente aus der Apotheke bringt.
8. dass Grippe eine gefährliche Infektion sein kann.
9. weil er sich da am wohlsten fühlt.

8. „Was fehlt Ihnen denn?"

Was ist richtig?   X

a) ▢ Der Patient klagt über Magenschmerzen.
    ▢ Der Patient hat Schmerzen in der Herzgegend.

b) ▢ Er hat eine Erklärung für seine Schmerzen.
    ▢ Er weiß nicht, woher seine Schmerzen kommen.

c) ▢ Er hat morgens keine Zeit zum Frühstücken.
    ▢ Er nimmt sich immer viel Zeit für das Frühstück.

d) ▢ Mittags trinkt er nur Kaffee, weil er immer unterwegs ist.
    ▢ Er isst viel zu Mittag, weil er dann immer großen Hunger hat.

e) ▢ Er isst zu Abend, wenn er nach Hause kommt.
    ▢ Abends kann er nichts essen, weil er zu müde ist.

f) ▢ Die Ärztin findet, dass er eigentlich ganz gesund lebt.
    ▢ Die Ärztin findet seine Lebensweise nicht sehr vernünftig.

g) ▢ Die Ärztin meint, dass ihm selbst klar sein müsste, woher seine Schmerzen kommen.
    ▢ Die Ärztin möchte ihm noch nicht sagen, woher seine Schmerzen kommen.

h) ▢ Die Ärztin verschreibt ihm ein Mittel gegen seine Schmerzen.
    ▢ Die Ärztin meint, dass Medikamente in seinem Fall nichts nützen.

i) ▢ Die Ärztin sagt, dass er in zwei Wochen wiederkommen soll.
    ▢ Die Ärztin sagt, dass sie jetzt eine Untersuchung machen will.

9. Wer wird Pokalsieger?

Was passt?

a) In der 88. Minute *8*
b) In der 89. Minute ▢
c) In der 90. Minute ▢
d) Im letzten Jahr ▢
e) Wegen einer Verletzung ▢
f) Im letzten Spiel der beiden Mannschaften ▢
g) Vor fünf Jahren ▢
h) Nach dem Ende des Spiels ▢

1. weint der Trainer von Kaiserslautern.
2. kann Mehmet Scholl nicht mitspielen.
3. hat der 1. FC Kaiserslautern gegen
   Bayern München verloren.
4. bekommt Basler eine gelbe Karte.
5. war Kaiserslautern der Pokalsieger.
6. war Bayern München Sieger im Pokal-Endspiel.
7. schießt Rösler ein Tor für Kaiserslautern.
8. steht das Spiel 2:2.

10. Hören Sie und sprechen Sie nach. Achten Sie auf „v", „w", „f".

Vier Fischer wollen im Wasser Fische fangen.
Vierzig Fische fühlen sich im Wasser wohl und warten.
Worauf warten die vierzig Fische im Wasser?
Wahrscheinlich warten die vierzig Fische im Wasser,
    bis die Fischer wieder wegfahren.

11. Hören Sie und sprechen Sie dann frei. Achten Sie auf „f" und „pf".

„Pfui!"
„Pfui", rief der Pfarrer.
„Pfui", rief der Pfarrer und schimpfte.
„Pfui", rief der Pfarrer und schimpfte mit dem Pferd.
„Pfui", rief der Pfarrer und schimpfte mit dem Pferd,
    das den frischen Pflaumenkuchen fraß.

12. Hören Sie und sprechen Sie nach. Achten Sie auf „b" und „w".

Ach!
Ach, der Bach!
Ach, wie wild ist der Bach!
Ach, wie wild ist der Bach auf dem Bild!
Ach, wie blau und wild ist der Bach auf dem Bild!

13. Sprechen Sie nach. Achten Sie auf die Intonation.

▲ Wie geht es Onkel Franz?
● Sie hat gefragt, wie es Onkel Franz geht.
▲ Wie lange muss er noch im Krankenhaus bleiben?
● Sie hat sich erkundigt, wie lange er noch im
   Krankenhaus bleiben muss.
▲ Darf er schon aufstehen?
● Sie will wissen, ob er schon aufstehen darf.
▲ Hat er schon Besuch bekommen?
● Sie hat gefragt, ob er schon Besuch bekommen hat.
▲ Wann kann man ihn besuchen?
● Sie hat sich erkundigt, wann man ihn besuchen kann.
▲ Was kann man ihm mitbringen?
● Sie will wissen, was man ihm mitbringen kann.
▲ Darf er Schokolade essen?
● Sie hat gefragt, ob er Schokolade essen darf.

● Hör mal, ich habe Sabine getroffen. Sie plant eine Radtour und fragt, ob wir mitkommen wollen.

■ Oh, prima. Natürlich komme ich mit. Wann soll es denn losgehen?

● Samstagmorgen.

■ Und hat sie schon eine Idee, wohin wir fahren?

● Das hat sie nicht verraten. Es soll eine Überraschung sein.

■ Aha. Hat sie denn wenigstens gesagt, wann wir wieder zurückkommen?

● Ja, am Sonntagabend.

■ Was? Dann müssen wir ja übernachten! Meinst du, dass wir in ein Hotel gehen?

● Nein. Wir sollen ein Zelt und unsere Schlafsäcke mitnehmen.

■ Oh, das wird bestimmt lustig. Weißt du denn, ob noch jemand mitkommt?

● Keine Ahnung. Das hat sie nicht gesagt.

■ Na, dann lassen wir uns mal überraschen …

14. Variieren Sie das Gespräch. Formen Sie die Fragen um.

● Herbert kennt einen schönen Badesee. Am nächsten Samstag will er uns zum Schwimmen mitnehmen.

■ Das ist ja toll! Hat er gesagt, _____ ?

● Er holt uns um sieben ab.

■ Weißt du, _____ ?

● Es ist ziemlich weit, glaube ich.

■ Hast du ihn gefragt, _____ ?

● Oh ja. Die Temperatur ist ideal zum Schwimmen.

■ Habt ihr darüber gesprochen, _____ ?

● Das brauchen wir nicht. Es gibt dort ein Restaurant.

■ Weißt du, _____ ?

● Ich glaube schon. Aber wir können ihn ja noch mal fragen.

Will er sein Boot mitnehmen?

Ist das Wasser warm?

Wie lange dauert die Fahrt?

Was nehmen wir zum Essen mit?

Um wie viel Uhr fahren wir los?

15. Hören Sie zu und schreiben Sie.

___ _____ _____ Bernd _____ _____ ___ . ___ _____ ___ ___ Schlaf-

zimmer. ___ _____ ___ , ___ ___ ___ sollte. ___ _____ ___ Wände ___

___ _____ . Traum _____ _____ _____ . ___

___ _____ , ___ _____ draußen ___ .

16. Lesen Sie die Texte und füllen Sie dann die Unfallanzeigen aus. Schreiben Sie die Texte im Perfekt.

Gerhard F. spielte mit seinem Sohn im Garten Ball. Um den Ball zu fangen, musste er rückwärts laufen. Dabei stolperte er über ein Spielzeugauto und fiel hin. Danach konnte er sein linkes Bein nicht mehr bewegen. Seine Frau rief einen Krankenwagen. In der Klinik stellte man fest, dass das Bein gebrochen war.

Gundula P. war auf dem Sportplatz und schaute der Mannschaft ihrer Tochter beim Fußballspielen zu. Plötzlich flog der Ball über den Spielfeldrand. Sie konnte ihn nicht sehen, weil sie gerade mit ihrem Sohn sprach. Der Ball traf genau ihr rechtes Auge. Es tat sehr weh und sie ging sofort nach Hause. Die Schmerzen wollten nicht aufhören und sie rief den Arzt. Er untersuchte ihr Auge und ließ sie ins Krankenhaus bringen. Dort musste man sie sofort operieren.

Wolfgang H. nahm an einem Radrennen rund um den Dümmer See teil. Er fuhr ziemlich weit hinten im Feld. Plötzlich flog ihm ein Insekt ins Auge. Deshalb ließ er den Lenker los. Dabei fiel sein Rennrad um und er stürzte direkt auf das Hinterrad. Er spürte starke Schmerzen im Rücken und er konnte nicht wieder aufstehen. Der Mannschaftsarzt kam sofort und behandelte ihn. Dann brachte man ihn in die Sportklinik nach Osnabrück.

Gloria-Versicherungen AG
Krankenversicherungen – Unfallversicherungen – Lebensversicherungen

Unfallanzeige

Beschreiben Sie bitte:
Unfallhergang, Unfallursache, Art der Verletzung

Versicherungsnummer: 227.503.08-15

Name des Versicherten: Gerhard Friederichs

☐ Berufsunfall   ☒ Freizeitunfall

Datum des Unfalls: 24. 06. 2001

Ort des Unfalls: Brockum

Ich habe mit meinem Sohn im Garten Ball gespielt. Um den Ball zu fangen, habe ich rück-

wärts laufen _____ . Dabei bin ich über ein Spielzeugauto _____

und _____ . Danach habe ich mein linkes Bein nicht mehr _____ .

Meine Frau hat einen Krankenwagen _____ . In der Klinik hat man

_____ , dass das Bein gebrochen war.

Weserland GmbH
Versicherungsgesellschaft

Bericht für die Unfallversicherung

Genaue Angaben zu:
Unfallhergang, Unfallursache, Verletzung

Versicherungsnummer: *898-26/301/17*
Name des Versicherten: *Gundula Pfeiffer*
☐ Arbeitsunfall ☐X Freizeitunfall
Datum des Unfalls: *24. 06. 2001*
Ort des Unfalls: *Diepholz*

Ich war auf dem Sportplatz und habe der Mannschaft meiner Tochter _____
_____. *Plötzlich ist der Ball* _____
_____. *Ich habe ihn nicht* _____, *weil ich gerade*
_____. *Der Ball hat genau* _____
_____. *Es hat sehr* _____ *und ich bin sofort* _____
_____. *Die Schmerzen haben nicht* _____ *und ich habe*
_____. *Er hat* _____ *und mich*
_____. *Dort hat man mich sofort* _____ _____.

Norddeutsche Vereinsversicherung
Die Versicherung der Sportvereine

UNFALLANZEIGE

Name des Sportvereins: *Radfreunde Damme e.V.*
Versichertes Mitglied: *Wolfgang Hausmann*
Datum des Unfalls: *25. 06. 2001*
Unfallort: *Lembruch*

Ich habe an einem Radrennen _____.
Ich bin ziemlich _____.
Plötzlich _____.
Deshalb _____.
Dabei _____, und ich
_____
Ich habe starke _____
und ich habe nicht _____.
Der Mannschaftsarzt _____ und
_____.
Dann hat man _____.

1.   Was wird hier gerade gemacht?

Im ersten Stock *wird die Treppe geputzt.*
Im Erdgeschoss *wird ein Loch in die Wand gebohrt.*
Im Keller *wird ein Schild angebracht.*

a) In der Arztpraxis **3**
b) Auf dem Dach
c) Am Tor
d) Auf dem Fensterbrett
e) Auf dem Balkon
f) An der Haustür
g) In der Wohnung im ersten Stock
h) Auf dem Dachboden
i) Im Büro im ersten Stock
j) Im Keller
k) In der Autowerkstatt

1. wird eine Waschmaschine angeschlossen.
2. wird telefoniert.
3. wird ein Kind untersucht.
4. werden Pakete ausgeladen.
5. wird Wäsche zum Trocknen aufgehängt.
6. werden Vögel gefüttert.
7. wird gefeiert.
8. werden Blumen gegossen.
9. wird eine Antenne montiert.
10. wird eine alte Dame abgeholt.
11. werden die Fenster gestrichen.

	Passiv	
Die Treppe	**wird geputzt**.	(Jemand putzt die Treppe.)
Die Fenster	**werden gestrichen**.	(Jemand streicht die Fenster.)

2. Was passt?

a) Auf dem Dachboden

b) In der Autowerkstatt

c) Im Treppenhaus

d) Im Büro im ersten Stock

e) In der Arztpraxis

f) In der Wohnung im ersten Stock

g) Vor dem Tor

h) Im Keller

1. darf nicht geparkt werden.
2. muss ein Stuhl repariert werden.
3. kann nicht geduscht werden.
4. muss ein Reifen gewechselt werden.
5. muss die Wasserleitung repariert werden.
6. muss eine Glühbirne gewechselt werden.
7. darf nicht gespielt werden.
8. kann die Toilette nicht benutzt werden.

Die Wasserleitung **wird** repariert.
Die Wasserleitung **muss** repariert **werden**.

Erfolgs-Geschichten

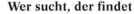

Die Idee kam im Bett

Die Idee kam Heiner S. ganz spontan an einem schönen Sonntagmorgen, als der arbeitslose Fernsehmechaniker neben seiner Freundin aufwachte. „Wenn uns jetzt ein richtiges Luxusfrühstück ans Bett gebracht würde – das wäre toll!" dachte er. Aber natürlich kam niemand und sein Kühlschrank war leider auch leer.

Hungrig, aber mit einem verrückten Plan im Kopf weckte er seine Freundin. Sie war sofort von seiner Idee begeistert. In den folgenden Wochen besuchten sie zusammen Bäckereien und Lebensmittelmärkte, entwarfen Anzeigen und beantragten einen Kredit bei der Bank.

Ein halbes Jahr später war es so weit: Heiner S. und Petra F. eröffneten ihren Frühstücksservice. Anruf genügt – und nach ca. einer halben Stunde wird ein ausgezeichnetes Frühstück bis ans Bett geliefert. Zwischen vier Angeboten können die Kunden wählen: „Romantisch" (mit Kerzen und kleinen Törtchen), „Englisch" (mit Eiern und Schinken), „Gesund" (mit frischem Obst und Säften) und „Luxuriös" (mit Champagner und Kaviar). Die Nachfrage ist groß und das Geschäft blüht. „An Feiertagen, wenn die Leute lange im Bett bleiben können, haben wir die meiste Arbeit," sagt Heiner S. „Viele Kunden leisten sich das Luxusfrühstück zum Geburtstag oder als Überraschung zum Hochzeitstag. Wenn es gewünscht wird, bringen wir auch einen Blumenstrauß mit."

Viele junge Leute träumen davon, ihr eigener Chef zu sein. Manche versuchen es und haben Pech. Einige schaffen den Sprung in die Selbstständigkeit. Was dazu gehört? – **Eine gute Idee, ein bisschen Mut, ein bisschen Glück.** Während in der Industrie immer mehr klassische Arbeitsplätze verloren gehen, haben ungewöhnliche Geschäftsideen für Dienstleistungen gute Aussichten auf Erfolg.

Wer sucht, der findet

Ein typischer Tag für Angela M.: Während das Telefon zum ersten Mal klingelt, ist das erste Fax des Tages schon angekommen und der Computer hat die elektronische Post heruntergeladen. Anrufe, Faxe und E-Mails kommen von Menschen, die ungewöhnliche Gegenstände suchen. Für diese Fälle bietet Angela M. ihre Dienste an: Sie vermittelt Sachen, die schwer zu finden sind.

Zuerst sucht sie die einfachen Aufgaben heraus: Ein junger Mann braucht eine Nadel für einen Plattenspieler, der schon seit Jahren nicht mehr produziert wird. – Ein Geschäftsmann sucht ein originelles Geschenk für seinen japanischen Partner. – Eine Hausfrau hätte gerne eine Gebrauchsanweisung für die Küchenmaschine, die sie auf dem Flohmarkt gekauft hat.

Kein Problem. Für solche Dinge hat Angela ihre Quellen. Schwieriger wird es schon bei den folgenden Anfragen: Ein Architekt sucht den Plan eines Gebäudes, das im Krieg zerstört worden ist. – Ein Autosammler sucht ein wertvolles VW-Modell, von dem insgesamt nur 15 Stück hergestellt worden sind. – Eine Dame möchte gern ein Paar Schuhe haben, das schon von der englischen Königin getragen wurde.

Wie und wo findet man solche Sachen? „Meine wichtigsten Werkzeuge sind Telefon und Computer", sagt Angela M. Inzwischen besitzt sie eine riesige Datenbank mit Adressen von Spezial-Geschäften rund um die ganze Welt. Und ihre Regale enthalten zahlreiche Sonder-Kataloge aus Handel und Industrie.

Normalerweise werden die Waren, die sie findet, von ihr nicht gekauft, sondern nur vermittelt. Deshalb braucht sie wenig eigenes Kapital. Ihre Honorare berechnet sie nach der Schwierigkeit des Auftrags. Zunächst zahlt der Kunde eine Gebühr. Sobald sie eine Anfrage befriedigen kann, bekommt der Kunde eine Rechnung.

Wenn er einverstanden ist, kann das Geschäft vermittelt werden.

Allerdings kommt es schon mal vor, dass sie einen Auftrag ablehnen muss: „Eine Dame wollte, dass ich für sie den idealen Lebenspartner finde", erzählt sie. Aber so etwas gehört nicht zu ihren Aufgaben: „Dafür gibt es schließlich besondere Institute!"

Nicht nur der Umwelt zuliebe

Das Geld für sein Studium der Betriebswirtschaft verdiente sich Gero von W. als Praktikant in verschiedenen Unternehmen der Metallindustrie. Dabei wunderte er sich oft, wie viel Strom und Wasser von den Betrieben verbraucht wurde und wie viele giftige Stoffe in der Produktion verwendet wurden. Die Ausgaben für Energie und für den Schutz der Arbeitnehmer vor gefährlichen Materialien betrugen teilweise bis zu 20 Prozent der gesamten Kosten einer Firma.

Nach dem Studienabschluss fand Gero von W. zunächst eine Stelle in der Planungsabteilung einer Fabrik für elektrische Haushaltsgeräte. Allmählich kam der Wunsch in ihm auf, sich selbstständig zu machen. Eines Tages kündigte er und machte seine eigene Firma auf. Mit seinen Kenntnissen war das kein Problem. Seine Geschäftsidee: Ein Umwelt-Beratungs-Service für kleine und mittlere Unternehmen.

„Auch kleinere Firmen haben Bedarf auf diesem Gebiet", erklärt er. „Seit in Deutschland die Ökologie-Steuer eingeführt worden ist, haben sie ein großes Interesse daran, dass ihre Energiekosten sinken und die Sicherheit erhöht wird." Dafür hat er verschiedene technische Verfahren entwickelt, die er den Firmen zu günstigen Preisen anbieten kann. Sein größter Erfolg bisher: In einer Möbelfabrik ist der Wasserver-

brauch beinahe um die Hälfte gesenkt worden und giftige Farben werden auch nicht mehr verwendet.

Gero von W. – ein „Öko-Spinner"? „Unsinn!", sagt er. „Es macht ganz einfach Spaß, Geld zu verdienen und dabei auch noch etwas für die Umwelt zu tun." Und das scheint zu funktionieren: Aufträge hat er genug.

---

3. Was passt?

a) Heiner S. ... **H**   b) Angela M. ... **A**   c) Gero von W. ... **G**

a) ☐ hat eine Beratungsfirma eröffnet.
b) ☐ bietet einen Vermittlungsservice an.
c) **H** bietet vier verschiedene Frühstücksarten an.
d) ☐ hat einmal einen Auftrag nicht angenommen.
e) ☐ hat eigene technische Verfahren entwickelt.
f) ☐ hat eine Menge Adressen von Firmen gesammelt.

g) ☐ bearbeitet jeden Tag zunächst die einfachen Aufgaben.
h) ☐ kam im Bett auf eine Geschäftsidee.
i) ☐ hat die Kosten einer anderen Firma gesenkt.
j) ☐ bringt auf Wunsch auch einen Blumenstrauß.
k) ☐ tut etwas für den Umweltschutz.

Die Schuhe wurden **von der englischen Königin** getragen.
Das Gebäude ist **im Krieg** zerstört worden.
Der Plattenspieler wird **seit Jahren** nicht mehr hergestellt.

Präsens:	Das Frühstück	**wird**	ans Bett	**gebracht.**
Präteritum:	Das Frühstück	**wurde**	ans Bett	**gebracht.**
Perfekt:	Das Frühstück	**ist**	ans Bett	**gebracht worden.**

4. „Die Probleme anderer Leute sind mein Beruf.“

Lesen Sie zuerst die Texte und hören Sie dann das Interview mit
Anna Schreiber. Welcher Text passt zum Interview? x

a) ☐ Anna Schreiber arbeitete früher als Sekretärin in einem Möbelgeschäft. Schon in dieser Zeit hat sie sich privat mit Gesprächspsychologie beschäftigt. Mit 42 hat sie ihre Stelle gekündigt, weil sie sich als
Eheberaterin selbstständig machen wollte. Jetzt arbeitet sie zu Hause
an ihrem Telefon. Ehepaare, die Streit haben oder sich sogar scheiden
lassen wollen, können anrufen und sich beraten lassen. Vor jedem
Gespräch müssen 30 Euro auf Frau Schreibers Konto überwiesen
werden. Sie gibt natürlich keine Garantie dafür, dass sich alle Probleme lösen lassen. Das beste Ergebnis ist selbstverständlich, wenn
sich ein Paar nach der Beratung nicht mehr trennen will.

b) ☐ Anna Schreiber war in einer Möbelfabrik angestellt. Als die Fabrik geschlossen wurde, hat sie sich als Telefonpsychologin selbstständig gemacht, weil sie gerne anderen Menschen hilft. Wenn Leute Sorgen haben, können
sie bei ihr anrufen. Das erste Gespräch ist kostenlos; erst ab dem zweiten Telefonkontakt nimmt sie Gebühren.
Die meisten Anrufer haben Probleme mit dem Partner oder Streit am Arbeitsplatz, mit dem Chef oder den
Kollegen. Deshalb hat Anna Schreiber auch Kenntnisse im Bereich des Arbeitsrechts erworben. Pro Tag hat
sie durchschnittlich drei Anrufe. Damit verdient sie gerade genug, um ihre Existenz zu sichern.

c) ☐ Anna Schreiber war Facharbeiterin in einer Holzfabrik; mit 45 Jahren wurde sie entlassen. Danach hat sie ihr
Hobby zum Beruf gemacht. Für Bekannte und Freunde war sie bei Streitigkeiten schon immer die Retterin in
der Not. Jetzt hilft sie Leuten per Telefon, die nach einem Streit den Kontakt zu einer anderen Person verloren
haben. Wenn sie angerufen wird, hört sie sich zuerst an, wie es zu dem Streit gekommen ist. Dann schickt sie
dem Anrufer einen Vertrag und einen Fragebogen zu. Beide müssen ausgefüllt und 60 Euro auf ihr Konto
überwiesen werden. Dann ruft sie bei der Person an, mit der ihr Kunde wieder Frieden schließen möchte. Ihr
Auftrag ist beendet, wenn es ihr gelingt, dass sich die Leute zu einem Gespräch treffen.

5. Hören Sie die Radionachrichten. Was ist richtig? x

a) ☐ Die Nachfrage nach Neuwagen ist im letzten Jahr stark zurückgegangen.
☐ Im letzten Jahr stieg die Nachfrage nach Neuwagen um drei Prozent.

b) ☐ Die Metallarbeiter streiken; sie verlangen 4 Prozent Lohnerhöhung.
☐ In der Metallindustrie haben sich Arbeitgeber und Gewerkschaft bei Verhandlungen auf vier Prozent Lohnerhöhung geeinigt.

c) ☐ Nach Auskunft des statistischen Bundesamtes hatten die privaten Haushalte im letzten Jahr 1,3 Prozent weniger Einkommen.
☐ Das statistische Bundesamt hat mitgeteilt, dass das Einkommen der privaten Haushalte im letzten Jahr um 1,3 Prozent gestiegen ist.

d) ☐ Die deutschen Verbraucher kaufen immer öfter teure Markenartikel. Auf
Qualität wird mehr geachtet als auf niedrige Preise.
☐ Auf Preise wird immer mehr geachtet; die deutschen Verbraucher kaufen
lieber billige Angebote als Markenartikel, wenn die Qualität gleich ist.

e) ☐ Der Berliner Unternehmer Franke wurde gestern im Ausland verhaftet, weil er zwei Millionen Steuerschulden hat.

☐ Bei dem Versuch, ins Ausland zu fliehen, wurde heute der Berliner Unternehmer Franke verhaftet. Er hat zwei Millionen Steuerschulden, wie heute bekannt wurde.

f) ☐ Das Bundesfinanzministerium plant zum ersten Dezember eine Erhöhung der Tabaksteuer.

☐ Zigaretten und Zigarren werden ab dem ersten Dezember billiger, weil die Tabaksteuer gesenkt wird.

g) ☐ Es wird erwartet, dass die Europäische Zentralbank wegen des hohen Euro-Kurses auf ihrer nächsten Sitzung die Zinsen senkt.

☐ Es wird erwartet, dass die Europäische Zentralbank wegen des hohen Dollarkurses auf ihrer nächsten Sitzung die Zinsen erhöht.

| Der Artikel ist teu**er**. | – | Die Leute kaufen teu**re** Artikel. |
| Der Kurs ist ho**ch**. | – | Wegen des ho**hen** Kurses sinken die Zinsen. |

6. In Hannover wird gestreikt. Was ist richtig? ✗

a) In Hannover …

☐ wird für höhere Löhne in einem Werk des Volkmann-Konzerns gestreikt.

☐ wird dagegen protestiert, dass ein Werk des Volkmann-Konzerns geschlossen werden soll.

☐ wird für bessere Arbeitsbedingungen im Volkmann-Konzern gestreikt.

b) Es wird vermutet, dass etwa 400 Arbeitnehmer …

☐ entlassen werden sollen.

☐ weniger Lohn bekommen sollen.

☐ in anderen Werken des Konzerns arbeiten sollen.

c) Es wird befürchtet, …

☐ dass der Konzern in Zukunft im Ausland produzieren lässt.

☐ dass der Konzern in Zukunft immer mehr Mitarbeiter ins Ausland schickt.

☐ dass der Konzern in Zukunft keine Aufträge mehr aus dem Ausland bekommt.

d) Von der Betriebsleitung wird behauptet, …

☐ dass das Werk Hannover nicht genug Gewinn macht.

☐ dass es für das Werk Hannover keine Aufträge mehr gibt.

☐ dass es im Werk Hannover keine Probleme gibt.

e) In den letzten beiden Jahren …

☐ ist auf Lohnerhöhungen verzichtet worden.

☐ sind die Löhne gesunken.

☐ sind die Löhne gestiegen.

f) Vom Betriebsrat wird angeboten, dass die Mitarbeiter …

☐ drei Monate lang auf Lohnerhöhungen verzichten.

☐ drei Monate lang auf 13 % ihres Lohnes verzichten.

☐ drei Monate lang auf ihren Urlaub verzichten.

In Hannover	**wird**	**gestreikt.**			
Es	**wird**	**gestreikt.**			
Es	**wird**	in Hannover **gestreikt.**			

7. Hören Sie „d" oder „t", „b" oder „p", „g" oder „k"?

Sprechen Sie die Wörter nach und markieren Sie.

Man schreibt:	Man spricht:	
d	**d**	**t**
baden	×	
Bad		×
Bäder		
Hunde		
Hund		
Kind		
Kinder		

Man schreibt:	Man spricht:	
b	**b**	**p**
bleiben	×	
blieb		×
gab		
hob		
geben		
heben		
schrieb		

Man schreibt:	Man spricht:	
g	**g**	**k**
liegen	×	
lag		×
flog		
Flug		
fliegen		
Berge		
Berg		

8. Welche Silbe ist betont?

a) Hören Sie und unterstreichen Sie die Silbe, die betont ist. Sprechen Sie dann die Wörter nach.

wieder<u>hol</u>en – abholen – erholen – unterstreichen – anstreichen – verkaufen – einkaufen – aussuchen – besuchen – versuchen – herstellen – bestellen – feststellen – bekommen – ankommen – mitkommen

b) Hören Sie und sprechen Sie nach. Achten Sie auf die Betonung.

Der Schüler muss den Satz wiederholen.
Der Schüler wiederholt ihn.
Der Satz wird wiederholt.

Sie müssen das Wort unterstreichen.
Sie unterstreichen es.
Das Wort wird unterstrichen.

Wir müssen Heiner abholen.
Wir holen ihn ab.
Er wird abgeholt.

Sie wollen die Wand anstreichen.
Sie streichen sie an.
Die Wand wird angestrichen.

Infinitiv:	ab<u>hol</u>en	wieder<u>hol</u>en
Partizip:	<u>ab</u>geholt	wieder<u>holt</u>
Präsens:	holt <u>ab</u>	wieder<u>holt</u>

9. Hören Sie und sprechen Sie nach. Sprechen Sie dann frei.

Der Brief wird geschrieben.
Der Brief wird von der Sekretärin geschrieben.
Der Brief wird gerade von der Sekretärin geschrieben.

Der Hof wird gekehrt.
Der Hof wird vom Lehrling gekehrt.
Der Hof wird heute vom Lehrling gekehrt.
Der Hof wird heute um zehn Uhr vom Lehrling
   gekehrt.

● Endlich Feierabend! Können wir gehen?

■ Ja, gleich. Ich will nur noch nachsehen, ob alle Fenster zu sind.

● Das brauchen Sie nicht. Die Fenster sind alle geschlossen.

■ Gut. Da fällt mir noch ein: Haben Sie an die Rechnungen gedacht?

● Ja, ja. Die sind überwiesen. Ich war vorhin auf der Bank.

■ Sehr gut. Dann können wir jetzt gehen. Was ist mit der Alarmanlage?

● Keine Sorge. Die ist schon eingeschaltet.

■ Prima. Aber die Post nehmen wir noch mit. Sind die Briefe frankiert?

● Tut mir Leid, die habe ich noch gar nicht geschrieben. Das mache ich morgen.

■ In Ordnung. Dann kommen Sie gut nach Hause!

10. Ein zweites Gespräch.

Finden Sie eine Reihenfolge.

  ☐ Dann ist ja wohl alles vorbereitet.

  ☐ Nein, bestimmt nicht, sie sind korrigiert. Das habe ich heute Morgen gemacht.

  ☐ Das ist nicht mehr nötig. Der Tisch ist gedeckt.

  1 Die Konferenz beginnt in einer Viertelstunde. Haben wir die Verträge fertig?

  ☐ Ja, die sind kopiert und liegen bereit.

  ☐ Der Kaffee ist schon gekocht. Wir brauchen aber noch Saft und Mineralwasser.

  ☐ Gut, dass du daran gedacht hast. Jetzt müssen wir noch für die Getränke sorgen.

  ☐ Ich hole gleich ein paar Flaschen. Könntest du in der Zeit Tassen und Gläser hinstellen?

  ☐ Ich habe sie gar nicht mehr gelesen. Hoffentlich sind keine Fehler mehr drin.

Aktion:	Die Fenster **werden geschlossen**.
Ergebnis:	Die Fenster **sind geschlossen**.
	(Die Fenster sind zu.)

11. Hören Sie zu und schreiben Sie.

_____ _____ _____ _____ _Geburtstagsfeier_ _____. _____

_____ _Kerzen_ _____. _____,

Geschenke _____. ____ _Grußkarte_ ____ ____

_____. _____ _Sekretärin_ _____.

12. Die Eibrot-Fabrik

Setzen Sie die Verben im Passiv ein.

1. Wenn alle Hühner ein Ei gelegt haben, _werden_ die Eier zu einem großen Becken _transportiert_.

2. Dort _____ jedes Ei _____.

3. Wenn die Eier gewaschen sind, _____ sie zum Kochtopf _____.

4. Dann _____ die Eier ins heiße Wasser _____.

5. Nach acht Minuten _____ sie _____. Dann _____ sie aus dem heißen Wasser _____.

6. Danach _____ sie mit kaltem Wasser _____.

~~transportiert werden~~   gewaschen werden   geholt werden

gefahren werden   geworfen werden   gekocht sein   geduscht werden

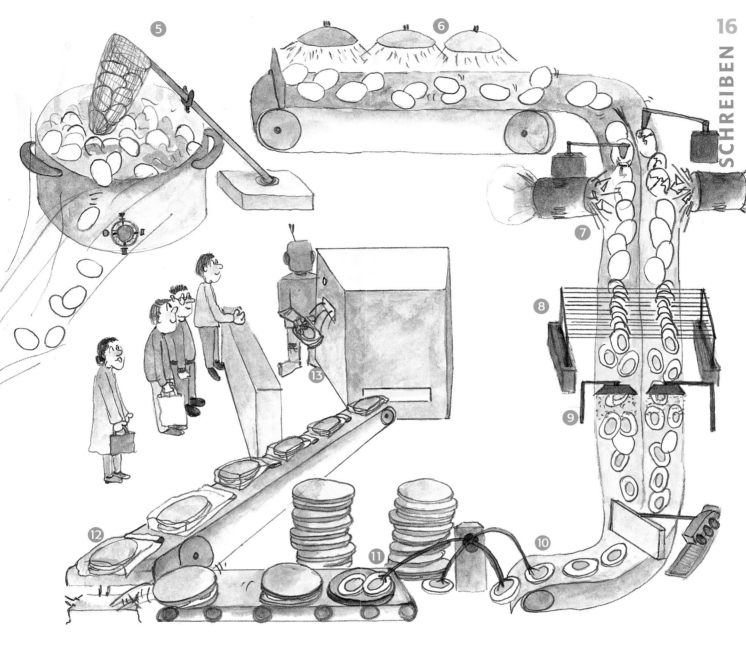

7. Anschließend _____ die Eier _____.

8. Dann _____ sie in Scheiben _____.

9. Danach _____ die Eischeiben _____.

10. Anschließend _____ sie zu den Butterbroten _____.

11. Die Butterbrote _____ mit den Eischeiben _____.

12. Wenn sie fertig sind, _____ die Eibrote in Tüten _____.

13. Zum Schluss _____ die Eibrote von einem Roboter _____.

geschnitten werden   gesalzen werden

verkauft werden   geschält werden   eingepackt werden   belegt werden   geschoben werden

1. Cartoons: „Menschen im Regen" – Was passt?

a) Er hat zwar einen Regenschirm, **3**
b) Er kann weder den Fisch braten, ▢
c) Sie muss entweder durch die Pfütze laufen, ▢
d) Er schützt seinen Kaktus nicht nur vor dem Regen, ▢

1. oder sie muss zurückgehen.
2. noch kann er die Zeitung lesen.
3. aber er wird trotzdem nass.
4. sondern er malt ihm auch eine Sonne.

2. Cartoons: „Die einsame Insel" – Ergänzen Sie.

a) Er muss _____ mit dem Tiger kämpfen, _____ er muss auf die Palme klettern.

b) Er hat _____ viele Dosen mit Lebensmitteln, _____ er kann sie nicht öffnen.

c) Jetzt hat er _____ ein Hemd, _____ hat er einen Hut.

d) Jetzt hat er _____ eine Dusche, _____ eine Badewanne.

nicht nur ..., sondern auch   zwar ..., aber   entweder ... oder   weder ... noch

3. Witze aus einer Illustrierten. – Was passt?

a) Gerd sitzt vor dem Fernseher, als seine Frau aufgeregt ruft: „Komm schnell! Das Baby isst die Zeitung!" – **4**

b) Der kleine Stefan kommt am letzten Tag vor den Ferien aus der Schule nach Hause. „Sag mal", fragt die Mutter, „hast du kein Zeugnis bekommen?" – „Doch, aber das hat Kurt." – „Nanu, hat er es dir weggenommen?" – ▦

c) Der Kassierer an der Kinokasse: „Jetzt kaufen Sie schon zum dritten Mal eine Eintrittskarte …" – ▦

d) Auf einer Betriebsfeier. Die Sekretärin sagt zum Buchhalter: „Sie haben wohl gar keinen Humor. Sie waren der einzige, der nicht gelacht hat, als der Chef vorhin einen Witz erzählt hat …" – ▦

1. „Ich kann es mir leisten. Ich habe gestern gekündigt."
2. „Was soll ich machen? Der Mann am Eingang zerreißt sie mir immer!"
3. „Soll ich es Ihnen einpacken oder will er es gleich hier kaputtmachen?"
4. „Du kannst sie ihm ruhig lassen. Sie ist von gestern …"
5. „Nein, ich habe es ihm geliehen. Er will seine Eltern damit erschrecken …"

4. Noch mehr Witze. – Ergänzen Sie.

es mir	es uns	sie mir
sie Ihnen	ihn ihr	

a) „Du darfst dir eine Hand voll Bonbons aus der Tüte nehmen." – „Könntest du _____ _____ nicht geben? Du hast so schön große Hände …"

b) „Hans!" ruft Frau Neumann von der Haustür ins Wohnzimmer. „Hier ist eine Dame, die für das neue Schwimmbad sammelt." – „Na schön, dann hol einen Eimer Wasser und gib _____ _____ …"

c) „Angeklagter, und jetzt beschreiben Sie uns mal in allen Einzelheiten die Methode, mit der Sie in die Bank eingebrochen sind." – „Aber Herr Richter!" antwortet der Angeklagte. „Ich kann _____ _____ doch nicht beschreiben, während meine ganze Konkurrenz hier im Saal sitzt …"

d) Der Polizist stoppt Herrn Maier: „Sie sind zu schnell gefahren. Wir haben gerade ein Foto von Ihnen gemacht." – „Schön, wenn Sie es entwickelt haben, schicken Sie _____ _____ doch bitte."

e) Ein Ehepaar fragt in einem Hotel nach einem Doppelzimmer, aber es ist keins mehr frei. „Aber wenn jetzt der Bundeskanzler käme, dann hätten Sie doch bestimmt noch ein Zimmer für ihn, oder?" fragt der Ehemann. „Ja, dann natürlich", antwortet der Portier. – „Na bitte. Dann geben Sie _____ _____ doch. Der Bundeskanzler kommt heute nicht!"

	Akkusativ	Dativ
Er zeigt	es	ihm.
Er gibt	sie	ihr.
Er bringt	es	ihnen.

Ludwig van Beethoven (1770–1827) Organist in Bonn. Ab 1792 Komponist, Pianist und Dirigent in Wien

Georg Hellmesberger (1800–1873) Violinist, Komponist, Dirigent der Wiener Philharmoniker

Gustav Mahler (1860–1911) Komponist, Direktor der Wiener Hofoper, Dirigent der New Yorker Philharmoniker und der Metropolitan Opera

Leo Slezak (1873–1946) Opernsänger in Wien, London, Paris und New York; ab 1934 Filmschauspieler in komischen Rollen

Anton Bruckner (1824–1896) Komponist, Organist, Professor für Komposition in Wien

Große Meister – kleine Schwächen

Ludwig van Beethoven betrat ein Wiener Gasthaus, in dem er schon oft zu Mittag gegessen hatte. Er nahm an einem freien Tisch Platz und rief nach der Kellnerin. Nachdem er eine Weile gewartet hatte, zog er sein Notenpapier aus der Tasche und begann eine Melodie aufzuschreiben, die ihm gerade eingefallen war. Schließlich kam die Kellnerin. Als sie jedoch sah, dass der Gast ganz mit dem Komponieren beschäftigt war, wollte sie ihn nicht stören und entfernte sich wieder. Beethoven schrieb und schrieb. Die Bedienung schaute immer wieder zu ihm hinüber, doch er schien weder etwas zu sehen noch zu hören. Nachdem schließlich mehr als eine Stunde vergangen war, sah Beethoven zufrieden von seinen Noten auf und rief: „Ich möchte zahlen. Die Rechnung, bitte!"

Georg Hellmesberger war dafür bekannt, dass er gern Süßes aß. Häufig wurde er deshalb zu Kaffee und Kuchen eingeladen. Eines Nachmittags saß er wieder einmal an einem gemütlichen Kaffeetisch. Die schönsten Torten wurden serviert und es schmeckte ihm vorzüglich. Nachdem er sein drittes Stück gegessen hatte, fragte die Gastgeberin: „Ach, verehrter Meister, warum haben Sie denn heute ihr wunderbares Instrument nicht mitgebracht?" Der antwortete höflich: „Meine Geige lässt sich entschuldigen. Sie mag weder Kaffee noch Kuchen."

In der Öffentlichkeit trat **Gustav Mahler** zwar stets souverän und selbstbewusst auf, aber in den praktischen Dingen des Lebens war er meistens hilflos und von seiner Frau abhängig. Eines Morgens wachte er mit Zahnschmerzen auf. Diese wurden schließlich so stark, dass seine Frau ihn zum Zahnarzt brachte. Nachdem Mahler im Behandlungsraum verschwunden war, trat sie ins Wartezimmer. Kaum hatte sie sich hingesetzt, da ging die Tür auf und ihr Mann stand wieder vor ihr. „Alma!" fragte er, „welcher Zahn tut mir eigentlich weh?"

Leo Slezak wollte mit seiner Frau ans Meer fahren. Als sie am Bahnhof angekommen waren, schaute er nachdenklich die vielen Gepäckstücke an, die der Taxifahrer ausgeladen hatte. Dann drehte er sich zu seiner Frau um und sagte: „Wir haben sieben Koffer, drei Reisetaschen und fünf Hutschachteln dabei. Wir haben nur vergessen, den Schreibtisch mitzunehmen." Sie sah ihn verwundert an: „Wieso den Schreibtisch?" – „Weißt du," sagte er, „ich habe nämlich unsere Fahrkarten darauf liegen lassen."

Mit seiner Köchin hatte **Anton Bruckner** ständig Streit. Vor allem fand er ihre Speisen stets zu wenig gewürzt. Eines Morgens brachte sie ihm zum Frühstück ein weich gekochtes Ei. Als Bruckner es aufgeschlagen und probiert hatte, beschwerte er sich: „Das hab' ich mir doch gleich gedacht. Schon wieder nicht gesalzen!"

Herbert von Karajan
(1908–1989) Dirigent der
Wiener Philharmoniker;
musikalischer Leiter der
Berliner Philharmoniker
auf Lebenszeit; Leiter der
Wiener Oper und der
Salzburger Festspiele

Für **Herbert von Karajan** hatte man ein Taxi zur Wiener Oper bestellt. Der Fahrer musste über eine halbe Stunde warten, bevor er den Meister schließlich mit eiligen Schritten aus dem Opernhaus kommen sah. Rasch stieg er aus und riss ihm die Wagentür auf. Nachdem der Dirigent auf dem Rücksitz Platz genommen hatte, startete der Taxifahrer den Motor und sah seinen prominenten Fahrgast fragend an. Aber der brummte nur ungeduldig: „Mann, worauf warten Sie noch?" – „Ja, wohin woll'n S' denn, Herr Direktor?" erkundigte sich der Taxifahrer höflich. „Ganz egal!" rief Karajan nervös. „Zum Dirigieren erwartet man mich überall!"

5. Was ist richtig? X

a) ☐ Ludwig van Beethoven saß in einem Gasthaus. Aber die Kellnerin kam nicht sofort, obwohl er nach ihr rief.
☐ Ludwig van Beethoven betrat ein Gasthaus, in dem er schon oft zu Mittag gegessen hatte, und bestellte sein Lieblingsgericht.
☐ Ludwig van Beethoven saß in einem Gasthaus und begann zu komponieren. Da setzte die Kellnerin sich zu ihm.

b) ☐ Gustav Mahler hatte so starke Zahnschmerzen, dass seine Frau mit ihm zum Zahnarzt ging.
☐ Obwohl Gustav Mahler starke Zahnschmerzen hatte, wollte er nicht zum Zahnarzt gehen.
☐ Gustav Mahler ging mit seiner Frau zum Zahnarzt, weil sie starke Zahnschmerzen hatte.

c) ☐ Für Herbert von Karajan war ein Taxi bestellt worden. Der Dirigent kam schließlich, stieg aber nicht ein.
☐ Herbert von Karajan musste eine halbe Stunde warten, bis er endlich abgeholt wurde.
☐ Ein Taxifahrer hatte eine halbe Stunde auf Herbert von Karajan gewartet. Schließlich kam der berühmte Fahrgast aus der Oper.

6. Was ist richtig? X

a) ☐ Georg Hellmesberger hatte seine Geige zu Hause gelassen. Offenbar wollte er auf der Einladung nichts vorspielen.
☐ Georg Hellmesberger hatte zwar seine Geige dabei, wollte aber nichts vorspielen.

b) ☐ Anton Bruckner hatte Recht, sich darüber zu beschweren, dass das Ei nicht gesalzen war, denn seine Köchin würzte die Speisen nie genug.
☐ Anton Bruckner hatte nicht Recht, sich zu beschweren. Denn ein Ei, das noch nicht geöffnet ist, kann nicht gesalzen sein.

c) ☐ Leo Slezak hatte geplant, den Schreibtisch auf die Reise mitzunehmen.
☐ Leo Slezak machte sich darüber lustig, dass er das Wichtigste vergessen hatte.

	warten	gehen
Perfekt:	Er **hat gewartet**	Er **ist gegangen**
Plusquamperfekt:	Er **hatte gewartet**	Er **war gegangen**

7. **„Den verstehe ich nicht." Hören Sie drei Witze, die auf einer Party erzählt werden.**

Ergänzen Sie.

a) Zwei Tiere begegnen sich in einem Wald und fragen
sich gegenseitig, was für Tiere sie sind. Das eine Tier ist
ein _____ : Sein Vater ist ein _____ und seine
Mutter eine _____. Das andere Tier sagt, dass es ein
_____ ist. Aber sein neuer Bekannter glaubt ihm
das nicht.

b) Ein kleiner _____ und seine Mutter gehen bei großer
Kälte am Nordpol spazieren. Auf einmal will der Kleine
wissen, ob seine _____ und seine _____auch
_____ waren. Die Mutter bestätigt ihm das. Aber es
ist ihm egal, weil er trotzdem friert.

c) Ein _____ und seine Kinder werden nachts im
Garten von einer _____ überrascht. Der Vater schreit:
„Wau, wau wau!" – und sie sind gerettet. Die kleinen
_____ haben dadurch gelernt, wie wichtig _____
sind. Ihr Vater hatte ihnen das schon oft gesagt.

Wolfshund   Großeltern   Mäuse   Eisbären
Eisbär   Mäusevater   Wolf   Fremdsprachen
Hündin   Katze   Ameisenbär
Urgroßeltern

	Dativ	Akkusativ
Er glaubt	ihm	das nicht.
Sie bestätigt	ihm	das.
Er hat	ihnen	das schon oft gesagt.

8. **Ein Aprilscherz**

Richtig (r) oder falsch (f)?
a) r Monika will ihre Haare blond färben.
b) ▢ Martin möchte, dass Monika ihre Haare grün färbt.
c) ▢ Monika sucht das Shampoo; Martin bringt es ihr.
d) ▢ Monika sagt: „Ich brauche den Föhn. Bringst du mir den mal?"
e) ▢ Nachdem Monika ihre Haare gewaschen hat, föhnt Martin sie ihr.
f) ▢ Martin sagt: „ Was ist mit deinen Haaren? Die hast du dir
ja grün gefärbt!"
g) ▢ Monika schaut sich ihre grünen Haare im Spiegel an.
h) ▢ Monika ist froh, dass Martin nur einen Scherz gemacht hat.

	Dativ	Akkusativ
Ich brauche den Föhn. Bringst du	mir	den?
	Akkusativ	Dativ
Ich brauche den Föhn. Bringst du	ihn	mir?

9. Hören Sie drei Sketsche. Richtig (r) oder falsch (f)?

a) **f** Marta kann nicht schlafen, weil Hugo so laut schnarcht.

☐ Hugo wacht auf, weil die Musik der Nachbarn so laut ist.

☐ Hugo soll zu den Nachbarn gehen und sie bitten, die Musik leiser zu stellen.

☐ Hugo ruft die Nachbarn an und sagt es ihnen.

☐ Am Schluss ist die Musik immer noch zu laut.

☐ Die Nachbarn haben Hugo nicht verstanden, weil sie nicht Deutsch sprechen.

b) ☐ Der Gast bestellt eine Tomatensuppe.

☐ Der Kellner bringt sie ihm.

☐ Die Suppe schmeckt dem Gast nicht.

☐ Der Kellner empfiehlt ihm eine andere Suppe.

☐ Dem Gast fehlen Salz und Pfeffer.

☐ Dem Gast fehlt ein Messer.

c) ☐ Gerade hat jemand für Kurt angerufen, aber Kurt war nicht da.

☐ Der Anrufer hat seinen Namen nicht gesagt.

☐ Kurt soll sich sofort bei dem Anrufer melden.

☐ Die Telefonnummer ist 87 78 48.

10. „Den Witz kannst du auf keinen Fall erzählen!"

a) Was passt?

Robert kennt einen Witz …

a) über eine blonde Ehefrau, **4** **C**

b) über einen Mann, ☐ ☐

c) über einen Pfarrer, ☐ ☐

d) über einen CDU-Politiker, ☐ ☐

e) über einen Ehemann, ☐ ☐

1. der sonntags immer zu spät in die Kirche kommt,
2. der den Verdacht hat,
3. der immer eine rote Krawatte anzieht,
4. die die Frühstückseier eine Stunde kocht,
5. dem sein Arzt mitteilt,

A dass er nur noch drei Tage zu leben hat.

B weil er erst den Wein probiert.

C damit sie endlich weich werden.

D bevor er mit seiner Frau ins Bett geht.

E dass seine Frau die Grünen wählt.

b) Was passt?

a) Robert soll eine kleine Rede halten, **2**

b) Robert soll keine Sexwitze erzählen, ☐

c) Robert soll sich vor schwarzem Humor hüten, ☐

d) Robert soll keinesfalls etwas Politisches sagen, ☐

e) Robert soll die Kirche aus dem Spiel lassen, ☐

f) Robert soll auf Blondinenwitze verzichten, ☐

g) Robert soll nicht den Mut verlieren, ☐

1. weil das bestimmt niemand lustig findet.

2. weil er am längsten in der Abteilung ist.

3. weil sich die blonden Frauen darüber ärgern.

4. weil sein Kollege Hilfe anbietet.

5. weil es darüber sowieso immer Streit gibt.

6. weil Kinder auf der Feier sind.

7. weil die Frau vom Chef in diesen Dingen so empfindlich ist.

11. Sprechen Sie nach.
Achten Sie auf „m" und „n".

dem oder den?   meinem oder meinen?

wem oder wen?   deinem oder deinen?

einem oder einen?   seinem oder seinen?

12. Sprechen Sie nach.

Sie bringt dem Gast die Milch ans Bett
und stellt sie ihm auf ein Tablett.

Er pflückt ihr einen Blumenstrauß
und legt ihn ihr vors Gartenhaus.

Er holt der Frau die neue Maus
und packt sie ihr dann auch gleich aus.

Sie nimmt ein Schokoladenschwein
und packt es ihm dann sehr hübsch ein.

13. „Zungenbrecher"

Brautkleid bleibt Brautkleid und Blaukraut bleibt Blaukraut.

Fischers Fritz fischt frische Fische.

Zweiundzwanzig Ziegen zogen zweiundzwanzig Zentner
Zucker zum Zoo.

Wir würden weiße Wäsche waschen, wenn wir wüssten,
wo warmes Wasser ist.

Es klapperten die Klapperschlangen,
bis ihre Klappern schlapper klangen.

Beim Flachdach ist das Dach flach.

Kleine Kinder können keine Kirschkerne knacken.

● Stellen Sie sich vor, was mir gestern passiert ist!

■ Erzählen Sie doch mal!

● Es war acht Uhr, und ich hatte gerade gebadet und es mir vor dem Fernseher gemütlich gemacht. Da klingelte es.

■ Ach. Haben Sie Besuch bekommen?

● Das kann man wohl sagen. Alle meine Freunde standen vor der Tür, mit Blumen und Geschenken. Sie wollten meinen Geburtstag feiern.

■ Eine Überraschungsparty?

● Nein, nein. Ich hatte sie ja eingeladen – aber erst für nächste Woche.

■ Warum sind sie dann gestern schon gekommen?

● Na ja – ich hatte aus Versehen das falsche Datum auf die Einladungen geschrieben.

■ Oh wie peinlich! Sind Ihre Freunde wieder nach Hause gegangen?

● Natürlich nicht. Aber ich hatte ja nichts vorbereitet: Nichts zu essen und keine Getränke im Haus.

■ Und was haben Sie da gemacht?

● Ich habe den Pizza-Service angerufen, Getränke haben wir von der Tankstelle geholt. Und dann haben wir bis vier Uhr morgens gefeiert.

■ Das war sicher sehr lustig …

14. Variieren Sie das Gespräch

● Vorgestern ist mir etwas Verrücktes passiert.

● Es war … Uhr, und ich hatte gerade | geduscht. / gegessen.
Da klopfte es.

● Nicht nur einer! Vierzehn Bekannte standen draußen, weil sie mit mir meine Prüfung feiern wollten.

● Eigentlich nicht. Ich hatte die Feier geplant, aber erst für nächsten Samstag.

● Genau. Aber es war | mein Fehler, / meine Schuld, weil ich den falschen Tag in die Einladung geschrieben hatte.

● Ach was.
Aber meine Gäste hatten natürlich | Hunger. / Durst.

● Ich habe Bratwurst vom Imbiss geholt. Wir hatten alle großen Spaß.

■ So? Was war denn los?

■ Stand | ein Freund / ein Besucher | vor der Tür?

■ Das sollte wohl | eine Überraschung / ein Scherz | sein?

■ Dann war das ein Missverständnis, oder?

■ Tolle Situation! Hast du alle wieder weggeschickt?

■ Und?
Hast du | Dosen aufgemacht? / noch etwas einkaufen können?

■ So eine Party möchte ich auch mal erleben!

15. Hören Sie zu und schreiben Sie.

Ich _____ _____ _____ _____ , _____ _____ _____ .
Draußen _____ _____ _____ _____ . _____ , _____ Wort _____
_____ _____ _____ , _____ Datum _____ .
_____ _____ April _____ _____ . Nur _____ _____ .

16. Redensarten und ihre Bedeutung. – Ergänzen Sie.

Gestern konnte ich meinen Autoschlüssel nicht finden. *Nachdem ich das ganze Haus auf den Kopf gestellt hatte,* fand ich ihn schließlich: Unser Papagei hatte ihn in seinem Käfig.

das ganze Haus auf den Kopf stellen

Nachdem ich überall im Haus verzweifelt gesucht hatte, …

Letzte Woche waren wir zu einem Geburtstag eingeladen. Die Gäste waren in eleganter Kleidung gekommen. *Nur Karl war mal wieder aus der Reihe getanzt.* Er hatte einen Jogging-Anzug angezogen, einen neuen.

aus der Reihe tanzen

Nur Karl hatte mal wieder

Letzten Mittwoch hatte der Professor uns eine Stunde lang seine neue Theorie vorgestellt, aber *ich hatte nur Bahnhof verstanden.* Nach der Vorlesung war ich froh, dass meine Freundin sie mir mit verständlichen Worten erklären konnte.

nur Bahnhof verstehen

…, aber ich

total überrascht sein
überhaupt nichts verstehen

aus allen Wolken fallen

Vorgestern klingelte es an meiner Tür. Als ich öffnete, stand draußen ein alter Schulfreund mit einem wundervollen Blumenstrauß. *Da bin ich aus allen Wolken gefallen.*

Da

Tomaten auf den Augen haben

Vor einer Woche suchte ich überall meinen Schlüssel. Schließlich sah ich ihn: Er hing an meiner Hose. *Ich hatte die ganze Zeit Tomaten auf den Augen gehabt.*

Ich hatte ihn

sich die Beine in den Bauch stehen

Kürzlich wollte ich ein Paket aufgeben. Ich musste Schlange stehen. *Nachdem ich mir eine halbe Stunde lang die Beine in den Bauch gestanden hatte,* bemerkte ich schließlich, dass ich am falschen Schalter war.

Nachdem ich

auf die Pauke hauen

In der Nacht

Letztes Wochenende hatte ein Nachbar Geburtstag. Die Gäste gingen erst früh am Morgen. *In der Nacht hatten sie ganz schön auf die Pauke gehauen.*

Eigentlich wollte ich nur meinen Rasierapparat zur Reparatur bringen, aber meine Frau meinte: „Nimm doch gleich den kaputten Fernseher mit. Dann braucht der Mechaniker nicht zu kommen." Nun wiegt der Fernseher zwar ein bisschen mehr als der Rasierapparat, aber sie hatte ja Recht. *So konnte ich zwei Fliegen mit einer Klappe schlagen.*

So konnte ich

zwei Fliegen mit einer Klappe schlagen

zwei Dinge auf einmal erledigen

laut und fröhlich feiern

alles anders machen als die Anderen

sehr lange warten

überall im Haus verzweifelt suchen

einfach nicht sehen können

1. Welche Antworten passen zu den Fragen des Bundeskanzlers?

a) Wie gehen die Wahlen im September aus? ☐
b) Bin ich in zehn Jahren immer noch Bundeskanzler? ☐
c) Wird die Koalition halten? ☐
d) Geht die Arbeitslosigkeit bald zurück? ☐
e) Bleiben die Preise stabil? ☐
f) Was werde ich auf meiner Reise nach Neuseeland
   erleben? ☐
g) Werde ich endlich einen Preis bekommen? ☐
h) Gibt es meine Partei in 50 Jahren noch? ☐
i) Bleibt meine Ehe glücklich? ☐
j) Werde ich bald Großvater? ☐

1. Wegen Ihrer modischen Anzüge wird eine Zeitschrift
   Sie zum elegantesten Mann des Jahres wählen.
2. Ja, aber sie wird einen anderen Namen haben.
3. Die Zinsen werden steigen, aber die Inflation wird auf
   0,5 Prozent sinken.
4. Sie werden in Auckland vom Ministerpräsidenten ein
   Schaf geschenkt bekommen.
5. Es wird Streit in der Regierung geben, der Außenminister wird zurücktreten und Sie werden sich nach
   einem anderen Partner umsehen müssen.
6. Ihre Tochter bekommt in vier Jahren Zwillinge.
7. Ihre Frau wird Sie selten sehen. Deshalb bekommen
   Sie keine Probleme miteinander.
8. Ihre Partei wird zwar Stimmen verlieren, aber Sie werden die Wahl knapp gewinnen.
9. Zu diesem Zeitpunkt werden Sie kein Politiker mehr
   sein, sondern Ihren ersten Roman veröffentlichen.
10. Die Exportchancen der Wirtschaft verbessern sich ab
    dem nächsten Jahr. Dadurch werden neue Arbeits-
    plätze entstehen.

Annahmen über die Zukunft	
mit dem **Präsens** (+ Zeitangabe)	mit dem **Futur**
Im nächsten Jahr **steigen** die Zinsen.	Die Zinsen **werden steigen**.
Er **wird** im September gewählt.	Er **wird** gewählt **werden**.
Er **muss** bald zurücktreten.	Er **wird** zurücktreten **müssen**.

2. Was passt zusammen?

a) Wenn die Römer gewusst hätten, dass die Erde rund ist, ▮

b) Wenn Nikolaus Otto nicht den Benzinmotor erfunden hätte, ▮

c) Wenn die Franzosen und Engländer nicht den Eurotunnel gebaut hätten, ▮

d) Wenn man auf der Titanic den Eisberg rechtzeitig bemerkt hätte, ▮

e) Wenn Samuel Morse sein berühmtes Alphabet nicht entwickelt hätte, ▮

f) Wenn der Computer nicht erfunden worden wäre, ▮

g) Wenn Alexander Fleming nicht durch Zufall das Penicillin entdeckt hätte, ▮

h) Wenn Johannes Gutenberg nicht den Buchdruck erfunden hätte, ▮

i) Wenn die UNO 1945 nicht gegründet worden wäre, ▮

j) Wenn es vor 65 Millionen Jahren keine Klimakatastrophe gegeben hätte, ▮

1. hätte es seitdem wahrscheinlich noch mehr Kriege in der Welt gegeben.
2. hätte Carl Benz nicht das erste Auto bauen können.
3. würden die Dinosaurier vielleicht heute noch leben.
4. könnte man heute nicht mit dem Zug von Paris nach London fahren.
5. könnten wir heute nicht im Internet surfen.
6. würde es viel weniger Bücher geben.
7. wäre das Schiff nicht gesunken.
8. müssten viel mehr Menschen an Infektionskrankheiten sterben.
9. hätten sie vielleicht bereits Amerika entdeckt.
10. hätte man im 19. Jahrhundert keine Nachrichten über den Telegrafen schicken können.

> **Gedankenspiele über die Vergangenheit:**
> Wenn Kolumbus nicht nach Westen **gesegelt wäre**, hätte er Amerika nicht **entdeckt**.

IN-Serie „Geburtsjahr 1949"
Menschen, so alt wie die Bundesrepublik Deutschland
Heute: Interview mit Volker Mai, geb. am 18. November 1949,
Gymnasiallehrer für Deutsch und Geschichte

IN: Herr Mai, heute leben wir ganz selbstverständlich mit so modernen Dingen wie Handys, Computern und Kreditkarten. Können Sie sich noch erinnern, wie das in Ihrer Kindheit war?

Volker Mai: Das gab es damals natürlich alles noch nicht. Meine Eltern hatten noch nicht einmal ein Telefon. Das bekamen wir erst 1960. Da war ich schon elf Jahre alt. Jedenfalls weiß ich noch, dass ein Telefon damals für mich ein technisches Wunder war. Und wir hatten, wie die meisten Familien, auch keinen Fernsehapparat. Aber wir brauchten nur zu unseren Nachbarn zu gehen, weil die schon einen Fernseher hatten. Es wurde zur Gewohnheit, dass wir fast jeden Samstagabend dort waren. Damals gab es nur ein Programm und das war schwarz-weiß. Aber trotzdem war ein Fernsehabend etwas ganz Besonderes. Man saß auf dem Sofa und die Erwachsenen tranken Wein. Und es gab Salzgebäck und Pralinen. Die Sendungen waren während der ganzen Woche ein Gesprächsthema.

IN: Autos gab es in dieser Zeit auch noch nicht viele oder hatten Ihre Eltern damals schon eins?

VM: Nein, ich wäre natürlich sehr stolz gewesen, wenn wir ein Auto gehabt hätten. Aber ich war schon fast erwachsen, als sich meine Eltern das erste Auto leisten konnten. Es war ein weißer VW-Käfer. Allerdings hatte ein Onkel, der in unserer Nähe wohnte, schon sehr früh ein Auto. Es war winzig klein, und wenn wir sonntags mit meinem Onkel und meiner Tante Ausflüge machten, musste ich immer auf dem Schoß meiner Mutter sitzen. Aber ich habe sehr schöne Erinnerungen daran. Wenn wir zum Baden an einen See oder zum Spazierengehen in ein Waldgebiet außerhalb der Stadt fuhren, hatten wir immer einen Ball, verschiedene Spiele und ganz viel zu Essen dabei. Meine Mutter hatte samstags immer schon für uns alle Eier gekocht, Kartoffelsalat gemacht und Schnitzel gebraten. Essen war damals die Hauptsache, weil die Erwachsenen oft noch an den Hunger im Krieg und in den ersten Nachkriegsjahren dachten.

IN: Was ist denn das erste politische Ereignis, an das Sie sich erinnern können?

VM: Da brauche ich nicht zu überlegen: Das war der Mauerbau in Berlin im August 1961. Es war der 13. August. Daran kann ich mich deshalb ganz genau erinnern, weil zwei Tage später mein Großvater gestorben ist. Meine Großeltern wohnten in Dresden und wir wollten sie besuchen, weil es meinem Großvater sehr schlecht ging. Im Radio kamen ständig Nachrichten über den Bau der Mauer in Berlin und darüber, dass viele Menschen noch versuchten, aus der DDR zu fliehen. Alle Menschen hatten Angst vor einem Krieg und natürlich konnten wir nicht zu den Großeltern nach Dresden reisen. Mein Vater war furchtbar aufgeregt und meine Mutter weinte, weil sie ihren Vater vor seinem Tod so gern noch einmal gesehen hätte.

IN: Gibt es noch ein Ereignis, das Sie so klar vor Augen haben?

VM: Das Nächste, woran ich mich erinnere, ist die Ermordung John F. Kennedys. Für mich war er ein Idol. Ich hatte ihn ein Jahr vor seinem Tod einmal gesehen, als er einen Deutschlandbesuch machte. Da kam er auch nach Frankfurt, wo ich mit meinen Eltern lebte. In der ganzen Stadt hatten die Kinder schulfrei und standen an den Straßen, wo Kennedy in einem offenen Wagen vorbeifuhr. Wir Kinder winkten mit kleinen amerikanischen Fahnen. Als dann am 22. November 1963 die Nachricht von Kennedys Ermordung kam, war das wie ein Schock. Ich kann mich noch genau an die Fernsehbilder erinnern, denn das Attentat war ja gefilmt worden. Wahrscheinlich kann sich ein junger Mensch heute gar nicht mehr vorstellen, was das damals bedeutet hat.

IN: Als Jugendlicher hatten Sie sicher Hobbys. Was haben Sie denn damals in Ihrer Freizeit gemacht?

VM: Meistens habe ich Musik gehört: Die Beatles, die Stones und andere Rockgruppen. Meine Eltern fanden das entsetzlich. Sie hätten es lieber gehabt, wenn ich klassische Musik gehört hätte. Aber ich finde die Stücke immer noch gut. Ich werde wohl noch mit 80 die Musik von damals hören.

IN: Viele junge Menschen, insbesondere Gymnasiasten und Studenten, haben sich Ende der 60er- und in den 70er-Jahren für Politik interessiert. Es war modern, Kommunist zu sein. Gehörten Sie auch zu denen, die Karl Marx gelesen und gegen den Kapitalismus demonstriert haben?

VM: Ja, das fing mit meinem Studium an. Mein politischer Standpunkt war damals ganz klar: Ich wollte gegen das kapitalistische System kämpfen, aber natürlich nur mit Worten. Jedenfalls war das eine sehr aufregende Zeit. Udo, mein Sohn, macht sich oft über mich lustig, wenn ich davon erzähle.

IN: Hat er kein Interesse an Politik?

VM: Nein, sehr wenig. Udos Welt sind die Tiere; er interessiert sich in der Hauptsache für Pferde, Hunde und Katzen. Nächstes Jahr macht er Abitur und dann wird er wahrscheinlich Tiermedizin studieren.

IN: Wäre es Ihnen lieber gewesen, wenn er sich wie Sie für den Lehrerberuf entschieden hätte?

VM: Nein. Es hätte mich zwar gefreut, aber da darf man sich als Vater nicht einmischen, finde ich. Bestimmt wird er ein guter Tierarzt werden.

Isar-Nachrichten 13. Jahrgang Nr. 43

3.   Was passt zusammen?

a) Erst als Volker Mai elf Jahre alt war, **3**

b) Samstags gingen seine Eltern zu den Nachbarn,

c) Obwohl es nur ein Programm in schwarz-weiß gab,

d) Sonntags machte Familie Mai Ausflüge mit Verwandten,

e) Bei den Ausflügen gab es viel zu essen,

f) Weil in Berlin die Mauer gebaut wurde,

g) John F. Kennedy war ein Idol für ihn,

h) Herr Mai erinnert sich an Kennedys Besuch in Frankfurt,

i) Er wird noch mit 80 die Beatles und Stones hören,

j) Er erzählt gern von seiner Studentenzeit,

k) Sein Sohn will Tiermedizin studieren,

1. sobald er das Abitur gemacht hat.
2. weil sie selbst noch keinen Fernseher hatten.
3. bekamen seine Eltern ein Telefon.
4. weil er ihn da selbst gesehen hat.
5. weil er die Musik gut findet.
6. war jeder Fernsehabend etwas Besonderes.
7. obwohl sich sein Sohn dann über ihn lustig macht.
8. die schon früh ein kleines Auto hatten.
9. konnten sie die Großeltern nicht mehr besuchen.
10. deshalb war seine Ermordung ein großer Schock.
11. weil das für die Erwachsenen die Hauptsache war.

Der Besuch **des amerikanischen Präsidenten** in Frankfurt war aufregend.
Der Besuch **Kennedys** in Frankfurt war aufregend.
Kennedys Besuch in Frankfurt war aufregend.

Herr Mai **muss** nicht überlegen.
Herr Mai **braucht** nicht **zu** überlegen.

4. Eine Wahlkampfrede

a) Was ist richtig? **X**

Der Redner verspricht den Wählern eine Stadt, die
- [ ] einkaufsfreundlich ist.
- [ ] kinderfreundlich ist.
- [ ] autofreundlich ist.
- [ ] umweltfreundlich ist.
- [x] tierfreundlich ist.
- [ ] familienfreundlich ist.

b) Was passt zusammen?

Der Redner behauptet:

a) Wenn die Sozialdemokraten und die Grünen nicht so viel Geld für die Renovierung des Rathauses ausgegeben hätten, ▢

b) Wenn die SPD und die Grünen das Parken in der Fußgängerzone verboten hätten, ▢

c) Das Parken in der Fußgängerzone soll verboten werden, ▢

d) Wenn man beim Umbau der alten Stadtbücherei gespart hätte, ▢

e) Die Christdemokraten werden neue Kindergartenplätze schaffen, ▢

f) Die CDU wird die Eintrittspreise für das Schwimmbad senken, ▢

g) Die Christdemokraten werden den öffentlichen Nahverkehr stärker fördern, ▢

1. wäre die Finanzsituation jetzt nicht so katastrophal.

2. so dass das Schwimmbad auch wieder für Familien attraktiv wird.

3. wäre das Zentrum viel attraktiver.

4. so dass die Busfahrpreise gesenkt werden können.

5. weil eine Stadt kinderfreundlich sein muss.

6. denn die Stadt soll einkaufsfreundlich sein.

7. hätte man schon lange mit dem Bau eines neuen Kindergartens beginnen können.

5. Die erste Hochrechnung

Welche Grafik passt zum Text?

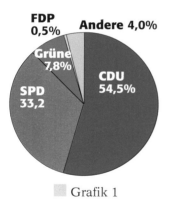

Grafik 1

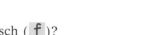

Grafik 2

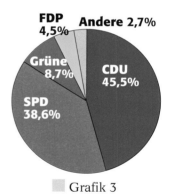

Grafik 3

Richtig (**r**) oder falsch (**f**)?

a) ▢ Die CDU ist der große Gewinner der Wahl.

b) ▢ Die SPD hat viele Stimmen gewonnen.

c) ▢ Die Grünen haben ihr Ergebnis gegenüber der letzten Wahl etwas verbessert.

d) ▢ Das Ergebnis der FDP hat sich gegenüber der letzten Wahl stark verschlechtert.

e) ▢ Es ist völlig sicher, dass die FDP wieder in das Stadtparlament kommt.

f) ▢ Die übrigen Parteien können auf jeden Fall nicht in den Stadtrat einziehen.

g) ▢ Der Vertreter der CDU will auf keinen Fall eine Koalition mit den Grünen.

h) ▢ Die Grünen ziehen eine Koalition mit der SPD vor.

i) ▢ Der Vertreter der SPD will sich noch nicht auf eine Koalition festlegen.

6. Kurznachrichten

Was passt zusammen?

a) Im Bundestag fand das Gesetz zur Steuerreform keine Mehrheit. 5
b) Nach seiner Rückkehr aus Japan berichtete der österreichische Außenminister
   auf einer Pressekonferenz von den Eindrücken seiner Reise. ◻
c) Der Nationalrat in Bern verabschiedete ein neues Bankengesetz. ◻
d) Der deutsche Landwirtschaftsminister traf gestern in Brüssel mit seinem
   britischen Kollegen zusammen. ◻
e) Der finnische Staatspräsident eröffnete eine Konferenz der Organisation
   für Sicherheit und Zusammenarbeit in Europa (OSZE). ◻
f) In Luxemburg kamen die Umweltminister der Europäischen Union zusammen. ◻

1. Von einzelnen Mitgliedern des Parlaments wurde das
   Gesetz als nicht ausreichend kritisiert.
2. Er warnte vor einer neuen Krise und forderte die
   Mitgliedstaaten auf, den Frieden nicht in Gefahr zu
   bringen.
3. Auf der Konferenz wurde beschlossen, die Werte für
   Auto- und Industrie-Abgase neu zu regeln.

4. In dem Gespräch ging es um die europäischen Vor-
   schriften für den Viehimport aus anderen Ländern.
5. Die Opposition übte scharfe Kritik an den Vor-
   schlägen der Bundesregierung.
6. Er lobte die guten Beziehungen zwischen beiden
   Ländern und hofft auf positive Wirkungen für die
   Exportwirtschaft.

7. Wie denken junge Leute über Politik?

Welcher Satz passt zu welcher Person?

Markus (M), Stefanie (S), Urs (U), Renan (R)

a) M Das wichtigste politische Thema ist für mich der Umweltschutz.
b) ◻ Es ist nicht zu verstehen, dass die meisten Menschen Tiere lieben
   und trotzdem noch Fleisch essen.
c) ◻ Der Frieden auf der Welt sollte das wichtigste Thema in der Politik sein.
d) ◻ Die Politiker sind so alt, dass sie die Probleme der jungen Leute nicht verstehen.
e) ◻ Millionen Menschen sterben an Hunger, aber für Kriege und Waffen ist immer genug Geld da.
f) ◻ Besonders in der Energiepolitik ist noch sehr viel zu tun.
g) ◻ In der Politik geht es doch immer nur um Geld und Machtinteressen.
h) ◻ Ich gehe nicht zu den Wahlen, weil die Politiker nichts für mich tun.
i) ◻ Die Politiker haben auch an die nächsten Generationen zu denken, wenn sie Gesetze machen.
j) ◻ Es ist nicht zu glauben, dass ein einziges modernes Kampfflugzeug Milliarden Dollar kostet.
k) ◻ Wir haben uns nicht zu beschweren, obwohl die Universitäten viel zu voll sind.
l) ◻ Was die Leute von Greenpeace machen, ist für mich die wichtigste Politik.

> Die Politiker **haben** an die nächste Generation **zu** denken. (Die Politiker **müssen** an die nächste Generation denken.)
> Wir **haben** uns nicht **zu** beschweren. (Wir **dürfen** uns nicht beschweren.)
>
> In der Energiepolitik **ist** noch viel **zu** tun. (In der Energiepolitik muss man noch sehr viel tun.)
> Es **ist** nicht **zu** verstehen, dass … (Man **kann** nicht verstehen, dass …)

8. Hören Sie und sprechen Sie dann frei.

Hallo! Helga! Hallo! Helga!   Hallo! Hallo! Helga! Halt!
Hallo! Hallo! Helga! Hier!   Helga! Hallo! Hilfe! Hilfe!

9. Hören Sie und sprechen Sie nach.

Hochzeit

Herbert heiratet heute Hilde. Hilde heiratet heute Herbert.
Herbert hält Hildes Hand. Hilde hält Herberts Hand.
Herberts Hund heißt Hasso. Hildes Hund heißt Hermann.
Herberts Hund Hasso hasst Hildes Hund Hermann.

10. Hören Sie und sprechen Sie nach. Achten Sie auf die Aussprache des „h".

● Vor dem Gemüsehaus sitzt ein Sonnenhändler mit Holzhut.   ■ Wie bitte?
● Ach, nein. Vor dem Sonnenhaus sitzt
  ein Holzhändler mit Gemüsehut.   ■ Wie bitte?
● Ach, nein. Vor dem Holzhaus sitzt
  ein Gemüsehändler mit Sonnenhut.   ■ Ach so!

11. Hören Sie zu und sprechen Sie nach.
Hier wird das „h" in den Wörtern nicht ausgesprochen.

Zehn Lehrer wohnen in Kohlstadt. Ihre Söhne wohnen in Mehlstadt.
Wann sehen sich die Lehrer und ihre Söhne?
Jedes Jahr im Frühling fahren die Lehrer mit der Bahn von Kohlstadt nach Mehlstadt.
Jedes Jahr an Weihnachten fahren die Söhne mit der Bahn von Mehlstadt nach Kohlstadt.

12. Hören Sie zu und sprechen Sie jeden Satz mehrmals frei.

Zwei Schweizer sitzen mit Zahnschmerzen in einer Schweizer Zahnarztpraxis.
Der Flugplatzspatz nahm auf dem Flugplatz Platz.
Bürsten mit schwarzen Borsten bürsten besser als Bürsten mit weißen Borsten.
Der Metzger wetzt das Metzgermesser, denn nach dem Wetzen schneiden Metzgermesser besser.

13. Hören Sie zu und sprechen Sie nach.

Ich werde Bürgermeister werden!   Wir werden die Wahl gewinnen!
Du wirst mein Berater sein!   Ihr werdet schon sehen!
Es wird einen klaren Sieg geben!   Sie werden uns wählen!

● Sag mal, weißt du eigentlich, was aus Klaus geworden ist?

■ Nein, ich habe auch schon lange nichts mehr von ihm gehört.

● Er wird wohl viel zu tun haben.

■ Wahrscheinlich. Sonst hätte er sich bestimmt mal wieder gemeldet.

● Da fällt mir ein: Hatte man ihm nicht eine Stelle in Berlin angeboten?

■ Das wusste ich gar nicht. Na, dann wird er wohl dorthin gezogen sein.

● Aber dann hätte er sich doch bestimmt verabschiedet.

■ Vielleicht ist er nicht mehr dazu gekommen.

● Hast du eigentlich noch Kontakt zu seinen Eltern? Die müssen doch wissen, was er jetzt macht.

■ Ja, stimmt. Ich kann sie ja mal anrufen.

14. Variieren Sie das Gespräch.

● Hast du eine Ahnung, | was Klaus heute macht? / wie es Klaus geht?

■ Tut mir Leid. Ich habe auch seit langem keine Nachricht von ihm.

● Er wird wohl sehr beschäftigt sein. / Er ist sicher sehr beschäftigt. / Er hat sicher eine Menge zu tun.

■ So wird es wohl sein. / Vermutlich. / Höchstwahrscheinlich. / Sonst hätte er sicher schon mal wieder von sich hören lassen.

● Ach, übrigens: / Was mir gerade einfällt: / Sollte er nicht eine neue Stelle in Hamburg bekommen?

■ Davon habe ich gar nichts gewusst. / Dann ist er sicher dorthin gegangen.

● Aber dann hätte er sich doch mit Sicherheit verabschiedet.

■ Möglicherweise hat er das nicht mehr geschafft. / Es kann ja sein, dass er dazu keine Zeit mehr hatte.

● Bist / Stehst | du nicht mit seinen Eltern in Verbindung? Die werden doch wissen, wo er jetzt wohnt.

■ Da hast du Recht. Vielleicht | gehe / schaue | ich mal bei ihnen vorbei.

15. Hören Sie zu und schreiben Sie.

_____ Mai _____ . Wenn _____
_____ , _____ Supermarkt
_____ . _____ , ____ Gemüse _____ . _____
_____ Handy _____ .

16. „Wie stellen Sie sich das Leben in 50 Jahren vor?"
Antworten auf die Umfrage einer Zeitschrift.

Formen Sie die Texte um.

Wir werden viel häufiger verreisen als heute.

Die Menschen werden dauernd unterwegs sein.

Man wird hier vergeblich nach einem ruhigen Plätzchen suchen.

Es wird völlig normal sein, im Reisebüro einen Urlaub auf dem Mond
oder einem fernen Planeten zu buchen.

Mit Sicherheit werden wir viel häufiger verreisen als heute. _____

Auf der Erde werden die Menschen … _____

Dann _____

Darum _____

_____

Die Arbeitszeit wird auf ca. drei Stunden pro Tag zurückgehen.

Die Form der Arbeit wird sich ändern.

In der industriellen Produktion arbeiten nur noch Automaten.

Jeder Arbeitnehmer ist Fachmann für eine hoch spezialisierte Aufgabe.

Niemand braucht sich mehr die Finger schmutzig zu machen.

Die meisten Arbeiten lassen sich bequem von zu Hause aus am
Computerterminal erledigen.

Wie werden die Menschen ihre Freizeit sinnvoll ausfüllen?

Ich vermute, dass _____

Gleichzeitig _____

Zum Beispiel _____

So _____

Und _____

Denn _____

Aber die Frage ist, _____

Über den städtischen Gebieten wird man riesige Dächer aus
  Glas bauen.
Dort gibt es keine Unterschiede zwischen den Jahreszeiten mehr.
Die Temperatur wird zentral geregelt.
Heizungen und Klimaanlagen sind nicht mehr notwendig.
Auf dem Land wird man Wetter und Klima künstlich verändern.
Die Leistung der Landwirtschaft wird nicht mehr vom Zufall abhängen.

Vermutlich _____

Dann _____

Natürlich _____

Aus diesem Grund _____

Sogar _____

Also _____

Die Bürger werden eine direkte Mitbestimmung in der
  Kommunalpolitik bekommen.
Jugendliche werden wählen können.
Man wird seine Stimme über das Internet abgeben.
Politiker werden nur für zwei Jahre im Amt bleiben.

Ich bin der Überzeugung, dass _____

Schon mit 16 Jahren _____

Bei wichtigen kommunalen Entscheidungen _____

Es ist auch wahrscheinlich, dass _____

Niemand braucht mehr eine Fremdsprache zu lernen.
Texte werden von Übersetzungscomputern in jede Sprache übersetzt.
Man hat einen kleinen Apparat dabei.
Dieser ist nicht größer als eine Streichholzschachtel.
Man spricht einfach einen Satz hinein.
Der Gesprächspartner hört die Übersetzung in seiner Muttersprache.

In 50 Jahren _____

Zuverlässig _____

Auf Reisen _____

Es ist denkbar, dass _____

Bei mündlichen Unterhaltungen _____

Und sofort _____

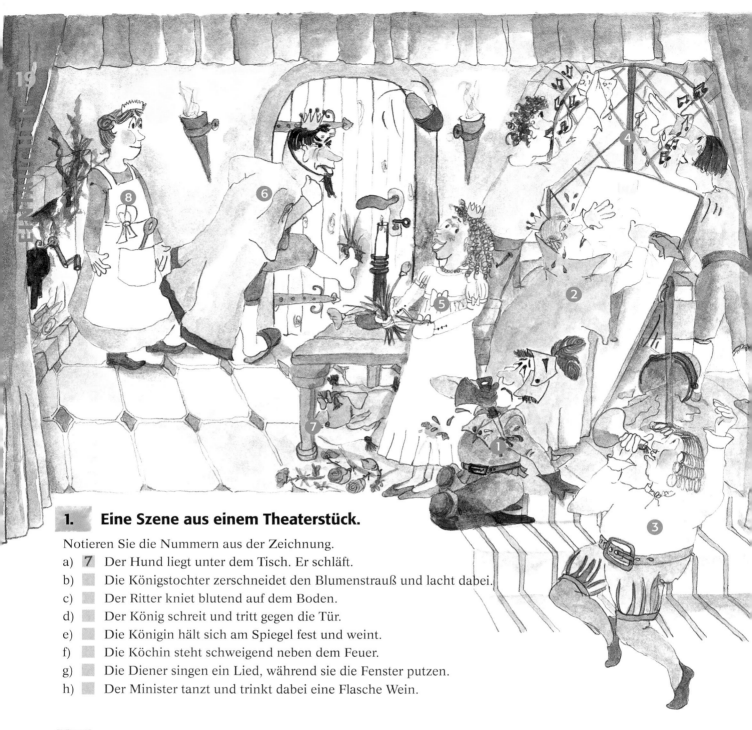

1. Eine Szene aus einem Theaterstück.

Notieren Sie die Nummern aus der Zeichnung.

a) **7** Der Hund liegt unter dem Tisch. Er schläft.
b) ⬜ Die Königstochter zerschneidet den Blumenstrauß und lacht dabei.
c) ⬜ Der Ritter kniet blutend auf dem Boden.
d) ⬜ Der König schreit und tritt gegen die Tür.
e) ⬜ Die Königin hält sich am Spiegel fest und weint.
f) ⬜ Die Köchin steht schweigend neben dem Feuer.
g) ⬜ Die Diener singen ein Lied, während sie die Fenster putzen.
h) ⬜ Der Minister tanzt und trinkt dabei eine Flasche Wein.

2. Was passt zusammen?

a) Der tanzende Minister **3**
b) Der blutende Ritter ⬜
c) Die lachende Königstochter ⬜
d) Der schreiende König ⬜
e) Die weinende Königin ⬜
f) Der schlafende Hund ⬜
g) Die singenden Diener ⬜
h) Die schweigende Köchin ⬜

1. verletzt sich den Fuß an der Tür.
2. wirft den Spiegel um.
3. winkt der Königstochter.
4. hat ein Kissen unter dem Kopf.
5. hat Blut auf ihrem weißen Kleid.
6. schaut die Königstochter an.
7. vergisst den Braten.
8. machen den Boden nass.

Der Hund liegt unter dem Tisch **und schläft**.
Der Hund liegt unter dem Tisch, **während** er **schläft**.
Der Hund liegt **schlafend** unter dem Tisch.
Der **schlafende** Hund liegt unter dem Tisch.

3. Ergänzen Sie.

Der Fuß des Königs ist _____.

Die Fenster sind _____.

Der Spiegel ist _____.

Die Blumen sind _____.

Die Tür ist _____.

Der Braten ist _____.

Die Wunde des Ritters ist _____.

Der Minister ist _____.

> geputzt   zerschnitten
>
> eingesperrt   verbrannt
>
> verbunden   verletzt
>
> zerbrochen   repariert

4. Ergänzen Sie.

a) _____ ist blau geworden.

b) Die Sonne scheint durch _____.

c) Die Königin sitzt neben _____.

d) _____ liegen auf dem Boden.

e) Die Diener streichen _____.

f) Der Hund darf _____ fressen.

g) _____blutet noch ein bisschen.

h) Die Königstochter küsst _____.

> die geputzten Fenster
>
> dem zerbrochenen Spiegel
>
> den eingesperrten Minister
>
> der verletzte Fuß   die reparierte Tür
>
> die verbundene Wunde
>
> die zerschnittenen Blumen
>
> den verbrannten Braten

> Der Braten ist **verbrannt**. Der Hund darf ihn fressen.
> Der Hund darf den **verbrannten** Braten fressen.

Kultur der Superlative

Ob Kunstausstellung oder Konzert, Schauspiel oder Buchmesse, Oper oder Rockmusik – für jeden Geschmack hat der Kulturbetrieb etwas zu bieten. Tausende reisen jedes Jahr zu den Großveranstaltungen der Szene.

WIEN Einhundertachtzig in weiße Ballkleider gehüllte junge Damen und ebenso viele dunkel gekleidete blasse junge Herren eröffnen jedes Jahr im Februar den Wiener Opernball. Hier ist der Eintritt nicht gerade umsonst und das Publikum setzt sich vor allem aus reichen Leuten, bekannten Schauspielern, Politikern und Künstlern zusammen. Aber nicht einmal den Reichen und den Schönen gelingt es immer, eine Karte für den Ball oder eine Einladung in die Loge eines Ministers oder sogar des österreichischen Bundespräsidenten zu erhalten. Während sich im Saal des Opernhauses die eleganten Paare nach den berühmten Walzer-Melodien von Johann Strauß drehen, versuchen ebenso elegant gekleidete Journalisten Fotos und Interviews für ihre neugierigen Leser zu bekommen. Und das Fernsehen berichtet natürlich in einer Livesendung vom gesellschaftlichen Ereignis des Jahres.

BAYREUTH Das eigentliche Opern-Ereignis des Jahres findet jedoch ganz woanders statt, nämlich auf dem „Grünen Hügel" in Bayreuth. Hier baute der Komponist Richard Wagner zwischen 1871 und 1876 das berühmte Festspielhaus, in dem seine Werke bis heute von internationalen Stars der Opernwelt immer neu interpretiert werden. Die Vorstellungen der Bayreuther Festspiele sind oft schon Monate im Voraus ausverkauft. Den Höhepunkt bildet ohne Zweifel der „Ring des Nibelungen" – ein Werk, das aus einem Vorspiel und drei Bühnenfestspielen besteht und an vier aufeinander folgenden Abenden aufgeführt wird. Gesamtdauer: sechzehn Stunden.

SALZBURG In Salzburg wird der Rekord selbstverständlich von Wolfgang Amadeus Mozart gehalten, der hier geboren ist. Fast die Hälfte der bei den Salzburger Festspielen aufgeführten Musikstücke sind seine Werke. Neben den Konzerten spielt in Salzburg aber auch das Theater eine große Rolle. Eine feste Tradition ist die alljährliche Inszenierung des „Jedermann". Mit diesem Schauspiel begannen 1920 unter freiem Himmel die ersten Salzburger Festspiele auf dem Domplatz. Seitdem ist es für die größten und berühmtesten deutschsprachigen Schauspieler eine Ehre, einmal die Hauptrolle in diesem Stück zu spielen. Etwa 3000 Theaterleute und Musiker wirken jedes Jahr bei den Festspielen mit. Allein um den Dom herum gibt es dann 2114 Sitzplätze und 400 Stehplätze, und das von Karajan gegründete Große Festspielhaus bietet Platz für 2177 Zuschauer.

Oberammergau Die Passionsspiele von Oberammergau gehen auf eine alte Tradition zurück: 1632 kam die Pest in das bayrische Gebirgsdorf und tötete innerhalb eines Jahres fast die Hälfte der Einwohner. Da entschlossen sich die Überlebenden, gemeinsam die Geschichte von Jesus Christus zu spielen und die Aufführung von 1634 an alle zehn Jahre zu wiederholen. Dieses Versprechen haben die Bewohner bis heute gehalten. Für die meisten Oberammergauer ist es selbstverständlich, sich in irgendeiner Weise an den Spielen zu beteiligen. Über 2200 Frauen, Männer und Kinder wirken als Darsteller auf der Freilichtbühne, im Chor, im Orchester oder hinter der Bühne mit. Eine so ungewöhnliche Veranstaltung zieht natürlich eine Menge Zuschauer an: Um die 500000 kommen in den Jahren der Aufführung zwischen Mai und Oktober nach Oberammergau.

KASSEL Auch die Kunst hat ihr Festival: Auf einer Fläche von über 9000 Quadratmetern präsentiert die Stadt Kassel alle fünf Jahre 100 Tage lang die größte Ausstellung der Welt für moderne Kunst, die „Documenta". Im Rekordjahr 1997 besichtigten mehr als 630000 Besucher die in Kassel gezeigten Werke. Nicht jeder hält das, was er da sieht, wirklich für Kunst. Aber gerade das macht die Veranstaltung so spannend. Solange sie eine lebendige Diskussion in der Öffentlichkeit provoziert, kann die Documenta kein Misserfolg werden.

FRANKFURT Wenn Anfang Oktober kein Hotelzimmer in Frankfurt am Main zu bekommen ist, dann liegt es an der Literatur. Innerhalb einer Woche kommen im Durchschnitt 300000 Besucher zur Frankfurter Buchmesse, der weltweit größten Buchausstellung und Literaturmesse. Außer den rund 78000 Titeln, die jedes Jahr neu in Deutschland erscheinen, werden über eine Viertel Million ausländische Bücher vorgestellt. Aber man kommt natürlich nicht nur wegen der Bücher her. Auf 1800 Veranstaltungen rund um das Thema Buch kann man sich über die neuesten Entwicklungen informieren oder seinen Lieblingsautor lesen hören oder sogar mit ihm diskutieren. Nur eins kann man auf der Messe nicht: Bücher kaufen.

ZU HAUSE Bei diesen Rekordzahlen darf man nicht vergessen: Der größte Teil des kulturellen Lebens findet immer noch außerhalb solcher Großveranstaltungen statt: in den über 500 öffentlichen und ca. 150 privaten Theatern und Konzertsälen allein in Deutschland, in den fast 4000 staatlichen Museen und über 14000 Bibliotheken. Und der beste Ort, ein spannendes Buch zu lesen, ist immer noch der gemütliche Sessel zu Hause.

5. Zu welchen Ereignissen passen die Fotos?

a) Wiener Opernball ▢
b) Bayreuther Festspiele ▢
c) Salzburger Festspiele ▢

d) Oberammergauer Passionsspiele ▢
e) Documenta ▢
f) Frankfurter Buchmesse ▢

6. Richtig (r) oder falsch (f)?

a) ▢ Der Eintritt zum Wiener Opernball ist kostenlos.
b) ▢ Der „Ring" wird an 16 Tagen in Bayreuth aufgeführt.
c) ▢ In Salzburg wird jedes Jahr der „Jedermann" gespielt.
d) ▢ Herbert von Karajan gründete das Große Festspielhaus in Salzburg.
e) ▢ Die Oberammergauer Passionsspiele finden nur alle zehn Jahre statt.
f) ▢ Die Documenta dauert jedes Mal fünf Jahre.
g) ▢ In Deutschland erscheinen 78 000 neue Bücher pro Jahr.
h) ▢ Der größte Teil des kulturellen Lebens findet auf Großveranstaltungen statt.

7. Was passt?

a) Die in Kassel gezeigten ▢ ▢
b) Die in Oberammergau mitwirkenden ▢ ▢
c) Dunkel gekleidete ▢ ▢
d) Die in Salzburg aufgeführten ▢ ▢
e) Die von Wagner komponierten ▢ ▢
f) Die auf der Buchmesse ausgestellten ▢ ▢

1. Darsteller
2. Musikstücke
3. junge Herren
4. Kunstwerke
5. Bücher
6. Opern

A tanzen auf dem Wiener Opernball.
B werden in Bayreuth immer neu interpretiert.
C werden nicht von jedem für Kunst gehalten.
D kann man nicht kaufen.
E sind fast zur Hälfte von Mozart.
F sind Einwohner des kleinen Ortes.

Das Werk wird an vier **Abenden, die aufeinander folgen,** in Bayreuth aufgeführt.
Das Werk wird an vier **aufeinander folgenden Abenden** in Bayreuth aufgeführt.

8. „Welche kulturellen Veranstaltungen besuchen Sie in Ihrer Freizeit?"

Was passt zu welcher Person? (1, 2, 3 oder 4)

a) 1 Für mich ist so ein Abend immer ein kleines Fest.
b) Am liebsten sehe ich klassische Opern und Operetten, die ich schon kenne.
c) Wenn ich in einem Museum bin, vergesse ich die Zeit.
d) Ich treffe mich oft mit Freunden im Jazzclub.
e) Ich mag auch Actionfilme, aber Liebesgeschichten ziehe ich vor.
f) Das mache ich meistens nur an Wochentagen, weil es samstags und sonntags immer sehr voll ist.
g) Ins Kino gehe ich mindestens einmal pro Woche.
h) Moderne Theaterstücke sind meistens nicht nach meinem Geschmack.
i) Ich bin schon mal nach New York geflogen, nur um eine Ausstellung zu sehen.
j) Ich liebe diese Musik und höre auch zu Hause nichts anderes.
k) Was einige moderne Künstler machen, ist doch nicht mehr normal.
l) Es ist für mich ein großer Unterschied, ob ich einen Film im Fernsehen oder im Kino sehe.

9. „Der Film hat mir überhaupt nicht gefallen!"

Richtig (r) oder falsch (f)?

a) Rolf und Heike haben sich zusammen einen Liebesfilm angesehen.
b) Rolf und Heike kommen gerade aus einem Agentenfilm.
c) Heike ist von dem Film enttäuscht, weil sie ihn langweilig fand.
d) Der Film war so traurig, dass Heike die meiste Zeit geweint hat.
e) Rolf hat den Schluss des Films nicht verstanden.
f) Im Kino war schlechte Luft und Rolf hat davon Kopfschmerzen bekommen.
g) Rolf ist der Meinung, dass der Inhalt des Films schrecklich dumm war.
h) Rolf fand den Film toll und würde ihn am liebsten noch einmal sehen.
i) Heike meint, dass es keinen Zweck hat, mit Rolf über Filme zu diskutieren.
j) Das nächste Mal will Rolf alleine ins Kino gehen.

10. Eine Theaterprobe: „Ernst sein ist alles"

a) Welches Bühnenbild passt zu der Szene, die geprobt wird? X

Zweiter Akt
Klassenraum in einer Schule. Cecily sitzt vorne und blättert gelangweilt in einem Buch. Moulton sitzt hinten und schneidet mit einer Schere Papier.
Miss Prism sitzt am Lehrerpult vor einer Wandtafel. An der Tafel steht „Friedrich Schiller".

Zweiter Akt
Garten hinter einem großen Haus. Es ist ein altmodischer Garten, voller Rosen. Juli. Korbsessel und ein Tisch voller Bücher unter einem hohen Baum. Miss Prism, die Erzieherin, sitzt am Tisch. Cecily gießt im Hintergrund die Blumen. Moulton schneidet die Hecke.

Zweiter Akt
Ein verschlafener Bahnhof. Es schneit. Im Stationsgebäude: ein Restaurant mit Garten und ein Frisörsalon. Miss Prism und Cecily sitzen vor dem Restaurant und warten auf den Zug nach London. Moulton, der Frisör, schneidet einer Dame die Haare.

b) Was passt?

Jens = J   Nicole = N   Susanne = S

Dieter = D   Oscar Wilde = O

1. ▢ spielt die Rolle von Miss Prism.
2. ▢ spielt die Rolle von Cecily.
3. ▢ hat das Theaterstück geschrieben.
4. ▢ spielt die Rolle des Gärtners.
5. ▢ leitet die Theaterprobe.
6. ▢ schlägt vor, mit dem Schneiden etwas früher aufzuhören.
7. ▢ fragt, ob sie schneller sprechen soll.
8. ▢ wollte keine naive, sondern eine ironische Figur.
9. ▢ findet, dass zu wenig Bewegung auf der Bühne ist.
10. ▢ weiß nicht, wie sie die Ironie ausdrücken soll.

c) Was passt?

Cecily = C   Moulton = M

Miss Prism = P   Der Onkel = O

1. ▢ ist nach London gefahren.
2. ▢ gibt Deutschunterricht.
3. ▢ möchte, dass die Lektion vom Tag vorher wiederholt wird.
4. ▢ fände es besser, wenn Moulton Deutsch lernen würde.
5. ▢ behauptet, dass ihr die deutsche Sprache nicht gut tut.
6. ▢ ist mit Gartenarbeit beschäftigt.
7. ▢ hält nichts von dem fremden Geschwätz.
8. ▢ möchte, dass seine Nichte Deutsch lernt.

11. Das soll Kunst sein?

Wer sagt was?
der Mann = M
die Frau = F
die Wärterin = W

a) ▢ Das soll Kunst sein?
b) ▢ Das muss Kunst sein.
c) ▢ Das kann keine Kunst sein.
d) ▢ Das müssten 66 Äpfel sein.
e) ▢ Das sollen Formen sein?
f) ▢ Das könnte ein Auge sein.
g) ▢ Das dürfte der Mund sein.
h) ▢ Das kann nur ein Mund sein.
i) ▢ Je länger man hier steht, desto mehr Appetit bekommt man.
j) ▢ Da könnte jemand einen Fehler gemacht haben.
k) ▢ Das muss die Wärterin sein.
l) ▢ Da muss jemand von der Komposition gegessen haben.

12. Aussage oder Frage?

Hören Sie zu, sprechen Sie nach und notieren Sie ! oder ? .

Das soll Kunst sein !
Das soll Kunst sein ?

Das soll Musik sein
Das soll Musik sein

Er findet den Film gut
Er findet den Film gut

Cora kommt schon morgen
Cora kommt schon morgen

Luisa liebt Liebesgeschichten
Luisa liebt Liebesgeschichten

Die Probe dauert zwei Stunden
Die Probe dauert zwei Stunden

13. Hören Sie zu und sprechen Sie nach.

Fünfzig Wagen fahren los.
Fünfzig geschmückte Wagen fahren los.
Fünfzig bunt geschmückte Wagen fahren los.

Junge Damen und Herren eröffnen den Opernball.
Junge Damen und Herren eröffnen den Wiener Opernball.
Junge Damen in weißen Ballkleidern und dunkel gekleidete Herren eröffnen den Wiener Opernball.

Die Vorstellungen sind ausverkauft.
Die Vorstellungen der Festspiele sind oft ausverkauft.
Die Vorstellungen der Bayreuther Festspiele sind oft schon Monate im Voraus ausverkauft.

14. Hören Sie zu und sprechen die Sätze nach.

Der Opa grillt hustend den Fisch.
Das Kind deckt pfeifend den Tisch.

Die Oma riecht gegrillten Fisch.
Das Kind sitzt am gedeckten Tisch.

Der Vater streicht schwitzend die Bank.
Die Mutter schließt lächelnd den Schrank.

Der Opa sitzt auf der gestrichenen Bank.
Der Vater steht vor dem geschlossenen Schrank.

● Du warst doch gestern im Theater. Wie ist es denn
gewesen?

■ Furchtbar. Ich hatte jedenfalls etwas ganz anderes
erwartet.

● Wieso? Was war es denn für ein Stück?

■ „Maria Stuart" von Friedrich Schiller. Aber es war eine
moderne Aufführung. Zu verrückt für meinen Geschmack.

● Lass mich raten: Maria Stuart hatte kurze rote Haare und
trug einen Minirock?

■ Viel schlimmer. Wenn sie wenigstens einen Minirock
angehabt hätte. Aber sie war die meiste Zeit im Bikini.

● Die Regisseure spinnen doch heute! Was soll
denn der Quatsch?

■ Ich verstehe das auch nicht! Ich glaube, dass
denen das Publikum ganz egal ist. Die wollen
nur provozieren und nicht unterhalten.

● Da hast du Recht. Und wie waren die
Schauspieler?

■ Eigentlich nicht schlecht, aber viel zu jung. Das
hat überhaupt nicht gepasst. Die englische Königin war bestimmt nicht älter als 25.

15. Ein zweites Gespräch.

Finden Sie eine Reihenfolge.

▢ Absolut! Das Bühnenbild war schwarz und die Schauspieler hatten Badekleidung an.
Aber gerade dadurch wurden Text und Handlung besonders eindrucksvoll.

▢ Ein Stück von Schiller in Badekleidung. Passt das denn?

▢ Wenn es dir so gut gefallen hat, werde ich mir das Stück auch mal ansehen.

▢ Sehr gut; das war eine wunderbare Aufführung. Die Schauspieler waren alle sehr jung
und haben mit sehr viel Temperament gespielt.

▢ Ja, es war ganz modern, aber wirklich hervorragend. Der Regisseur hat Talent und Mut,
finde ich.

1 Du warst doch gestern in „Maria Stuart". Wie hat es dir denn gefallen?

▢ Das finde ich schon. Schiller war doch selbst ein Revolutionär. Er wäre von der
Aufführung bestimmt begeistert gewesen.

▢ Dann war der Stil sicher eher modern als klassisch, oder?

▢ Warum Mut? War die Darstellung provozierend?

16. **Hören Sie zu und schreiben Sie.**

_____ Regisseur _____ , während _____ _____ . _____ , _____ gegen _____ _____ . _____ Kollegen _____ .

17. **„Der Besuch der alten Dame" – Dürrenmatts Komödie in einer Studentenaufführung.**

Formen Sie die unterstrichenen Sätze der Inhaltsangabe um.

Mit schwarzem Humor behandelt <u>die von Friedrich Dürrenmatt geschriebene Komödie</u> die Themen Schuld und Moral, Geld und Gemeinschaft.

Mit schwarzem Humor behandelt _die Komödie, die Friedrich Dürrenmatt geschrieben hat,_ die Themen …

Eines Tages wundern sich die Bewohner von Güllen, dass <u>der aus der Großstadt kommende Schnellzug</u> in ihrem Städtchen hält, was sonst nie geschieht.

…, dass der Schnellzug, _der aus der Großstadt kommt,_ in ihrem Städtchen hält, …

Eine elegant gekleidete alte Dame steigt aus. Die Einwohner von Güllen erkennen in ihr <u>die für ihre Großzügigkeit bekannte Milliardärin Claire Zachanassian</u>. Sie hatte ihre Jugend als armes Mädchen in Güllen verbracht.

… die Milliardärin Claire Zachanassian, _die_ _____ _____ ist.

Noch auf dem Bahnsteig bereitet ihr <u>die in armen Verhältnissen lebende Bevölkerung</u> einen begeisterten Empfang. Die Bürger hoffen, dass Claire etwas Geld in ihrer Heimat lassen wird, so dass <u>die am Boden liegende Industrie</u> wieder aufgebaut werden kann.

… die Bevölkerung, _die_ _____ _____ , einen begeisterten Empfang. …, so dass die Industrie, _die_ _____ _____ , wieder aufgebaut werden kann.

Claire trifft ihren früheren Geliebten Alfred III. wieder. <u>Der längst verheiratete und von allen Bürgern geachtete Ladenbesitzer</u> hat gute Chancen, nach der nächsten Wahl Bürgermeister zu werden.

Der längst verheiratete Ladenbesitzer,
der _____
_____ *wird,*
hat gute Chancen, …

Auf einer Versammlung verspricht die alte Dame <u>den dankbar applaudierenden Güllenern</u> eine Milliarde in bar. Die Hälfte der Summe soll die Stadtverwaltung bekommen, die andere Hälfte soll auf <u>die in der Stadt wohnenden Familien</u> verteilt werden.

… verspricht die alte Dame
 den Güllenern, *die* _____
_____ , eine Milliarde in bar.
… soll auf die Familien, *die* _____
_____ , verteilt werden.

Aber für dieses großzügige Geschenk stellt sie eine Bedingung: Sie will, dass Alfred III. getötet wird! Er hatte sie nämlich sitzen lassen, als sie ein Kind von ihm gekriegt hatte. Als es dann zu <u>einem inzwischen von allen Leuten vergessenen Prozess</u> kam, erzählte er Lügen über sie und brachte falsche, von ihm bezahlte Zeugen vor Gericht. Sie wanderte aus und heiratete einen Milliardär. Mit ihrem Geld will sie sich jetzt <u>die lang ersehnte Gerechtigkeit</u> kaufen.

_____

Als es dann zu einem Prozess kam,
den alle Leute _____
_____ ,
erzählte er Lügen über sie …

… will sie sich jetzt die Gerechtigkeit
kaufen, *die sie* _____
_____ .

<u>Die von dieser Bedingung überraschten Bürger</u> lehnen Claires Vorschlag zunächst unter Protest ab. Sie wollen nicht für den Tod eines bisher geachteten und geliebten Mitmenschen verantwortlich sein. Andererseits halten sie ihn für schuldig und finden, dass er eine Strafe für <u>sein in der Vergangenheit gezeigtes Verhalten</u> verdient.

Die Bürger, *die* _____
_____ *sind,*
lehnen zunächst unter Protest ab.

… dass er eine Strafe für das Verhalten,
das er _____
_____ , verdient.

Das Leben in Güllen verändert sich. Als die Bürger der Stadt beginnen, sich auf Kredit gekaufte Autos, Möbel und Kleidungsstücke zu leisten, begreift Alfred allmählich, dass er in Lebensgefahr ist. Er beschließt, <u>aus der für ihn immer gefährlicher werdenden Stadt</u> wegzugehen. Aber man zwingt ihn dazubleiben.

…, aus der Stadt, *die* _____
_____
_____ , wegzugehen.

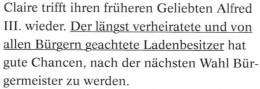

Auf einer weiteren Bürgerversammlung wird Alfred wegen <u>seiner früher begangenen Taten</u> verurteilt. Am Ende der Versammlung stirbt er an „Herzschlag", wie der Arzt feststellt. Die Gerechtigkeit hat scheinbar gesiegt und die Güllener bekommen <u>das ihnen von der alten Dame versprochene Geld.</u>

… wird Alfred wegen der Taten,
die er _____
_____ , verurteilt.
… und die Güllener bekommen das
Geld, *das die alte Dame* _____
_____ .

EINTAUCHEN

1. Eine kleine Silbe macht den Unterschied.

Setzen Sie das passende Verb ein.

a) Sie will eine Flasche Wasser aus dem Kühlschrank holen. Sie *macht* ihn *auf*.
b) Sie möchte nicht, dass es im Kühlschrank zu warm wird.
   Sie _____ die Kühlschranktür _____.
c) Sie möchte lesen. Sie _____ die Nachttischlampe _____.
d) Sie will schlafen. Sie _____ die Nachttischlampe ___.
e) Sie beginnt ihre Reise. Sie _____ in den Zug ___.
f) Dann nimmt sie den Bus. Sie _____ vom Zug in den Bus ____.
g) An der Endhaltestelle _____ sie aus dem Bus _____.
h) Sie _____ dem Kind die schmutzigen Kleider ____.
i) Sie ____ dem Kind saubere Kleider _____.
j) Sie trägt die Möbel in den Möbelwagen.
   Sie _____ aus ihrer alten Wohnung _____.
k) Sie trägt die Möbel in ihre neue Wohnung.
   Sie _____ in ihre neue Wohnung ____.
l) Sie zieht von Wien nach Frankfurt. Sie _____ _____.

umziehen   aussteigen   ausziehen   anmachen   anziehen
zumachen   umsteigen   ausmachen   ausziehen   einsteigen   einziehen

2. „Wiesenblume" oder „Blumenwiese"?

Ergänzen Sie.

a) Eine Blume, die auf Wiesen wächst, ist eine *Wiesenblume.*
b) Eine Wiese, auf der Blumen wachsen, ist eine *Blumenwiese.*
c) Eine Leitung, durch die Wasser fließen kann, ist eine _____.
d) Wasser, das aus der Leitung kommt, ist _____.
e) Salat, der aus Gurken gemacht ist, ist _____.
f) Eine Gurke, aus der man Salat machen kann, ist eine _____.
g) Ein Archiv, in dem Fotos gesammelt sind, ist ein _____.
h) Ein Foto, das aus einem Fotoarchiv stammt, ist ein _____.
i) Jemand, der neben einem am Tisch sitzt, ist ein _____.
j) Ein Tisch, der nebenan steht, ist ein _____.
k) Ein Schrank mit vielen Spiegeln ist ein _____.
l) Ein Spiegel, der auf einer Schranktür angebracht ist, ist ein _____.
m) Eine Karte, mit der man ein öffentliches Telefon benutzen kann, ist eine _____.
n) Ein öffentliches Telefon, das man nur mit einer Karte benutzen kann, ist ein _____.

Leitungswasser   Nachbartisch   Schrankspiegel   Wasserleitung   Archivfoto   Spiegelschrank
Salatgurke   Fotoarchiv   Telefonkarte   Kartentelefon   Gurkensalat   Tischnachbar

3. Was können Sie in diesen Situationen sagen?

Was passt zusammen?

a) Sie treffen einen Bekannten, der eine schlimme Erkältung hat. Er erzählt Ihnen, wie schlecht es ihm geht. Beim Verabschieden können Sie sagen: **5**

b) Sie fahren mit einem Bus, der sehr voll ist. In einer Kurve treten Sie aus Versehen einer anderen Person auf den Fuß. Da können sie sagen: ■

c) Sie sind auf einem Fest eingeladen und ein Bekannter stellt Ihnen eine Person vor, die Sie noch nicht kannten. Zu dieser Person können Sie sagen: ■

d) Sie sind mit einem Bekannten verabredet, der sich um ein paar Minuten verspätet. Als er kommt, entschuldigt er sich bei Ihnen. Sie können ihm antworten: ■

e) Sie gehen in ein Restaurant, um etwas zu essen. Die meisten Stühle sind besetzt, aber Sie entdecken noch einen leeren. Bevor Sie sich dort hinsetzen, können Sie die Personen an diesem Tisch ansprechen und fragen: ■

f) Sie sind mitten in der Stadt und merken, dass Sie Ihre Uhr vergessen haben. Deshalb möchten Sie jemanden nach der Uhrzeit fragen. Wenn Sie einen Passanten ansprechen, können Sie sagen: ■

g) Ein Bekannter erzählt Ihnen, was ihm gerade passiert ist: Er wollte ein Paket wegschicken, und als er vor der Post ankam, war es gerade sechs Uhr und vor seiner Nase wurde die Tür abgeschlossen. Natürlich hat er sich sehr geärgert. Dazu können Sie sagen: ■

h) Ein Kollege lädt Sie zu einem Glas Wein ein. Bevor Sie trinken, können Sie sagen: ■

i) Sie treffen einen Bekannten, von dem Sie wissen, dass er vor wenigen Tagen eine wichtige Prüfung bestanden hat. Natürlich möchten Sie ihm gratulieren. Sie können zu ihm sagen: ■

j) Sie sind im Zug und eine alte Dame kommt zu Ihnen ins Abteil. Sie hat Mühe, ihren Koffer in das Gepäckfach über den Sitzen zu heben. So können Sie die alte Dame ansprechen: ■

k) Sie haben mit einer Kollegin in einem Restaurant gegessen und möchten noch eine Nachspeise. Ihre Kollegin schlägt ein Dessert vor, das Sie aber beide noch nie probiert haben. Sie sind einverstanden und können zum Spaß sagen: ■

l) Sie sind auf eine Feier eingeladen und sehen dort zufällig einen Bekannten, den Sie schon länger nicht mehr getroffen haben. Wenn Sie zu ihm gehen, können Sie sagen: ■

1. „Das ist ja eine Überraschung!"
2. „Dann lassen wir uns mal überraschen!"
3. „Herzlichen Glückwunsch!"
4. „Auf Ihr Wohl!"
5. „Ich wünsche Ihnen gute Besserung!"
6. „Da haben Sie aber wirklich Pech gehabt!"
7. „Aber das macht doch nichts!"

8. „Das tut mir Leid; entschuldigen Sie bitte vielmals!"
9. „Entschuldigung, können Sie mir sagen, wie spät es ist?"
10. „Darf ich Ihnen helfen?"
11. „Ist der Platz noch frei?"
12. „Es freut mich sehr, Sie kennen zu lernen."

Deutsch, Delfine und Delila

Anfangs war Delila für mich eine Kursteilnehmerin wie jede andere. In manchen Deutschstunden hatte sie neben mir gesessen, in anderen nicht. Um ehrlich zu sein, ich hatte mir noch nicht einmal ihren Namen gemerkt, als die Kursleiterin uns in der ersten Stunde danach gefragt hatte. Es war mir auch gar nicht aufgefallen, wie hübsch Delila war mit ihren langen schwarzen Haaren und den wasserblauen Augen. Sie konnte schon besser Deutsch als ich und machte wenig Fehler. Das war das Einzige, was ich über sie wusste. Aber das war nichts Besonderes, weil ich schon immer der Meinung war, dass Frauen eine größere Sprachbegabung haben als Männer. Eine gute Entschuldigung für mich, wenn es mir mal wieder passierte, dass der ganze Kurs über meine Fehler lachte. So war es auch an dem Tag, als alles anfing mit Delila.

Am Ende des Unterrichts hatten wir noch ein bisschen Zeit. Frau Bauer, unsere Lehrerin, hatte die Idee, ein kleines Spiel mit Tiernamen zu machen. Es sollte eine Übung zu den Adjektiven sein. Unsere Lehrerin schrieb den Namen eines Tiers an die Tafel und wir sollten dazu Eigenschaften nennen. Als Erstes schrieb sie „Krokodil". Jemand sagte „gefährlich" und ein anderer „hässlich". Dann fragte mich Frau Bauer, ob ich auch ein passendes Adjektiv wisse. Ich antwortete: „Nein. Ich mag nicht Krokodile." Frau Bauer wollte mich verbessern und sagte: „Ich mag keine Krokodile." Darauf sagte ich zu den anderen: „Sie mag auch nicht Krokodile." Das war natürlich wieder falsch. Frau Bauer lachte und sagte, dass sie eigentlich gar nichts gegen Krokodile habe, solange sie nicht mit ihnen zusammen baden müsse. Und dann erklärte sie mir noch einmal, wann man im Deutschen „nicht" und wann man „kein" verwendet.

Das nächste Tier war „Katze". Viele meldeten sich und sagten „sauber", „schnell", „leise". Ich sagte lieber nichts mehr, obwohl ich auch ein paar Adjektive wusste. Dann kam „Delfin". Da meldete sich Delila, die neben mir saß, und sagte: „Delfine sind sozial und freundlich – auch zu Menschen." Dann dachte sie einen Augenblick nach und fügte hinzu: „Und sie haben eine Sprache, eine geheimnisvolle Sprache."

Als sie das sagte, klang ihre Stimme so wundervoll warm und weich, dass mein Herz einen kleinen Sprung machte. Das war der Moment, in dem ich mich in Delila verliebte. Ich weiß nicht mehr, welche Tiernamen Frau Bauer noch an die Tafel schrieb und was im Kurs weiter gesprochen wurde. Ich hatte nur noch Augen und Ohren für Delila. Nach dem Unterricht wollte ich sie ansprechen, um mich mit ihr zu unterhalten, aber bevor ich den Mut dazu hatte, war Delila verschwunden.

Auf dem Weg nach Hause kam ich wie immer an vielen Geschäften vorbei. Vor einem Schmuckladen blieb ich stehen, weil ich im Schaufenster eine große Fotografie entdeckte. Darauf waren zwei Delfine zu sehen, die nebeneinander aus dem Wasser heraus sprangen – ein Symbol reiner Lebenslust. Davor lagen Eheringe …. Ich ging in das Geschäft hinein und fragte nach Schmuck in der Form eines Delfins. Sie hatten einen Anhänger, der mir gut gefiel, und dazu suchte ich eine silberne Kette aus. Es war das erste Mal in meinem Leben, dass ich Schmuck kaufte. Mit einem kleinen Geschenkpäckchen verließ ich aufgeregt und glücklich den Laden.

In dieser Nacht konnte ich lange keine Ruhe finden, weil ich an Delila dachte. Als ich dann endlich einschlief, hatte ich einen Traum. Zuerst war ich irgendwo in Afrika. Da war auch Frau Bauer, unsere Kursleiterin, die mit einem Krokodil im Fluss badete. Ich stand am Ufer und schaute zu. Als sie mich entdeckte, lachte sie und rief mir zu, dass ich auch ins Wasser kommen solle. Dann änderte sich der Traum. Ich sah Delila, die am Meer auf einem Felsen stand und mit einem eleganten Sprung ins tiefblaue Wasser tauchte. Ein Delfin kam angeschwommen und wollte mit ihr spielen. Delila fing an, sich mit dem Delfin zu unterhalten. Ich konnte die Sprache nicht verstehen, aber es klang ein bisschen wie Deutsch. Sie lachten, spielten und hatten sehr viel Spaß miteinander. Auf einmal küsste Delila den Delfin ganz zärtlich – und ich wachte mit Herzklopfen auf.

In der nächsten Deutschstunde steckte ich das Päckchen aus dem Schmuckgeschäft heimlich in Delilas Tasche. Danach war ich so aufgeregt, dass ich im Unterricht nur noch Fehler machte. Wir waren bei den starken Verben und mir fielen die einfachsten Formen nicht mehr ein. Frau Bauer wollte wissen, wo ich mit meinen Gedanken sei. Natürlich konnte ich ihr keine ehrliche Antwort geben. Ich war mit meinen Gedanken bei Delila und dem kleinen Delfin in ihrer Tasche. Was würde Delila tun, wenn sie den Schmuck zu Hause entdecken würde? Würde sie wissen, dass er von mir war?

Am nächsten Tag setzte sich Delila im Unterricht nicht neben mich, aber um den Hals trug sie die Kette mit dem Delfin. Und wieder machte mein Herz einen kleinen Sprung. Wir sprachen nicht miteinander, aber einmal lächelte sie, als ich sie anschaute. War es ein Spiel? Wartete sie darauf, dass ich etwas sagen würde? Ich wollte nichts falsch machen, also war ich ganz vorsichtig. Vielleicht wusste sie ja gar nicht, dass der Delfin von mir war. In den nächsten Wochen schenkte ich ihr heimlich noch mehr Delfine: kleine Figuren aus Holz oder Glas, ein Paar Ohrringe, ein Stofftier, einen Delfin aus Schokolade …

Nie sagte sie etwas und ich wusste immer noch nicht, was sie dachte. Aber mein Deutsch wurde besser, weil ich mich vor Delila nicht blamieren wollte. Ich lernte Vokabeln und übte Grammatik wie nie zuvor. Frau Bauer lobte mich vor der ganzen Klasse und sagte, dass ich Fortschritte gemacht hätte.

Und dann kam der Tag, auf den ich gewartet hatte. Nach dem Unterricht wartete Delila auf mich und fragte lächelnd: „Nun sag mal, Dennis, warum schenkst du mir eigentlich immer Delfine?" Sie hatte also von Anfang an gewusst, dass ich es war. „Jetzt nur keine direkte Antwort geben", dachte ich. „Ich liebe Delfine", wollte ich sagen. Aber ich war schrecklich nervös und sagte stattdessen: „Ich liebe Delila." Vor Schreck über meinen Versprecher bekam ich einen ganz roten Kopf. Aber sie lachte nur und nahm mich in den Arm. Seitdem sind wir zusammen, Delila und ich.

Ich glaube, Delfine bringen Glück.

4. Richtig (r) oder falsch (f)?

a) Dennis erzählt, dass er sich am Anfang nicht besonders für Delila interessiert habe.
b) Er behauptet, dass ihm anfangs gar nicht aufgefallen sei, wie hübsch Delila war.
c) Schon am ersten Tag habe er sich gleich ihren Namen gemerkt.
d) Dennis war schon immer der Meinung, Frauen hätten eine größere Sprachbegabung als Männer.
e) Dennis sagt zu Frau Bauer, er finde Krokodile sehr sympathisch.
f) Frau Bauer erzählt der Klasse, dass sie gern mit Krokodilen bade.
g) Delila sagt im Unterricht, dass Delfine wunderbare Tiere seien.
h) Dennis erzählt, Delila habe in seinem Traum einen Delfin geküsst.
i) Frau Bauer fragt Dennis, ob er mit seinen Gedanken bei Delila sei.
j) Frau Bauer sagt vor der Klasse, Dennis habe Fortschritte gemacht.
k) Delila fragt Dennis, warum er ihr immer Delfine schenke.
l) Dennis will Delila ganz direkt sagen: „Ich liebe dich".

Sie sagt: „Delfine **sind** wunderbare Tiere."   Sie sagt, Delfine **seien** wunderbare Tiere.
Sie meint: „Dennis **hat** Fortschritte gemacht."   Sie meint, Dennis **habe** Fortschritte gemacht.
Sie behauptet: „Delfine **haben** eine Sprache."   Sie behauptet, Delfine **hätten** eine Sprache.

5. „Sprechen Sie eine Fremdsprache?"

Welcher Satz passt zu welchem Gespräch?
Gespräch (1), Gespräch (2), Gespräch (3), Gespräch (4)

a) 1 Wahrscheinlich könnte ich keine vernünftige Unterhaltung auf Englisch führen.
b) ☐ Ich habe in der Schule Englisch gelernt, aber es hat mir keinen Spaß gemacht.
c) ☐ Am meisten habe ich im Englischunterricht die Grammatikübungen gehasst.
d) ☐ Spanisch habe ich ziemlich schnell in einer Sprachschule gelernt.
e) ☐ Am meisten lerne ich, wenn ich im Land bin und mit den Menschen rede.
f) ☐ Ich hatte in der Schule Englisch und Französisch, aber meine Noten waren schlecht.
g) ☐ Ich kann ein bisschen Griechisch, weil ich oft Urlaub in Griechenland mache.
h) ☐ Französisch hätte ich viel besser gelernt, wenn ich einen netteren Lehrer gehabt hätte.
i) ☐ Ich bin nicht der Typ, der Fremdsprachen schnell und ohne Mühe lernt.
j) ☐ Es macht mir viel Freude, eine neue Sprache zu lernen.
k) ☐ In Madrid habe ich einen Brieffreund, der die Fehler in meinen Briefen korrigiert.
l) ☐ Nächstes Jahr werde ich einen Sprachkurs in Italien machen.

6. „So habe ich Deutsch gelernt".

Richtig (r) oder falsch (f)?

a) ☐ Karazim ist Iraner und lebt schon seit 12 Jahren in Deutschland.
b) ☐ Karazim ist Türke und hat vor zehn Jahren eine deutsche Frau geheiratet.
c) ☐ Er hatte schon in seinem Heimatland Deutschunterricht.
d) ☐ Er konnte noch kein Deutsch, als er nach Deutschland kam.
e) ☐ Er hat sehr viel ferngesehen, um seine Deutschkenntnisse zu verbessern.
f) ☐ Er hat mit Hilfe eines Tonbandgeräts deutsche Sätze geübt.
g) ☐ Er hatte nie Angst vor den Schwierigkeiten der deutschen Grammatik.
h) ☐ Manchmal verwechselt er noch die Artikel, z. B. bei den Wörtern „Mond" und „Sonne".
i) ☐ Meistens träumt er auf Deutsch und nur noch sehr selten in seiner Muttersprache.
j) ☐ Wenn er schnell etwas rechnen muss, macht er das auf Deutsch.

7. Erlebnisse mit der deutschen Sprache.

Wie gehen die Geschichten weiter?

a) Giorgio hat in einem Restaurant in Innsbruck eine Portion „Palatschinken" bestellt. ▢ ▢
b) Viviane musste einmal in der Türkei nach dem Weg fragen. ▢ ▢
c) Bob hat Freunde in Basel besucht. ▢ ▢
d) Jelena wurde von einem Polizisten angehalten. ▢ ▢
e) Jana hat sich darüber gewundert, was ihre Freundin einkaufen wollte. ▢ ▢

1. Dass man dort viele französische Wörter benutzt, wusste er schon.
2. Der Beamte wollte ihren Ausweis sehen.
3. Er glaubte nämlich, das sei ein Fleischgericht.
4. Sie hatte nämlich das Wort „Hundekuchen" ganz falsch verstanden.
5. Zuerst hat sie es auf Englisch, dann auf Französisch versucht, aber sie wurde nicht verstanden.

A Sie war ziemlich überrascht, dass die Leute Deutsch konnten.
B Sie antwortete, sie habe ihn gegessen.
C Deshalb wunderte er sich, dass er eine Art Pfannkuchen bekam.
D Jetzt ist sie der Meinung, Deutsch sei eine komische Sprache.
E Komisch fand er aber, dass die Schweizer „Gesundheit!" sagen, wenn sie ein Glas Wein trinken.

8. „Hier versteht bestimmt keiner Deutsch."

Was passt zusammen?

a) Conny ist der Meinung, dass ⬛9
b) Eva möchte, dass ▢
c) Die beiden Freundinnen wissen noch nicht, was ▢
d) Conny ist enttäuscht, weil ▢
e) Eva findet den Mann am Nebentisch sympathisch, weil ▢
f) Eva und Conny würden gerne wissen, ob ▢
g) Conny fragt Eva, ob ▢
h) Der Mann am Nebentisch fragt, ob ▢
i) Eva und Conny sind sehr überrascht, dass ▢

1. sie noch keinen Spanier kennen gelernt hat.
2. der Mann am Nebentisch verheiratet ist.
3. er Conny und Eva zu einem Glas Wein einladen darf.
4. sie noch genug Geld zum Bezahlen hat.
5. er eine Pfeife raucht.
6. der Mann perfekt Deutsch spricht.
7. Conny leiser spricht.
8. sie am Abend machen wollen.
9. der Mann am Nebentisch kein Deutsch versteht.

9. Sprechen Sie nach.

a) Kirsche – Kirche – Köche – Küchen – Kuchen – Kassen – Kissen – küssen

b)
sie liebt	sie liegt	sie spielt	sie lobt	sie sitzt	sie liest	sie fällt
er lebt	er legt	er spült	er lügt	er setzt	er löst	er fehlt

10. Sprechen Sie nach und ergänzen Sie.

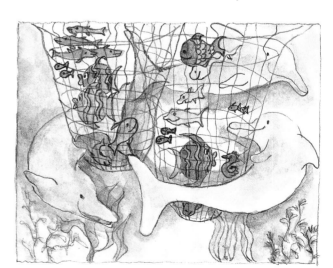

a) Er _____ schon am Tisch. Sie _____ sich daneben in den Sessel.

b) Er _____ sich ins Bett. Sie _____ lieber auf der Gartenliege.

c) Er _____ in der Küche eine Schüssel. Sie _____ im Kinderzimmer mit dem Spielzeug.

d) Er _____ vor dem Bäckerladen hin. Sie merkt, dass ein Brötchen _____.

e) Er _____ in Bern. Sie _____ seinen Freund Dieter.

sitzt	liebt	liegt	fehlt	spielt	setzt	fällt	legt	lebt	spült

11. Spiele mit D E L F I N

a)
D **D**rei **D**elfine **d**iskutieren **d**en **D**ativ.
E **E**in **E**lefant **e**rschreckt **E**is **e**ssende **E**isbären.
L **L**ustige **L**öwenbabys **l**ernen **l**aufen.
F **F**ünf **F**reunde **f**otografieren **f**aule **F**lusspferde.
I **I**ngrid **i**mpft **I**gel **i**m **I**nnenhof.
N **N**ashörner **n**aschen **n**ebenan **N**üsse.

*Dativ
dem Delfin (Sing.)
den Delfinen (Pl.)*

b) D • E • L • F • I • N

Delfine **e**ntdecken **l**eckere **F**ische **i**n **N**etzen.
Deutschlehrer **e**ntdecken **l**eicht **F**ehler **i**n **N**ebensätzen.

Dicke Elefanten leben frei im Naturpark.

Dünne Eisbären liegen friedlich im Neuschnee.

Dänische Ehefrauen lieben Frischobst in Nachspeisen.

Deutsche Ehemänner lieben Fleischklöße in Nudelsuppen.

Drei einsame Lehrer flirten im Nachtclub.

Drei enttäuschte Liebhaber flüchten ins Nebenzimmer.

Dienstags essen ledige Feuerwehrleute irgendwo Nudeln.

Donnerstags empfehlen langweilige Fernsehköche immer Nusskuchen.

● Entschuldigung. Sprechen Sie vielleicht Deutsch?

■ Ja, ich spreche Deutsch, aber leider noch nicht perfekt.

● Das macht doch nichts; mir geht es genauso. Wo haben Sie denn Deutsch gelernt?

■ Angefangen habe ich zu Hause, mit einem Computer-lernprogramm. Dann habe ich einen Sprachkurs be-sucht. Am Ende habe ich die Zertifikatsprüfung ge-macht. Und wie haben Sie Deutsch gelernt?

● Zuerst hatte ich Deutsch als zweite Fremdsprache in der Schule. Dann habe ich an Sprachkursen an der Universität teilgenommen. Und später habe ich ein Jahr in Deutschland studiert.

■ Dann haben Sie wohl Deutsch gelernt, weil sie es be-ruflich brauchen?

● Ja, vor allem. Und Sie?

■ Mich interessiert Deutsch eher privat. Ich habe Spra-chen und Literatur schon immer interessant gefunden.

● Sagen Sie, können Sie vielleicht auch etwas Chinesisch?

■ Ja, schon. Ein bisschen.

● Dann können Sie mir sicher erklären, was der Text auf dem Bild bedeutet.

■ Mal sehen …

12. Variieren Sie das Gespräch. Sie können die folgenden Ausdrücke benutzen.

Deutsch können
Deutsch sprechen
miteinander Deutsch reden

mit einem | Sprachkurs | anfangen
          | Videokurs | beginnen
          | Selbstlernkurs |

… Jahre Deutsch in der Schule lernen
Privatunterricht nehmen
einen Sprachkurs | an der Universität | besuchen
                | bei einer Sprachschule |

das Zertifikat | bestehen
die Mittelstufenprüfung |

Reisen nach Deutschland machen
Freunde in Österreich besuchen
ein Praktikum bei einer Schweizer Firma machen
beruflich viel mit Deutsch zu tun haben
viele Kontakte zu deutschen Partnerfirmen haben

sich für deutsche | Geschichte | interessieren
              | Kultur |

20 Deutsch, Delfine und Dennis

Liebe Doris,

hoffentlich bist du mir nicht böse, dass ich mich so lange nicht gemeldet habe. Ich muss mich im Augenblick auf die Zertifikatsprüfung in Deutsch vorbereiten, und eigentlich hätte ich gar keine Zeit, Briefe zu schreiben. Aber das muss ich dir doch unbedingt erzählen:

Ich habe mich verliebt!

Er heißt Dennis und ist Amerikaner. Nun rate mal, wo wir uns getroffen haben: im Sprachkurs. Gleich als ich das erste Mal in die Klasse kam, fiel er mir auf. Er war der größte von allen und ich fand ihn sofort unheimlich attraktiv. Zufällig war neben ihm ein Platz frei und ich setzte mich dahin. Natürlich merkte ich mir sofort seinen Namen, als die Kursleiterin die Teilnehmerliste ausfüllte und wir uns alle vorstellen mussten. Auch in den folgenden Stunden versuchte ich immer wieder einen Platz neben ihm zu bekommen, doch er schien sich nicht weiter für mich zu interessieren.

Aber dann machte die Kursleiterin in einer Stunde eine spielerische Übung mit uns: Wir sollten sagen, was uns zu bestimmten Tieren einfiel. Dennis machte einen kleinen Fehler, über den der ganze Kurs lachen musste, während ich Mitleid mit ihm hatte. Als über Delfine gesprochen wurde, meldete ich mich – du weißt ja, dass ich Delfine faszinierend finde. Ich sagte etwas über ihre geheimnisvolle Sprache. Nachdem ich zu Ende geredet hatte, schaute ich zufällig in seine Richtung. Dabei begegneten sich unsere Blicke, und das passierte noch mehrere Male in der Stunde.

Am nächsten Tag saß ich wieder neben Dennis. Da merkte ich, dass er ein kleines Päckchen in meine Tasche steckte. Weil er es heimlich machte, tat ich so, als ob ich es nicht gesehen hätte. Dennis war jedenfalls sehr nervös in dieser Stunde: er konnte sich gar nicht konzentrieren. Das fiel auch unserer Kursleiterin auf und sie frage ihn, wo er mit seinen Gedanken sei. Da bekam er einen roten Kopf und konnte keine Antwort geben. Natürlich dachte ich mir schon, dass er wegen dem Päckchen so aufgeregt war. Sobald die Stunde zu Ende war, ging ich mit meiner Tasche zur Toilette und schaute nach. Stell dir vor: Es war ein Halskettchen mit einem süßen kleinen Delfin als Anhänger. Ich habe mich so gefreut! Und natürlich war mir da auch klar, warum er mich am Tag vorher so angeschaut hatte. Er hatte sich in mich verliebt. Aber ich wollte es ihm auch nicht zu leicht machen. Deshalb ließ ich mir nichts anmerken. Ein kleines Zeichen wollte ich ihm aber schon geben, und darum trug ich am nächsten Tag im Unterricht seine Kette. Das bemerkte er natürlich sofort und ich konnte sehen, wie glücklich er darüber war. Trotzdem sagte ich nichts und setzte mich im Unterricht auch nicht in seine Nähe. Eigentlich wartete ich nur darauf, dass er den Mut haben würde, sich mit mir zu verabreden. Das tat er nicht, aber er steckte mir immer wieder heimlich kleine Delfine in die Tasche. Ist das nicht süß? Ich sammelte die Figuren neben meinem Bett, und vor dem Einschlafen streichelte ich sie.

Nach drei Wochen hielt ich es dann nicht mehr aus, weil Dennis nichts weiter unternahm. Da habe ich ihn nach dem Unterricht einfach angesprochen. „Warum schenkst du mir eigentlich diese kleinen Delfine?", habe ich ihn gefragt. Du kannst dir nicht vorstellen, was er geantwortet hat, liebe Doris. Er sagte: „Ich liebe Delila" und wurde ganz rot. Eigentlich hatte er nämlich sagen wollen: „Ich liebe Delfine." Vor lauter Aufregung hatte er sich versprochen. Das war so süß, dass ich ihn einfach in den Arm genommen habe. Das ist die Geschichte, die ich dir unbedingt erzählen wollte, liebe Doris. Wir sind sehr glücklich miteinander, Dennis und ich. Nach der Prüfung wollen wir zusammen eine Urlaubsreise machen. Dennis möchte irgendwo hinfahren, wo es Delfine gibt … Du bekommst auf alle Fälle eine Ansichtskarte von uns.

Herzliche Grüße
Deine Delila

Grammatik-Übersicht

Die systematische Grammatik-Übersicht dient dem Verständnis der wichtigen Kapitel der deutschen Grammatik. Blass gedruckte Formen sind ungebräuchlich und nur wegen der Systematik aufgenommen. Weitere Einzelheiten und Sonderfälle sind im Zusammenhang jeder Lektion im Arbeitsbuch dargestellt.

Artikel und Nomen

§1 Artikel und Kasus bei Nomen

Definiter Artikel

	Nominativ	Akkusativ	Dativ	Genitiv
Maskulinum	**der** Mann	**den** Mann	**dem** Mann	**des** Mann**es**
Femininum		**die** Frau		**der** Frau
Neutrum		**das** Kind	**dem** Kind	**des** Kind**es**
Plural		**die** Leute	**den** Leute**n**	**der** Leute

✳ *Bei Femininum, Neutrum, Plural: Akkusativ = Nominativ.*
Im Plural: Kein Unterschied zwischen Maskulinum – Femininum – Neutrum.

Indefiniter Artikel

	Nominativ	Akkusativ	Dativ	Genitiv
Maskulinum	**ein** Mann	**einen** Mann	ein**em** Mann	ein**es** Mann**es**
Femininum		**eine** Frau		ein**er** Frau
Neutrum		**ein** Kind	ein**em** Kind	ein**es** Kind**es**
Plural		Leute	Leute**n**	(von Leuten)

§2 Artikelwörter wie definiter Artikel

dieser, jeder (*Plural:* alle), mancher; *Frageartikel* welcher?

	Nominativ	Akkusativ	Dativ	Genitiv
Maskulinum	dies**er** jed**er** manch**er** welch**er** Mann	dies**en** jed**en** manch**en** welch**en** Mann	dies**em** jed**em** manch**em** welch**em** Mann	dies**es** jed**es** manch**es** welch**es** Mann**es**
Femininum	dies**e** jed**e** manch**e** welch**e** Frau		dies**er** jed**er** manch**er** welch**er** Frau	
Neutrum	dies**es** jed**es** manch**es** welch**es** Kind		dies**em** jed**em** manch**em** welch**em** Kind	dies**es** jed**es** manch**es** welch**es** Kind**es**
Plural	dies**e** all**e** manch**e** welch**e** Kinder		dies**en** all**en** manch**en** welch**en** Kinder**n**	dies**er** all**er** manch**er** welch**er** Kinder

§3 Artikelwörter wie indefiniter Artikel

Negationsartikel *kein*

Possessivartikel *mein, dein* …

ich:	mein	wir:	unser
du:	dein	ihr:	euer
er:	sein	sie:	ihr
sie:	ihr	Sie:	Ihr
es:	sein		

Das ist ein Telefon.

Das ist kein Telefon.

Ich habe ein Telefon

Das ist mein Telefon.

	Nominativ	Akkusativ	Dativ	Genitiv
Maskulinum	kein mein dein sein ihr Sohn unser * euer ihr/Ihr	keinen meinen deinen seinen ihren Sohn unseren euren ihren/Ihren	keinem meinem deinem seinem ihrem Sohn unserem eurem ihrem/Ihrem	keines meines deines seines ihres Sohnes unseres eures ihres/Ihres
Femininum	keine meine deine seine ihre Tochter unsere eure ihre/Ihre			keiner meiner deiner seiner ihrer Tochter unserer eurer ihrer/Ihrer
Neutrum	kein mein dein sein ihr Kind unser * euer ihr/Ihr		keinem meinem deinem seinem ihrem Kind unserem eurem ihrem/Ihrem	keines meines deines seines ihres Kindes unseres eures ihres/Ihres
Plural	keine meine deine Söhne seine Töchter ihre Kinder unsere eure ihre/Ihre		keinen meinen deinen Söhnen seinen Töchtern ihren Kindern unseren euren ihren/Ihren	keiner meiner deiner Söhne seiner Töchter ihrer Kinder unserer eurer ihrer/Ihrer

* eu**er** Sohn, eu**er** Kind; *aber* eu**re** Söhne, eu**re** Kinder *usw.*

§4 Nomen: Gebrauch ohne Artikel

Plural des indefiniten Artikels:	Sie haben **Kinder**.
Beruf oder Funktion:	Er ist **Reporter**.
	Sie ist **Hobby-Fotografin**.
Nationalität:	Er ist **Franzose**.
Unbestimmte Menge:	**Geld** braucht sie nur für ihre Kameras.
Abstrakter Begriff:	Ihr Segelboot bedeutet **Freiheit**.

§5 Nomen: Formen im Plural

Singular	Symbol für Plural	Plural Nom. / Akk.	Plural Dativ	So steht es in der Wortliste: →S. 232
der Spiegel	-	die Spiegel	den Spiegel**n**	r Spiegel, -
die Tochter	¨	die T**ö**chter	den T**ö**chter**n**	e Tochter, ¨
der Brief	-e	die Brief**e**	den Brief**en**	r Brief, -e
der Stuhl	¨e	die St**ü**hl**e**	den St**ü**hl**en**	r Stuhl, ¨e
das Kind	-er	die Kind**er**	den Kind**ern**	s Kind, -er
der Mann	¨er	die M**ä**nner	den M**ä**nner**n**	r Mann, ¨er
der Junge	-n	die Jung**en**	den Jung**en**	r Junge, -n
die Frau	-en	die Frau**en**	den Frau**en**	e Frau, -en
das Auto	-s	die Auto**s**	den Auto**s**	s Auto, -s

☞ *Besondere Formen:* das Museum, die Muse**en**
die Fotografin, die Fotografin**nen**

§6 Nomen: Formen im Genitiv

		Nominativ	Genitiv
Genitiv bei Maskulinum und Neutrum Singular:	**-s / -es**	der Spiegel	des Spiegel**s**
		das Auto	des Auto**s**
		der Mann	des Mann**es**
		das Kind	des Kind**es**
Bei Maskulinum Gruppe II: ⤳ *§ 8*	**-n / -en**	der Junge	des Jung**en**
		der Fotograf	des Fotograf**en**

✳ *Alle anderen Formen: keine Genitiv-Endung.*

§7 Eigennamen im Genitiv

Helmut**s** Frau	= die Frau von Helmut
Helga**s** Mann	= der Mann von Helga
Kennedy**s** Besuch	= der Besuch von Kennedy
(*auch:* der Besuch Kennedy**s**)	

Bei Namen auf -s schreibt man: Thomas' Reise, Doris' Hund.

§8 Nomen: Maskulinum Gruppe II

Nominativ	Akkusativ	Dativ	Genitiv	Plural
der Junge	den Jungen	dem Jungen	des Jungen	die Jungen
der Bauer	den Bauern *	dem Bauern	des Bauern	die Bauern
der Polizist	den Polizisten *	dem Polizisten	des Polizisten	die Polizisten

※ *Alle Formen außer Nominativ Singular: -n / -en*

* *Gesprochene Sprache:* den Bauer, den Polizist *usw.*

Ebenso:

Nomen wie Junge: Kollege, Kunde, Türke, Franzose, Zeuge *usw.*

Nomen wie Bauer: Herr, Nachbar *usw.*

Nomen wie Polizist: Journalist, Tourist, Komponist, Patient, Student, Präsident, Mensch, Pilot, Automat *usw.*

§9 Nomen aus Adjektiven

Diese Nomen können Maskulinum oder Femininum sein. Formen: wie Adjektive. →§ 16

Nominativ	Akkusativ	Dativ	Genitiv	Plural
der Bekannte	den Bekannten	dem Bekannten	des Bekannten	die Bekannten
ein Bekannter	einen Bekannten	einem Bekannten	eines Bekannten	Bekannte
die Bekannte	die Bekannte	der Bekannten	der Bekannten	die Bekannten
eine Bekannte	eine Bekannte	einer Bekannten	einer Bekannten	Bekannte

Ebenso: Angestellte, Erwachsene, Jugendliche, Arbeitslose, Deutsche, Verwandte, Angeklagte *usw.*

§10 Nomen aus Verben

Verb	Nomen	Beispiel
abnehmen	**das A**bnehmen	Das Abnehmen klappt am besten, wenn …
hungern	**das H**ungern	Durch Hungern kann man abnehmen.
turnen	**das T**urnen	Zum Turnen hat sie keine Lust.

Nomen = Infinitiv (groß geschrieben) mit oder ohne Artikel das*, mit oder ohne Präposition.*

§11 Zusammengesetzte Nomen

1. Teil	2. Teil	Zusammengesetztes Nomen	Ebenso Wörter wie:
das Taxi	**der** Fahrer	**der** Taxifahrer	Abendkleid, Fotolabor,
der Führerschein	**die** Prüfung	**die** Führerscheinprüfung	Geldautomat, Handtasche,
die Polizei	**das** Auto	**das** Polizeiauto	Luftmatratze, Plastiktüte,
		Artikel = Artikel des 2. Teils	Salatteller, Telefonnummer

1. Teil	2. Teil	Änderung im 1. Teil:	Ebenso Wörter wie:
das Schwein	der Braten	der Schwein**e**braten	Rind**er**braten, W**ö**rt**er**buch,
das Huhn	die Suppe	die H**üh**n**er**suppe	Blumen**n**laden, Suppe**n**teller,
die Zitrone	das Eis	das Zitrone**n**eis	Urlaub**s**reise, Meer**es**boden,
die Zeitung	der Text	der Zeitung**s**text	Schul**abschluss
die Schul**e**	der Freund	der Schulfreund	

§12 Mengenangaben

	unbestimmte Menge: Nomen ohne Artikel		bestimmte Menge: Menge	Nomen ohne Artikel
Herr Loos kauft	Saft.	Herr Loos kauft	eine Flasche	Saft.
Er trinkt	Kaffee.	Er trinkt	eine Tasse	Kaffee.
Er isst.	Kartoffeln.	Er isst	200 Gramm	Kartoffeln.
Er kocht	Nudeln.	Er kocht	1 kg	Nudeln.

§13 Ländernamen

	Ländernamen ohne Artikel		Ländernamen mit Artikel
Ich fahre **nach**	Deutschland Österreich Frankreich Großbritannien … Australien Europa …	Ich fahre **in**	**die** Bundesrepublik Deutschland **die** Schweiz **die** Türkei **den** Sudan **die** USA *(Plural)* **die** Niederlande *(Plural)* …
Ich komme **aus**	Deutschland Österreich Frankreich Großbritannien … Australien Europa …	Ich komme **aus**	**der** Bundesrepublik Deutschland **der** Schweiz **der** Türkei **dem** Sudan **den** USA *(Plural)* **den** Niederlanden *(Plural)* …

§14 Einwohnernamen

Maskulinum	*Femininum*	*Ebenso:*
-er	**-erin**	Afrikaner, Ägypter, Albaner, Amerikaner, Bolivianer, Brasilianer, Ecuadorianer, Engländer, Europäer, Ghanaer, Inder, Iraner, Isländer, Italiener, Japaner, Koreaner, Litauer, Luxemburger, Marokkaner, Mexikaner, Neuseeländer, Niederländer, Norweger, Österreicher, Philippiner, Schweizer, Syrer, Ukrainer, Venezolaner, Walliser …
Amerikaner	Amerikanerin	
Australier	Australierin	
		Australier, Belgier, Bosnier, Indonesier, Kanadier, Mazedonier, Spanier, Tunesier …

Maskulinum	*Femininum*	
-e	**-in**	Asiate, Baske, Brite, Bulgare, Chilene, Chinese, Däne, Este, Finne, Franzose, Grieche, Ire, Katalane, Kroate, Lette, Pole, Portug**ie**se, Rumäne, Russe, Schotte, Schwede, Senegalese, Serbe, Slowake, Slowene, Tscheche, Türke, Vietnamese …
Chinese	Chinesin	
Franzose	Französin	

Deklination wie → § 8

Besondere Formen: Ungar / Ungarin   Israeli / Israelin   **ein** Deutsch**er** / **der** Deutsche → § 9

Siehe auch: → Lektion 2, S. 25 u. S. 26

Adjektive

§15 Adjektiv ohne Endung

Der Schrank ist	groß.		Ich finde den Schrank	groß.
Die Uhr ist	schön.		Ich finde die Uhr	schön.
Das Sofa ist	bequem.		Ich finde das Sofa	bequem.
Die Stühle sind	teuer.		Ich finde die Stühle	teuer.

§16 Artikel + Adjektiv + Nomen

a) Definiter Artikel

	Nominativ			Akkusativ			Dativ			Genitiv		
Mask.	der		Mann	den	kleinen	Mann	dem		Mann	des		Mannes
Fem.	die	kleine	Frau	die	kleine	Frau	der	kleinen	Frau	der	kleinen	Frau
Neutr.	das		Kind	das		Kind	dem		Kind	des		Kindes
Plural	die	kleinen	Kinder	die	kleinen	Kinder	den		Kindern	der		Kinder

b) Indefiniter Artikel

	Nominativ			Akkusativ			Dativ			Genitiv		
Mask.	ein	kleiner	Mann	einen	kleinen	Mann	einem		Mann	eines		Mannes
Fem.	eine	kleine	Frau	eine	kleine	Frau	einer	kleinen	Frau	einer	kleinen	Frau
Neutr.	ein	kleines	Kind	ein	kleines	Kind	einem		Kind	eines		Kindes
Plural	–	kleine	Kinder	–	kleine	Kinder	–		Kindern	–	kleiner	Kinder

§17 Artikelwort + Adjektiv + Nomen

Im Singular:	dieser, jeder, mancher, welcher *wie* → § 16.a	dieser kleine Mann
	kein, mein, dein *usw. wie* → § 16.b	kein kleiner Mann
Im Plural:	alle Artikelwörter	
	(diese, alle, manche, welche, keine, meine *usw.) wie* → § 16.a	diese kleinen Männer

§18 Adjektive mit besonderen Formen

Der Turm ist	hoch.		Das ist ein	hoher	Turm.
Die Nacht ist	dunkel.		Das ist eine	dunkle	Nacht.
Das Kleid ist	teuer.		Das ist ein	teures	Kleid
Der Apfel ist	sauer.		Das ist ein	saurer	Apfel.

§19 Steigerung

a) Regelmäßig

Positiv	Komparativ	Superlativ
klein	kleiner	am kleinsten
schön	schöner	am schönsten
leise	leiser	am leisesten
breit	breiter	am breitesten
weit	weiter	am weitesten
…	…	…

b) Mit Vokalwechsel

Positiv	Komparativ	Superlativ
alt	älter	am ältesten
arm	ärmer	am ärmsten
hart	härter	am härtesten
kalt	kälter	am kältesten
lang	länger	am längsten
scharf	schärfer	am schärfsten
schwach	schwächer	am schwächsten
stark	stärker	am stärksten
warm	wärmer	am wärmsten
groß	größer	am größten
hoch	höher	am höchsten
kurz	kürzer	am kürzesten

c) Unregelmäßig

Positiv	Komparativ	Superlativ
gut	besser	am besten
gern	lieber	am liebsten
viel	mehr	am meisten

d) Artikel + Komparativ / Superlativ + Nomen → *Lektion 14, S. 143*

§20 Vergleiche

Ohne Steigerung:

so + *Adjektiv* + wie		
Jan ist	so groß wie	Peter.
Das blaue Kleid ist	genauso schön wie	das rote.
Das grüne Kleid ist	nicht so teuer wie	das gelbe.

Mit Steigerung:

Adjektiv im Komparativ + als		
Peter ist	größer als	Heike.
Das rote Kleid ist	schöner als	das weiße.
Das gelbe Kleid ist	teurer als	das grüne.

Zahlen

§21 Kardinalzahlen

Zahlen von 1 bis 10: → *Lektion 1, S. 9,* 10 bis 100: → *Lektion 1, S. 14,* 100 bis 1000: → *Lektion 2, S. 22.*

§22 Ordinalzahlen und Datum

eins:	der erste Weg
zwei:	die zweite Straße
drei:	das dritte Haus
vier:	die vierte Kreuzung
fünf:	die fünfte Ampel
sechs:	der sechste Weg
sieben:	das siebte Schild
acht:	das achte Haus
…	…

zwanzig:	der zwanzigste Brief
dreißig:	die dreißigste Flasche
hundert:	das hundertste Auto
tausend:	der tausendste Stuhl
…	…

der erste Januar	am ersten Januar
der zweite Februar	am zweiten Februar
der dritte März	am dritten März
…	…

→ *Lektion 7, S. 72*

Pronomen

§23 Personalpronomen

			Nominativ	Akkusativ	Dativ
Singular	1. Person		ich	mich	mir
	2. Person		du	dich	dir
	3. Person	Mask.	er	ihn	ihm
		Fem.	sie		ihr
		Neutr.	es		ihm
Plural	1. Person		wir		uns
	2. Person		ihr		euch
	3. Person		sie		ihnen
	Höflichkeitsform		Sie		Ihnen

§24 Reflexivpronomen

→ *Lektion 11, S. 108*

Singular   3. Person Mask,. Fem., Neutr.
Plural   3. Person, Höflichkeitsform

Akkusativ	Dativ
sich	

✳ *Alle anderen Formen: wie Personalpronomen* → § 23.

☞ Er wäscht **sich** ≠ Er wäscht **ihn**.

§25 Artikel als Pronomen

Alle Artikelwörter → § 1, § 2, § 3 *können Pronomen sein.*

● Wir brauchen noch Stühle. Hier sind **welche**. Wie findest du **den**?

■ Nicht schön, aber **dieser** hier ist interessant.

● Hier ist noch **einer**. **Der** ist auch nicht schlecht.

der Stuhl	der	dies**er**	jed**er**	ein**er**	kein**er**	mein**er**	...
die Uhr	die	diese	jede	eine	keine	meine	...
das Bett	das	dies**es**	jed**es**	eins	kein**s**	mein**s**	...
die Möbel	die	diese	**alle**	**welche**	keine	meine	...

☞ *Endungen: wie definiter Artikel; Sonderfall: Plural Dativ von* **der** *(Mask.)* = **denen**

Plural von **einer, eine, eins** = **welche**

Im Singular: **welcher** *steht für unbestimmte Mengen:* Hier ist **Kaffee**. Möchtest du **welchen**?

§26 Generalisierende Indefinitpronomen

Nominativ	Akkusativ	Dativ
man	einen	einem
jemand	jemanden	jemandem
niemand	niemanden	niemandem
irgendwer	irgendwen	irgendwem

Nominativ	Akkusativ	Dativ
alles		allem
nichts		
etwas		
irgendetwas		

§27 Relativpronomen

		Nominativ	Akkusativ	Dativ	Genitiv
Maskulinum	Der Mann, …	der	den	dem	**dessen**
Femininum	Die Frau, …		die	der	**deren**
Neutrum	Das Kind, …		das	dem	**dessen**
Plural	Die Leute, …		die	**denen**	**deren**

Auch mit Präposition: Der Mann, **für den** … / Die Frau, **mit der** … *usw.*
→ *§ 59 Relativsatz*

§28 Präpositionalpronomen (Pronominaladverbien)

Nur bei Sachen:

wo(r) + Präposition	da(r) + Präposition	Bei Personen:
wofür, wonach, wovon …	dafür, danach, davon …	*Präposition + Personalpronomen*
woran, worauf, worüber …	daran, darauf, darüber …	*für ihn, nach ihr, von ihm …*

Präpositionen

§29 Präpositionen und Kasus

an	durch	aus	ab	statt *	außerhalb
auf	für	bei	außer	trotz *	innerhalb
hinter	gegen	mit	bis zu	während *	
in	ohne	nach	gegenüber	wegen *	
neben	um	seit			
über		von			
unter		zu			
vor					
zwischen					

+ Akkusativ oder Dativ	+ Akkusativ	+ Dativ	+ Genitiv
(„Wechselprä-positionen")			** gesprochene Sprache: auch mit Dativ*

Lokale Bedeutung → *Lektion 5, S. 48, 49; temporale Bedeutung →* *Lektion 11, S. 111.*

§30 Kurzformen

am	= an dem	im	= in dem	beim	= bei dem	zum	= zu dem
ans	= an das	ins	= in das	vom	= von dem	zur	= zu der

§31 Gebrauch der Wechselpräpositionen

Akkusativ:			*Dativ:*	
Er hängt das Bild	an **die** Wand.		Das Bild hängt	an **der** Wand.
Sie stellt die Blumen	auf **den** Tisch.		Die Blumen stehen	auf **dem** Tisch.
Er bringt das Kind	**ins** Bett.		Das Kind liegt	**im** Bett.

Richtung, Bewegung
Wohin? ⟶ ⊙

Position, Ruhe
Wo? ⊙

→ *§ 51.e, § 51.f Situativ- / Direktivergänzung;* → *§ 51.k Präpositionalergänzung*

Verben: Konjugation

§32 Übersicht: Das Tempussystem

		schwach	*stark*	*besondere Formen*		
Infinitiv		mach**en**	fahr**en**	hab**en**	**sein**	**wollen**
Präsens	er	mach**t**	fähr**t**	**hat**	**ist**	**will**
Präteritum	er	mach**te**	fuhr	**hatte**	**war**	woll**te**
Perfekt	er	**hat ge**macht	**ist ge**fahren	**hat ge**habt	**ist gewesen**	**hat ge**woll**t** / **hat ... wollen**
Plusquamperfekt	er	**hatte ge**macht	**war ge**fahren	**hatte ge**habt	**war gewesen**	**hatte ge**woll**t** / **hatte ... wollen**
Futur	er	**wird** machen	**wird** fahren	**wird** haben	**wird** sein	**wird** wollen
Konjunktiv I	er	mach**e**	fahr**e**	hab**e**	**sei**	woll**e**
Konjunktiv II	er	**würde** machen	führ**e**	**hätte**	**wäre**	**würde** wollen
Passiv Präsens	er	wird gemacht	wird gefahren			
Passiv Präteritum	er	**wurde ge**macht	**wurde ge**fahren			
Passiv Perfekt	er	**ist ge**macht **worden**	**ist ge**fahren **worden**			

Unregelmäßige Verben → *§ 43*
Modalverben → *§ 46*

§33 Präsens

	schwach		*stark*		
Infinitiv	machen	arbeiten	fahren	geben	
Stamm	mach-	arbeit-	fahr- / fähr-	geb- / gib-	*Endungen*
ich	mach**e**	arbeit**e**	fahr**e**	geb**e**	**-e**
du	mach**st**	arbeit**est**	fähr**st**	gib**st**	**-st** (-est)
er / sie / es	mach**t**	arbeit**et**	fähr**t**	gib**t**	**-t** (-et)
wir	mach**en**	arbeit**en**	fahr**en**	geb**en**	**-en** *wie Infinitiv*
ihr	mach**t**	arbeit**et**	fahr**t**	geb**t**	**-t** (-et)
sie / Sie	mach**en**	arbeit**en**	fahr**en**	geb**en**	**-en** *wie Infinitiv*

Stamm auf
-t, -d, -m, -n

Übersicht
starke Verben → *§ 44*

§34 Präteritum

		schwach		stark		
Infinitiv		machen	arbeiten	fahren	geben	
Stamm		*mach-te-*	*arbeit-ete-*	*fuhr-*	*gab-*	**Endungen**
ich		mach**te**	arbeit**ete**	fuhr	gab	**-**
du		mach**test**	arbeit**etest**	fuhr**st**	gab**st**	**-st**
er / sie / es		mach**te**	arbeit**ete**	fuhr	gab	**-**
wir		mach**ten**	arbeit**eten**	fuhr**en**	gab**en**	**-n (-en)**
ihr		mach**tet**	arbeit**etet**	fuhr**t**	gab**t**	**-t**
sie / Sie		mach**ten**	arbeit**eten**	fuhr**en**	gab**en**	**-n (-en)**

Stamm auf
-t, -d, -m, -n

Übersicht
starke Verben → *§ 44*

§35 Perfekt

a) Konjugation

Infinitiv		haben / sein		Partizip II
machen:	Er	**hat**	eine Reise	**gemacht**.
fahren:	Er	**ist**	nach Österreich	**gefahren**.

Perfekt mit sein:
sein, bleiben, werden *und Verben der Zustandsveränderung*
oder Ortsveränderung: einschlafen, erschrecken, gehen, fahren, kommen *usw. siehe Wortliste* → *S. 232.*

Infinitiv	machen	fahren
ich	habe gemacht	bin gefahren
du	hast gemacht	bist gefahren
er / sie / es	hat gemacht	ist gefahren
wir	haben gemacht	sind gefahren
ihr	habt gemacht	seid gefahren
sie / Sie	haben gemacht	sind gefahren

b) Formenbildung: Partizip II

schwache Verben					t	
		ge	…		t	
	…	ge	…		t	

ebenso:

besuchen:	Er hat			besuch	t	
verwenden:	Er hat			verwend	et	
reparieren:	Er hat			reparier	t	

schwache Verben mit untrennbarem
Verbzusatz → *§ 48 und Verben auf* -ieren

spielen:	Er hat		**ge**	spiel	t
arbeiten:	Er hat		**ge**	arbeit	et
kennen:	Er hat		**ge**	**kann**	t
wandern:	Er **ist**		**ge**	wander	t

die meisten schwachen Verben
schwache Verben mit Stamm auf -t, -d, -m, -n
Verben mit gemischten Formen → *§ 45*

aufhören:	Er hat	auf	**ge**	hör	t
aufwachen:	Er **ist**	auf	**ge**	wach	t

schwache Verben mit trennbarem Verbzusatz
→ *§ 47*

starke Verben					**en**	
			ge	...	**en**	
		...	ge	...	**en**	
bekommen:	Er hat			bekomm	**en**	*starke Verben mit untrennbarem*
vergessen:	Er hat			vergess	**en**	*Verbzusatz* → *§ 48*
zerbrechen:	Er hat			zerbr**och**	**en**	
schlafen:	Er hat		ge	schlaf	**en**	*starke Verben* → *§ 44*
sehen:	Er hat		ge	seh	**en**	
essen:	Er hat		**ge**	**gess**	**en**	*starke Verben mit besonderen Formen*
kommen:	Er **ist**		ge	komm	**en**	→ *§ 44*
anfangen:	Er hat	an	ge	fang	**en**	*starke Verben mit trennbarem Verbzusatz*
einsteigen:	Er **ist**	ein	ge	stieg	**en**	→ *§47*

§36 Plusquamperfekt

machen:	Er	**hatte**	eine Reise	**gemacht.**
fahren:	Er	**war**	nach Österreich	**gefahren.**
		Präteritum		*Partizip II*
		haben / sein		

✳ *Wie Perfekt* → *§ 35, nur mit Präteritum von* **haben** *oder* **sein**.

§37 Futur

machen:	Er	**wird**	eine Reise	**machen.**
fahren:	Er	**wird**	nach Österreich	**fahren.**
		Präsens		*Infinitiv*
		werden		

ich	**werde**		
du	**wirst**		
er / sie / es	**wird**	eine Reise	**machen.**
wir	**werden**		
ihr	**werdet**		
sie / Sie	**werden**		

§38 Konjunktiv II

a) mit **würde** + Infinitiv

machen:	Er	**würde**	eine Reise	**machen.**
fahren:	Er	**würde**	nach Österreich	**fahren.**
		würde		*Infinitiv*

ich	**würde**		
du	**würdest**		
er / sie / es	**würde**	eine Reise	**machen.**
wir	**würden**		
ihr	**würdet**		
sie / Sie	**würden**		

✳ *Alle Verben, auch die unter b), können den Konjunktiv II mit* **würde** *bilden.*

b) häufig benutzte Verben mit eigenen Konjunktiv II - Formen

	sein	haben	können	müssen	dürfen	kommen *
ich	wäre	hätte	könnte	müsste	dürfte	käme
du	wärst	hättest	könntest	müsstest	dürftest	kämst
er / sie / es	wäre	hätte	könnte	müsste	dürfte	käme
wir	wären	hätten	könnten	müssten	dürften	kämen
ihr	wärt	hättet	könntet	müsstet	dürftet	kämt
sie / Sie	wären	hätten	könnten	müssten	dürften	kämen

* Starke Verben → § 44 können eine eigene Konjunktiv II – Form bilden; man benutzt sie aber selten.

§39 Konjunktiv II der Vergangenheit

machen:	Er **hätte**	eine Reise	**gemacht.**
fahren:	Er **wäre**	nach Österreich	**gefahren.**
	Konjunktiv II		*Partizip II*
	haben / sein		

✳ *Wie Perfekt → § 35, nur mit Konjunktiv II von haben oder sein → § 38.b*

§40 Konjunktiv I

Präsens:	er	ist	macht	fährt	hat	muss
Konjunktiv I:	er	**sei**	**mache**	**fahre**	**habe**	**müsse**
	sie / Sie	**seien**				

✳ *Gebrauch: nur in schriftlichen Texten in indirekter Rede → Lektion 20, S. 201,*
nur in der 3. Person Singular (bei sein auch: 3. Person Plural und andere),
in allen anderen Formen: Konjunktiv II → § 38.

§41 Passiv

Präsens:	Er	**wird**	vom Taxifahrer	**abgeholt.**
Präteritum:	Er	**wurde**		**abgeholt.**
		werden		*Partizip II*

Konjugation werden → § 43

mit Modalverb:	Er	**muss**		**abgeholt werden.**
Perfekt:	Er	**ist**	vom Taxifahrer	**abgeholt worden.**

☞ *Aktion:* Die Fenster **werden geschlossen.**
Ergebnis: Die Fenster **sind geschlossen.** (= Die Fenster sind **zu.**)

§42 Imperativ

	kommen	warten	nehmen	anfangen	sein	haben
Sie:	Komm**en** Sie	Wart**en** Sie	Nehm**en** Sie	Fang**en** Sie an	**Seien** Sie ...	Hab**en** Sie ...
du:	Komm	Warte	**Nimm**	Fang an	**Sei** ...	**Hab** ...
ihr:	Komm**t**	Wart**et**	Nehm**t**	Fang**t** an	**Seid** ...	Hab**t** ...

§43 Unregelmäßige Verben

Präsens	sein	haben	werden	möchten
ich	bin	habe	werde	möchte
du	bist	hast	wirst	möchtest
er / sie / es	ist	hat	wird	möchte
wir	sind	haben	werden	möchten
ihr	seid	habt	werdet	möchtet
sie / Sie	sind	haben	werden	möchten

Präteritum				
ich	war	hatte	wurde	(ich wollte)
du	warst	hattest	wurdest	→ § 46
er / sie / es	war	hatte	wurde	
wir	waren	hatten	wurden	
ihr	wart	hattet	wurdet	
sie / Sie	waren	hatten	wurden	

Perfekt				
er / sie / es	ist gewesen	hat gehabt	ist geworden	
		bei Passiv:	ist … worden	

§44 Übersicht: Starke Verben

Präsens: *2. und 3. Person Singular: evtl. anderer Vokal als Infinitiv.*
Präteritum: *anderer Vokal als Infinitiv.*
Partizip II: *evtl. anderer Vokal als Infinitiv, Endung auf* -en.

	kein Vokalwechsel im Präsens			Vokalwechsel im Präsens			
	k**o**mmen	fl**ie**gen	schr**ei**ben	schl**a**fen	g**e**ben	h**e**lfen	l**au**fen
Präsens							
ich	komme	fliege	schreibe	schlafe	gebe	helfe	laufe
du	kommst	fliegst	schreibst	schl**ä**fst	g**i**bst	h**i**lfst	l**äu**fst
er / sie / es	kommt	fliegt	schreibt	schl**ä**ft	g**i**bt	h**i**lft	l**äu**ft
wir	kommen	fliegen	schreiben	schlafen	geben	helfen	laufen
ihr	kommt	fliegt	schreibt	schlaft	gebt	helft	lauft
sie / Sie	kommen	fliegen	schreiben	schlafen	geben	helfen	laufen
Präteritum							
ich	k**a**m	fl**o**g	schr**ie**b	schl**ie**f	g**a**b	h**a**lf	l**ie**f
du	k**a**mst	fl**o**gst	schr**ie**bst	schl**ie**fst	g**a**bst	h**a**lfst	l**ie**fst
er / sie / es	k**a**m	fl**o**g	schr**ie**b	schl**ie**f	g**a**b	h**a**lf	l**ie**f
wir	k**a**men	fl**o**gen	schr**ie**ben	schl**ie**fen	g**a**ben	h**a**lfen	l**ie**fen
ihr	k**a**mt	fl**o**gt	schr**ie**bt	schl**ie**ft	g**a**bt	h**a**lft	l**ie**ft
sie / Sie	k**a**men	fl**o**gen	schr**ie**ben	schl**ie**fen	g**a**ben	h**a**lfen	l**ie**fen
Konjunktiv II							
er / sie / es	k**ä**me	fl**ö**ge	schr**ie**be	schl**ie**fe	g**ä**be	–	l**ie**fe

Perfekt

er / sie / es	ist	ist	hat	hat	hat	hat	ist
	gek**omm**en	gefl**og**en	geschr**ieb**en	geschl**af**en	geg**eb**en	geh**olf**en	gel**auf**en

✳ *Lernformen: So steht es in der Wortliste → S. 232.*

Infinitiv	Präsens (3. P. Sg.)	Präteritum (3. P. Sg.)	Perfekt (3. P. Sg.)
kommen	kommt	kam	ist gekommen
fliegen	fliegt	flog	ist geflogen
schreiben	schreibt	schrieb	hat geschrieben

☞ *Besondere Formen bei einigen Verben:*   ebenso:

Infinitiv	Präsens	Präteritum	Perfekt	ebenso
stehen	steht	**stand**	hat **gestanden**	bestehen*, entstehen*, verstehen*, aufstehen
schneiden	schneidet	**schnitt**	hat **geschnitten**	abschneiden, zerschneiden*
treffen	trifft	**traf**	hat getroffen	
sitzen	sitzt	**saß**	hat **gesessen**	besitzen*
esse	**isst**	**aß**	hat **gegessen**	vergessen*
nehmen	**nimmt**	nahm	hat **genommen**	abnehmen, annehmen, mitnehmen, teilnehmen, unternehmen*, wegnehmen
schließen	schließt	**schloss**	hat **geschlossen**	abschließen, anschließen, beschließen*, entschließen*
ziehen	zieht	**zog**	hat **gezogen**	anziehen, ausziehen, einziehen, umziehen, vorziehen
tun	tut	**tat**	hat **getan**	wehtun

** Perfekt ohne **ge-***

§45 Gemischte Verben

Infinitiv	Präsens	Präteritum	Perfekt	ebenso
kennen	kennt	**kannte**	hat **gekannt**	erkennen*
nennen	nennt	**nannte**	hat **genannt**	
brennen	brennt	**brannte**	hat **gebrannt**	abbrennen, verbrennen*
rennen	rennt	**rannte**	ist **gerannt**	wegrennen
denken	denkt	**dachte**	hat **gedacht**	nachdenken
bringen	bringt	**brachte**	hat **gebracht**	anbringen, mitbringen, unterbringen, verbringen*

** Perfekt ohne **ge-***

Präsens: regelmäßig; Präteritum, Perfekt: Stammveränderung + schwache Endungen.

§46 Modalverben und „wissen"

	sollen	wollen	können	dürfen	müssen	mögen	wissen
Präsens							
ich	soll	will	kann	darf	muss	mag	**weiß**
du	sollst	willst	kannst	darfst	musst	magst	**weißt**
er / sie / es	soll	will	kann	darf	muss	mag	**weiß**
wir	sollen	wollen	können	dürfen	müssen	mögen	wissen
ihr	sollt	wollt	könnt	dürft	müsst	mögt	wisst
sie / Sie	sollen	wollen	können	dürfen	müssen	mögen	wissen
Präteritum							
ich	sollte	wollte	konnte	durfte	musste	mochte	wusste
du	solltest	wolltest	konntest	durftest	musstest	mochtest	wusstest
er / sie / es	sollte	wollte	konnte	durfte	musste	mochte	wusste
wir	sollten	wollten	konnten	durften	mussten	mochten	wussten
ihr	solltet	wolltet	konntet	durftet	musstet	mochtet	wusstet
sie / Sie	sollten	wollten	konnten	durften	mussten	mochten	wussten
Perfekt							
*er / sie / es	hat gesollt	hat gewollt	hat gekonnt	hat gedurft	hat gemusst	hat gemocht	hat gewusst
	hat sollen	hat wollen	hat können	hat dürfen	hat müssen	hat mögen	

* mit Infinitiv statt Partizip II: → Lektion 15, S. 151

§47 Verben mit trennbarem Verbzusatz

Verbzusatz zusammen mit dem Verb:

Er will seinen Freund	**ab**holen.
Er hat seinen Freund	**ab**geholt.
Er wird von seinem Freund	**ab**geholt.
Er keine Zeit, seinen Freund	**ab**zuholen.
Sie möchte, dass er seinen Freund	**ab**holt.

Verbzusatz getrennt vom Verb:

Er	holt	seinen Freund	**ab**.
Er	holte	seinen Freund	**ab**.
Holt	er seinen Freund	**ab**?
Hol	bitte deinen Freund	**ab**.

trennbarer Verbzusatz (betont)

※ *So steht es in der Wortliste* → *S. 232.*

☞ **Partizip:** *ab**ge**holt*
Infinitiv mit zu: *ab**zu**holen*

ab·holen	ein·kaufen	nach·denken	vor·schlagen
an·fangen	fern·sehen	statt·finden	weh·tun
auf·hören	fest·halten	teil·nehmen	zu·machen
aus·machen	mit·kommen	um·ziehen	

§48 Verben mit untrennbarem Verbzusatz

Typische untrennbare Verbzusätze: **be-, emp-, ent-, er-, ge-, ver-, zer-**

Infinitiv	Präsens 3. P. Sg.	Perfekt 3. P. Sg.	ebenso:
beschäftigen	beschäftigt	hat beschäftigt	bedeuten, beginnen, behalten, bekommen …
empfehlen	empfiehlt	hat empfohlen	empfangen
entdecken	entdeckt	hat entdeckt	enthalten, entscheiden, entschuldigen …
erkennen	erkennt	hat erkannt	erfahren, erfinden, erhalten, erholen, erinnern …
gelingen	gelingt	ist gelungen	gebrauchen, gefallen, gehören, geschehen …
verändern	verändert	hat verändert	verbessern, verbinden, verdienen, vergessen …
zerbrechen	zerbricht	hat zerbrochen	zerreißen, zerschneiden, zerstören …

↑ *Betonung auf Verbstamm*   ↑ *Partizip II ohne* ge-

☞ *nicht verwechseln:*

Infinitiv	Perfekt	Infinitiv	Perfekt
gefallen	hat **gefallen**	gehören	hat **gehört**
fallen	ist **gefallen**	hören	hat **gehört**

§49 Partizip I und II

Infinitiv:	spielen	singen	stehen	sein
Partizip I = Infinitiv + **d**	spielen**d**	singen**d**	stehen**d**	seien**d**
Partizip II → § 35.b	**ge**spiel**t**	**ge**sun**gen**	**ge**standen	**ge**wesen

Partizipien als Adjektive → § 16

Partizip I	Der **schlafende** Hund liegt unter dem Tisch.	(Der Hund liegt unter dem Tisch und schläft.)
Partizip II	Der Hund frisst den **verbrannten** Braten.	(Der Braten ist verbrannt. Der Hund frisst ihn.)

Verben und Ergänzungen

§50 Verben ohne Ergänzung

Was tun?		Was tut er?	Er **schläft**.

Ebenso: aufstehen, baden, blühen, brennen, erschrecken, frieren, funktionieren, husten, lachen, …
Ausdrücke mit **es**: es geht, es klappt, es regnet, es schneit …

§51 Verben mit Ergänzungen

a) *Verb + Nominativergänzung*

Wer?	sein	Wer ist das?	Das ist **Rolf Schneider**.
Was?	sein	Was ist er?	Er ist **Student**.
	werden	Was wird er?	Er wird **Lehrer**.
Wie?	heißen	Wie heißt sie?	Sie heißt **Karin**.
	sein	Wie ist sie?	Sie ist **nett**.

b) *Verb + Akkusativergänzung*

Was?	suchen	Was sucht sie?	Sie sucht **einen Stuhl**.
Wen?		Wen sucht sie?	Sie sucht **den Verkäufer**.

Ebenso: abholen, ansehen, anziehen, bauen, bekommen, bemerken, besuchen, bringen, einladen, entdecken, erkennen, essen …

c) *Verb + Dativergänzung*

Wem?	gehören	Wem gehört das Buch?	Das Buch gehört **mir**.

Ebenso: begegnen, einfallen, fehlen, folgen, gefallen, gelingen, helfen, nützen, passen, schmecken, stehen *(Kleidung)*, wehtun, zuhören, zuschauen.

d) *Verb + Dativergänzung + Akkusativergänzung*

Wem? Was?	geben	Wem gibt er was?	Er gibt **dem Kind einen Luftballon**.

Ebenso: anbieten, besorgen, bringen, empfehlen, erzählen, mitbringen, mitteilen, schenken, schicken, stehlen, vorschlagen, zeigen …

e) *Verb + Situativergänzung*

Wo?	wohnen	Wo wohnt sie?	Sie wohnt **in der Schweiz**.

Ebenso: bleiben, hängen, liegen, sein, sitzen, stehen …

f) *Verb + Direktivergänzung*

Wohin?	gehen	Wohin geht er?	Er geht **auf den Balkon**.

Ebenso: fahren, kommen, laufen, reisen, rennen, springen, steigen …

g) *Verb + Herkunftsergänzung*

Woher?	kommen	Woher kommt er?	Er kommt **aus dem Badezimmer**.

Ebenso: laufen, rennen, springen, steigen …

h) Verb + Akkusativergänzung + Direktivergänzung

Was? Wohin?	stellen	Wohin stellt sie was?	Sie stellt **den Stuhl an den Tisch**.

Ebenso: bringen, hängen, heben, legen, schieben, setzen, werfen …

i) Verb + Akkusativergänzung + Herkunftsergänzung

Was? Woher?	nehmen	Woher nimmt er das Glas?	Er nimmt **das Glas aus dem Schrank**.

Ebenso: heben, holen, reißen …

j) Verb + Verbativergänzung

Was tun?	gehen	Was machen sie heute?	Sie gehen heute **tanzen**.
Wen? Was tun?	lassen	Was lässt sie ihn tun?	Sie lässt **ihn die Suppe koch**en.

Ebenso: fühlen, hören, sehen …

k) Verb + Präpositionalergänzung

An wen? Woran?	denken	An wen denkt er? Woran denkt sie?	Er denkt **an seine Freundin**. Sie denkt **an das neue Kleid**.
Auf wen? Worauf?	warten	Auf wen wartet er? Worauf wartet sie?	Er wartet **auf seine Freundin**. Sie wartet **auf den Bus**.
Nach wem? Wonach?	fragen	Nach wem fragt er? Wonach fragt sie?	Er fragt **nach dem Chef**. Sie fragt **nach dem Weg**.

Ebenso:

bestehen	aus	
anmelden, sich entschuldigen, sich erkundigen, helfen	bei	
anfangen, aufhören, beginnen, sich beschäftigen, schimpfen, spielen, sprechen, telefonieren, sich unterhalten, sich verabreden, vergleichen, verwechseln	mit	
sich erkundigen, fragen, riechen, schauen, schmecken, suchen	nach	*+ Dativ*
abhängen, berichten, erzählen, reden, träumen, sich verabschieden, verlangen	von	
dienen, einladen, sich entschließen, führen, gehören, gratulieren, passen, verwenden	zu	
liegen, teilnehmen	an	
schützen, warnen, Angst haben	vor	

demonstrieren, sich entscheiden, sich entschuldigen, halten, sich interessieren, kämpfen, sein, sorgen, sparen, streiken	für	
demonstrieren, sich entscheiden, kämpfen, sein, streiken	gegen	
sich bemühen, sich bewerben, sich kümmern, weinen	um	
sich verlieben	in	*+ Akkusativ*
denken, sich erinnern, sich gewöhnen, glauben, schicken, schreiben	an	
achten, antworten, sich freuen, hoffen, hören, sich vorbereiten, warten	auf	
sich ärgern, sich aufregen, sich beschweren, diskutieren, sich freuen, klagen, lächeln, lachen, reden, schimpfen, sich unterhalten, sich wundern	über	

§52 Die Verbklammer

Verbklammer

Vorfeld	Verb (1)	Mittelfeld			Verb (2)
Herr Noll	kommt.				
Herr Noll	kommt			aus Wien.	
Herr Noll	soll		heute	aus Wien	kommen.
Herr Noll	ist		heute	aus Wien	gekommen.
	Kommt	Herr Noll		aus Wien?	
	Ist	Herr Noll	heute	aus Wien	gekommen?
Woher	soll	Herr Noll	heute		kommen?
Aus Wien	soll	Herr Noll	heute		kommen.
Wann	ist	Herr Noll		aus Wien	gekommen?
Heute	ist	Herr Noll		aus Wien	gekommen.
Wann	kommt	Frau Nolte			an?
Frau Nolte	kommt		um 17 Uhr		an.
Wir	müssen	sie	um 17 Uhr	vom Bahnhof	abholen.
	Kommen	Sie	bitte		mit!
..., dass		Frau Nolte	heute		ankommt.
..., weil		Frau Nolte	um 17 Uhr		angekommen ist.

§53 Das Vorfeld

Vorfeld	Verb (1)	Mittelfeld			Verb (2)
		Subjekt	Angabe	Ergänzung	
	Kann	Volker	in 2 Minuten	6 Gesichter	zeichnen?
Volker	kann		in 2 Minuten	6 Gesichter	zeichnen.
In zwei Minuten	kann	Volker		6 Gesichter	zeichnen.
Sechs Gesichter	kann	Volker	in 2 Minuten		zeichnen.
Wenn Volker will,	kann	er	in 2 Minuten	6 Gesichter	zeichnen.

Vorfeld: leer, Subjekt, Angabe, Ergänzung oder Nebensatz.

§54 Verb (2)

Vorfeld	Verb (1)	Mittelfeld			Verb (2)
		Subjekt	Angabe	Ergänzung	
Der Verkäufer	schließt			die Tür.	
Er	schließt		abends	die Tür	ab.
Abends	muss	er		die Tür	abschließen.
Abends	wird	die Tür	von ihm		abgeschlossen.
Er	hat		heute Abend	die Tür	abgeschlossen.
..., dass		Frau Nolte	heute		ankommt.
..., weil		Frau Nolte	um 17 Uhr		ankommen soll.
..., ob		sie	um 17 Uhr		angekommen ist.

Verb (2) : leer, trennbarer Verbzusatz, Infinitiv, Partizip, oder Verb im Nebensatz.

§55 Das Mittelfeld

a) Ergänzung: Nomen

Vorfeld	Verb (1)	Mittelfeld			Verb (2)
		Subjekt	Angabe	Ergänzung	
	Hat	er	schon	die Tür	abgeschlossen?
Er	muss		noch	die Tür	abschließen.

b) Ergänzung: Nomen oder Pronomen

Vorfeld	Verb (1)	Mittelfeld			Verb (2)
		Subjekt	Ergänzung	Angabe	
	Hat	er	die Tür	schon	abgeschlossen?
	Hat	er	sie	schon	abgeschlossen?
Er	muss		die Tür	noch	abschließen.
Er	muss		sie	noch	abschließen.

c) 2 Ergänzungen

Vorfeld	Verb (1)	Mittelfeld				Verb (2)
		Subjekt	Ergänzung(en)		Angabe	Ergänzung	
Er	bringt		seiner Frau		heute	Blumen	mit.
Er	bringt		sie ihr		heute		mit.
Heute	bringt	er	sie ihr				mit.
Er	bringt		ihr	die Blumen	heute		mit.
Heute	bringt	er	ihr	die	bestimmt		mit.

1.   2.   3.

☞ Ergänzungen:

1. *Akkusativ:*	2. *Dativ:*	3. *Akkusativ:*
Personal- pronomen	Nomen oder Personal- pronomen	Nomen oder Definitpronomen

§56 Satzverbindung: Zwei Hauptsätze

a) mit Junktoren **und, aber, oder, denn, sondern**

Junktor	Vorfeld	Verb (1)	Mittelfeld			Verb (2)
			Subjekt	*Angabe*	*Ergänzung*	
	Bernd	ist			Reporter.	
	Er	kann		nur selten	zu Hause	sein.
	Bernd	ist			Reporter	
und	er	kann		nur selten	zu Hause.	sein.

Subjekt: keine Positionsänderung

b) mit Adverbien im Vorfeld: **deshalb, darum, danach, trotzdem, also** …

	Vorfeld	Verb (1)		Angabe	Ergänzung	Verb (2)
	Bernd	ist			Reporter.	
	Er	kann		**deshalb**	zu Hause	sein.
				nur selten		
	Bernd	ist			Reporter,	
	deshalb	kann	**er**	nur selten	zu Hause	sein.

Subjekt: Positionsänderung

§57 Satzgefüge: Hauptsatz und Nebensatz

a) Hauptsatz + Nebensatz

Junktor	Vorfeld	Verb (1)	Mittelfeld			Verb (2)
			Subjekt	*Angabe*	*Ergänzung*	
	Bernd	kann		nur selten	zu Hause	sein.
	Er	**ist**			Reporter.	
	Bernd	kann		nur selten	zu Hause	sein.
weil			er		Reporter	**ist.**

Im Nebensatz: Verb an Position Verb(2).

b) Nebensatz + Hauptsatz

	Verb (1)	Subjekt	Angabe	Ergänzung	Verb (2)
Weil Bernd Reporter ist,	kann	er	nur selten	zu Hause	sein.
Wenn Maria kommt,	bringt	sie	hoffentlich	eine Nachricht	mit.

☛ *Nebensatz = Vorfeld des Hauptsatzes; Subjekt im Hauptsatz: Positionsänderung.*

Nebensatz-Junktoren:

als	Als Maria kam, war Curt froh.
wenn	Wenn Maria kommt, hat sie eine Nachricht. / Wenn Maria käme, hätte sie eine Nachricht. → *§ 38*
während	Curt isst Kuchen, während er auf Maria wartet. / Curt ist nervös, während Maria ruhig ist.
bis	Curt wartet, bis Maria kommt.
bevor	Bevor Maria kam, hatte Curt zwei Stück Kuchen gegessen.
nachdem	Nachdem Maria sich gesetzt hatte, bestellte sie ein Eis.
sobald	Sobald Maria kommt, bestellt sie sicher einen Tee.
seit	Seit Curt im Café saß, wartete er auf Maria.
weil	Curt saß im Café, weil er auf Maria wartete.
da	Da Maria nicht kam, bestellte Curt noch ein Stück Kuchen.
obwohl	Curt isst Kuchen, obwohl er keinen Hunger hat.
damit	Curt ruft die Kellnerin, damit sie ihm noch ein Stück Kuchen bringt.
so dass	Maria sagt nichts, so dass Kurt noch nervöser wird.
so ..., dass	Kurt ist so nervös, dass sein Puls 150 schlägt.
dass	Kurt hofft, dass Maria bald kommt.
ob	Kurt weiß nicht, ob Maria bald kommt. → *§ 58*

§58 Indirekte Frage

a) mit Fragewort

Vorfeld	Verb (1)	Mittelfeld			Verb (2)
		Subjekt	**Angabe**	**Ergänzung**	
Wann	beginnt	das Fußballspiel	endlich?		
Die Frau	fragt,				
wann		das Fußballspiel	endlich		**beginnt.**

b) ohne Fragewort

Junktor	Vorfeld	Verb (1)	Mittelfeld			Verb (2)
			Subjekt	**Angabe**	**Ergänzung**	
		Beginnt	das Fußballspiel	pünktlich?		
	Die Frau	fragt,				
ob			das Fußballspiel	pünktlich		**beginnt.**

§59 Relativsatz

Vorfeld	Verb (1)	Mittelfeld			Verb (2)
		Subjekt	**Angabe**	**Ergänzung**	
Das	ist	ein Delfin,			
der				im Zoo	**lebt.**
den		man	jeden Tag	im Zoo	**sehen kann.**

Relativsatz = Nebensatz: Verb an Position Verb(2).
Relativpronomen → § 27

2 Hauptsätze: Der Delfin lebt im Zoo. Er ist nicht glücklich.

Integrierter Relativsatz: Der Delfin, der im Zoo lebt, ist nicht glücklich.
→ *Lektion 13, S. 131*

Relativsatz
H a u p t s a t z

§60 Infinitivsatz

a) Infinitiv mit zu

	Vorfeld	Verb (1)	Mittelfeld			Verb (2)
			Subjekt	Angabe	Ergänzung	
	Heute	möchte	sie	nicht	Tango	tanzen.
	Sie	hat		heute	keine Lust Tango	**zu tanzen.**

b) Infinitiv mit um… zu, ohne… zu

Junktor	Vorfeld	Verb (1)	Mittelfeld			Verb (2)
			Subjekt	Angabe	Ergänzung	
	Heute	möchte	er	gern	Musik	machen.
	Er	benutzt			den Topf,	
um					Musik	**zu machen.**
	Er	geht			aus dem Haus,	
ohne					die Tür	**zuzumachen.**

Infinitiv bei Verben mit trennbarem Verbzusatz: → *§ 47*

Alphabetische Wortliste

Die alphabetische Wortliste enthält alle Wörter dieses Buches mit Angabe der Seiten, auf denen sie zuerst oder in unterschiedlicher Bedeutung vorkommen.

Fett gedruckte Wörter sind Bestandteil des „Zertifikat Deutsch". Bei Nomen stehen das Artikelzeichen (r = der, e = die, s = das) und das Zeichen für die Pluralform. Nomen ohne Angabe der Pluralform verwendet man nicht oder nur selten im Plural. Nomen mit der Angabe „pl" verwendet man nicht oder nur selten im Singular. Bei starken und unregelmäßigen Verben stehen neben dem Infinitiv auch die Präsens-, Präteritum- und Perfektformen. Im Arbeitsbuch findet man zu jeder Lektion eine detaillierte Auflistung des Lernwortschatzes.

ab 32, 56, 70
ab und zu 152
ab·bauen 90
ab·biegen, biegt ab, bog ab, ist abgebogen 57
ab·brechen, bricht ab, brach ab, hat abgebrochen 120
ab·brennen, brennt ab, brannte ab, ist abgebrannt 126
r Abend, -e 40, 75, 97
s Abendbrot 60
s Abendkleid, -er 36
abends 60, 61, 70
aber 10, 11, 20
ab·fahren, fährt ab, fuhr ab, ist abgefahren 59, 65, 66
e Abfahrt, -en 57
s Abgas, -e 183
ab·geben, gibt ab, gab ab, hat abgegeben 147
ab·hängen, hängt ab, hing ab, hat abgehangen 187
abhängig 170
ab·holen 90, 91, 97
s Abitur 110, 111, 112
e Abiturnote, -n 110
s Abiturzeugnis, -se 112
ab·lehnen 147, 161
ab·montieren 120
ab·nehmen, nimmt ab, nahm ab, hat abgenommen 79, 84, 150
e Abreise, -n 97
ab·reisen, ist abgereist 147
ab·sagen 47
ab·schließen, schließt ab, schloss ab, hat abgeschlossen 46, 59, 65
r Abschluss, ·̈e 110
s Abschlusszeugnis, -se 112
ab·schneiden, schneidet ab, schnitt ab, hat abgeschnitten 100
absolut 195
ab·stellen 57
s Abteil, -e 199
e Abteilung, -en 173
r Abteilungsleiter, - 115
e Abwechslung, -en 100
ach 25, 142, 145
ach so 25, 80, 85
ach was 150
achten 44, 83, 84
r Actionfilm, -e 192
ade 133

s Adjektiv, -e 200
e Adresse, -n 23, 26, 150
r Advent 70
r Adventskranz, ·̈e 70
Afrika 117
afrikanisch 117
AG 156
r Agentenfilm, -e 192
aha 12
ähnlich 55
e Ahnung, -en 145, 146, 155
r Akkusativ, -e 28, 29, 49
r Akt, -e 193
e Aktion, -en 165
aktuell 100
akzeptieren 110, 113
e Alarmanlage, -n 165
alle 40, 41, 47
allein 11, 14, 66
alleine 60, 150
allerdings 100, 150, 161
alles 40, 74, 77
alles Gute 77
alljährlich 190
allmählich 120, 161
r Alltag 60
Alpen (pl) 128, 130, 131
s Alphabet, -e 14
r Alptraum, ·̈e 100
als 27, 70, 82, 119
als Erstes 200
als ob 206
also 45, 65, 80
alt 10, 12, 15
r/e Alte, -n (ein Alter) 140
s Altenheim, -e 140
s Alter 21, 26, 27
altern, ist gealtert 140
r Alterungsprozess, -e 140
altmodisch 193
am → an 12, 40, 45
am besten 80, 151
am liebsten 80, 81, 84, 100, 101
am meisten 80
r Ameisenbär, -en 172
Amerika 179
r Amerikaner, - 206
amerikanisch 180
e Ampel, -n 57
s Amt, ·̈er 187
an 17, 27, 50
an sein, ist an, war an, ist an gewesen 51
an … vorbei 55

an·bieten, bietet an, bot an, hat angeboten 83, 146, 160
an·bringen, bringt an, brachte an, hat angebracht 90, 158
Anden 117
andere 30, 80, 100, 192
andererseits 197
ändern 186
anders 31, 90, 120
e Anekdote, -n 170
an·fahren, fährt an, fuhr an, ist angefahren 120
r Anfang, ·̈e 112, 117, 125
an·fangen, fängt an, fing an, hat angefangen 61, 62, 74
anfangs 160, 200
e Anfrage, -n 160
e Angabe, -n 27
s Angebot, -e 146, 147, 160
r/e Angeklagte, -n (ein Angeklagter) 123
angeln 114
angenehm 17
angeschwommen 200
r/e Angestellte, -n (ein Angestellter) 116
e Angst, ·̈e 38, 70, 113
ängstlich 139
an·haben, hat an, hatte an, hat angehabt 70, 102
an·halten, hält an, hielt an, hat angehalten 123
r Anhänger, - 200
an·hören 162
r Animateur, -e 27
e Animateurin, -nen 27
an·kommen, kommt an, kam an, ist angekommen 51, 57, 102
e Ankunft, ·̈e 97
r Anlass, Anlässe 76
an·machen 42, 70, 71
an·melden 150
e Anmeldung, -en 158
an·merken 206
e Annahme, -n 178
an·nehmen, nimmt an, nahm an, hat angenommen 147, 160
e Anreise, -n 132
r Anruf, -e 47, 50, 122
an·rufen, ruft an, rief an, hat angerufen 46, 74, 103
r Anrufer, - 162

ans → an 51, 93, 150
an·schauen 70, 71, 90
an·schließen, schließt an,
    schloss an, hat angeschlos-
    sen 158
anschließend 110, 151
r Anschluss, ⸚e 147
an·schneiden, schneidet an,
    schnitt an, hat angeschnitten
    121
an·sehen, sieht an, sah an,
    hat angesehen 170, 171, 192
e Ansichtskarte, -n 28
an·sprechen, spricht an, sprach
    an, hat angesprochen 199,
    200
anstatt 151
an·stellen 162
an·streichen, streicht an, strich
    an, hat angestrichen 58, 64
anstrengend 60
e Antenne, -n 158
e Antwort, -en 51, 70, 83
r Antwortbrief, -e 146
antworten 18, 60, 61
r Anwalt, ⸚e 123
e Anzeige, -n 41, 95, 96
an·ziehen, zieht an, zog an,
    hat angezogen 100, 101, 173
r Anzug, ⸚e 176
an·zünden 70
s Apartment, -s 146
r Apfel, ⸚ 22, 71, 104
r Apfelbaum, ⸚e 90
r Apfelsaft 84
e Apotheke, -n 55
r Apparat, -e 187
r Appetit 83, 150
applaudieren 197
r April 72
r Aprilscherz, -e 172
s Aquarium, -rien 90
e Arbeit, -en 60, 82, 93
arbeiten 11, 15, 20
r Arbeiter, - 109
r Arbeitgeber, - 162
r Arbeitnehmer, - 161, 163
e Arbeitsbedingung, -en 163
arbeitslos 113
r/e Arbeitslose, -n (ein Arbeits-
    loser) 140
e Arbeitslosigkeit 178
r Arbeitsplatz, ⸚e 115, 160, 162
s Arbeitsrecht 162

r Arbeitstag, -e 60
r Arbeitsunfall, ⸚e 157
e Arbeitszeit, -en 186
s Arbeitszimmer, - 93
r Architekt, -en 160
s Archiv, -e 198
s Archivfoto, -s 198
ärgerlich 127
ärgern 110, 112, 115
s Argument, -e 141
e Arktis 130
arm 100, 145
r Arm, -e 50, 64, 201
e Art, -en 156
r Artikel, - 54, 120, 163
r Arzt, ⸚e 97, 109, 110
e Ärztin, -nen 18, 50, 51
ärztlich 150
e Arztpraxis, -praxen 55, 158
e Assistentin, -nen 110
r Ast, ⸚e 120
e Atemmaske, -n 50
r Atlantik 36
atmen 50
e Atmosphäre, -n 73
s Attentat, -e 181
e Attraktion, -en 130
attraktiv 140, 141, 182
auch 11, 19, 20
auch nicht 30, 100
auch noch 80
auf 17, 44, 48
auf einmal 62, 67, 172
auf jeden Fall 182
auf keinen Fall 182
auf sein 50
auf Wiedersehen 8, 9
auf·bauen 196
auf·brechen, bricht auf, brach
    auf, hat / ist aufgebrochen
    50
aufeinander 190
auf·fallen, fällt auf, fiel auf, ist
    aufgefallen 200, 201
auf·fangen, fängt auf, fing auf,
    hat aufgefangen 124
auf·fordern 123
auf·führen 190
e Aufführung, -en 190
e Aufgabe, -n 160, 161
auf·geben, gibt auf, gab auf,
    hat aufgegeben 110, 111,
    113

auf·gehen, geht auf, ging auf,
    ist aufgegangen 90, 120, 121
aufgeregt 70, 80, 81
auf·haben 102
auf·halten, hält auf, hielt auf,
    hat aufgehalten 75
auf·hängen, hängt auf, hängte
    auf, hat aufgehängt 92
auf·hören 67, 88, 100, 117, 151
auf·kommen, kommt auf, kam
    auf, ist aufgekommen 161
auf·machen 42, 50, 63
auf·räumen 58, 60, 64
aufrecht 120
auf·regen 113
aufregend 181
e Aufregung, -en 70
auf·reißen, reißt auf, riss auf,
    hat aufgerissen 171
aufs → auf 112
auf·sagen 71
auf·schieben, schiebt auf,
    schob auf, hat aufgeschoben
    90
auf·schlagen, schlägt auf,
    schlug auf, hat aufgeschla-
    gen 170
auf·schreiben, schreibt auf,
    schrieb auf, hat aufge-
    schrieben 170
auf·sehen, sieht auf, sah auf,
    hat aufgesehen 170
e Aufsicht, -en 150
r Aufsichtsrat, ⸚e 116
auf·stehen, steht auf, stand
    auf, ist aufgestanden 43,
    44, 60
e Aufstiegsmöglichkeit, -en 115
auf·stoßen, stößt auf, stieß auf,
    hat aufgestoßen 90
auf·tauchen, ist aufgetaucht 44,
    90
r Auftrag, ⸚e 110, 113, 160
auf·treten, tritt auf, trat auf, ist
    aufgetreten 170
auf·wachen, ist aufgewacht
    43, 44, 59
aufwärts 160
r Aufzug, ⸚e 95, 110
s Auge, -n 63, 80, 89
r Augenblick, e 80, 120, 200
s Augenpaar, -e 90
r August 56, 72, 74
s Aupairmädchen, - 110

aus 18, 19, 20
s Aus 60
e Ausbildung, -en 112
r Ausdruck, ⸚e 37, 45, 55
aus·drücken 193
aus·fallen, fällt aus, fiel aus, ist
    ausgefallen 140
r Ausflug, ⸚e 97, 137, 180
aus·füllen 26, 156, 162
e Ausgabe, -n 161
aus·geben, gibt aus, gab aus,
    hat ausgegeben 182
aus·gehen, geht aus, ging
    aus, ist ausgegangen 120,
    121
ausgesprochen 100
ausgezeichnet 83, 115
aus·halten, hält aus, hielt aus,
    hat ausgehalten 206
e Auskunft, ⸚e 162
aus·laden, lädt aus, lud aus,
    hat ausgeladen 158
s Ausland 110, 111
ausländisch 120
e Auslandsabteilung, -en 110
aus·machen 42, 58, 65
aus·messen, misst aus, maß
    aus, hat ausgemessen 92
aus·packen 90
aus·probieren 82
aus·rechnen 160
ausreichend 183
aus·ruhen 135
aus·rutschen, ist ausgerutscht
    120
e Aussage, -n 82
aus·schalten 42, 46
aus·schlafen, schläft aus,
    schlief aus, hat ausgeschla-
    fen 88
ausschließlich 140
aus·sehen, sieht aus, sah aus,
    hat ausgesehen 93, 100,
    103
s Aussehen 95, 140
r Außenminister, - 178
außer 158
außerdem 70, 95, 100
außerhalb 180
e Aussprache, -n 184
aus·sprechen, spricht aus,
    sprach aus, hat ausgespro-
    chen 184

aus·steigen, steigt aus, stieg aus, ist ausgestiegen 50, 57, 63
aus·stellen 191
e Ausstellung, -en 107, 190
aus·suchen 71, 164
Australien 25
ausverkauft 190
aus·wandern, ist ausgewandert 197
r Ausweis, -e 203
aus·ziehen, zieht aus, zog aus, ist ausgezogen 147
s Auto, -s 13, 14, 20
e Autobahn, -en 50
e Autobahnraststätte, -n 118
r Autofahrer, - 50
autofreundlich 182
r Automat, -en 186
r Automechaniker, - 109, 112, 120
s Automobilunternehmen, - 116
e Autonummer, -n 54
r Autosammler, - 160
r Autoschlüssel, - 36, 68
e Autowerkstatt, ¨-en 97, 158
s Baby, -s 9, 13, 77
r Babysitter, - 43
r Bach, ¨-e 94, 114, 133
backen, bäckt, backte, hat gebacken 70, 71
r Bäcker, - 62
e Bäckerei, -en 48
r Bäckerladen, ¨- 204
r Bäckermeister, - 117
r Backofen, ¨- 71
s Bad, ¨-er 30, 90, 95
e Badekleidung 195
e Bademütze, -n 39
baden 138, 150, 164
r Badeort, -e 135
r Badesee, -n 126
e Badetemperatur, -en 129
s Badeverbot, -e 123
e Badewanne, -n 52, 90
e Bahn, -en 130, 131, 135
r Bahnhof, ¨-e 10, 12, 14
s Bahnhofscafé, -s 53
r Bahnsteig, -e 196
bald 11, 20, 24
r Balkan 132
r Balkon, -s/-e 49, 52, 54
r Ball, ¨-e 13, 49, 58

s Ballkleid, -er 190
r Ballon, -s 20
e Banane, -n 78
s Bananeneis 84
e Band, -s 147
e Bank, ¨-e 49, 134
e Bank, -en 52, 53, 65
s Bankengesetz, -e 183
r Bankkaufmann, -leute 119
bar 197
r Bär, -en 128
s Bargeld 83
r Bart, ¨-e 20, 70, 71
basteln 70
e Batterie, -n 28
r Bau, -ten 130, 180
r Bauch, ¨-e 177
Bauchschmerzen (pl) 119
s Bauchweh 119
bauen 110, 120, 128
r Bauer, -n 60, 61, 104
e Bäuerin, -nen 69
s Bauernfrühstück 86
r Bauernhof, ¨-e 57, 60
r Baum, ¨-e 48, 53, 54
r Baumarkt, ¨-e 93
s Baumhaus, ¨-er 120
Bayern 60
bayrisch 128, 190
Bayrischer Wald 119
beachten 97
r Beamte, -n (ein Beamter) 203
beantragen 160
bearbeiten 110
r Becher, - 78, 80
s Becken, - 166
r Bedarf 161
bedecken 130
bedeuten 30, 181
e Bedeutung, -en 176
e Bedienung, -en 80, 81
e Bedingung, -en 197
beenden 162
befestigen 100
befinden, befindet, befand, hat befunden 122
befreien 90
befriedigen 160
befriedigend 150
befürchten 163
begegnen, ist begegnet 172
begehen, begeht, beging, hat begangen 197

begeistert 130, 160, 195
r Beginn 114
beginnen, beginnt, begann, hat begonnen 60, 70, 88
begreifen, begreift, begriff, hat begriffen 197
begrüßen 94
behalten, behält, behielt, hat behalten 101, 130
behandeln 156
r Behandlungsraum, ¨-e 170
behaupten 163, 182, 193
bei 20, 50, 51
beide 50, 51, 83
e Beilage, -n 85
beim → bei 40, 51, 91
s Bein, -e 114, 156
beinahe 161
s Beispiel, -e 28, 30, 31
bekannt 116, 118, 120
bekannt machen 112
r/e Bekannte, -n (ein Bekannter) 110, 162, 172
beklagen 113
bekommen, bekommt, bekam, hat bekommen 53, 66, 69
belegt 167
beleidigen 100
beliebig 187
bemalen 40
bemerken 90, 91, 120
e Bemerkung, -en 150
bemühen 112
benutzen 37, 39, 55
s Benzin 122, 125
r Benzinmotor, -en 179
beobachten 80, 81, 90
bequem 19, 30, 33
beraten, berät, beriet, hat beraten 162
r Berater, - 184
e Beratung, -en 161
e Beratungsfirma, -firmen 161
berechnen 160
r Bereich, -e 162
bereit 152
bereiten 196
bereit·liegen, liegt bereit, lag bereit, hat bereitgelegen 165
bereits 50, 130, 140
r Berg, -e 129, 130, 133
e Berghütte, -n 133
s Bergland 132

r Bericht, -e 50
berichten 109, 117, 119
r Berliner, - 95, 163
r Beruf, -e 18, 20, 21
beruflich 110, 111
r Berufsunfall, ¨-e 156
berühmt 128, 136, 171
beschäftigen 117, 140, 161
beschäftigt 170, 185
Bescheid wissen 121
beschließen, beschließt, beschloss, hat beschlossen 150, 151, 183
beschmutzen 40
beschreiben, beschreibt, beschrieb, hat beschrieben 57, 106, 156
beschweren (sich) 170, 171
r Besen, - 89
besetzt 199
besichtigen 135, 137
e Besichtigung, -en 137
besiegen 140
besitzen, besitzt, besaß, hat besessen 160
r Besitzer, - 126
besondere 130, 161, 180
e Besonderheit, -en 130
besonders 80, 107, 127
besorgen 74
besser 82, 103, 104
e Besserung 199
bestätigen 172
beste 76, 81, 97
s Besteck, -e 32
bestehen, besteht, bestand, hat bestanden 68, 106, 190
besteigen, besteigt, bestieg, hat bestiegen 129
bestellen 23, 80, 81
bestimmen 132
bestimmt 60, 94, 97
bestimmt nicht 60, 146, 165
bestrafen 150
r Besuch, -e 43, 75, 93
besuchen 61, 68, 74
r Besucher, - 175
beteiligen 190
beten 40
betont 15, 24, 34
e Betonung, -en 15, 24, 34
betragen, beträgt, betrug, hat betragen 161

betreten, betritt, betrat, hat betreten 40, 41, 170
r Betrieb, -e 158
e Betriebsfeier, -n 169
e Betriebsleitung, -en 163
r Betriebsrat, ¨e 163
e Betriebswirtschaft 116
betrügen, betrügt, betrog, hat betrogen 40
s Bett, -en 30, 31, 32
beugen 120
e Bevölkerung, -en 196
bevor 127, 140, 143
bewegen 156
e Bewegung, -en 150
beweisen, beweist, bewies, hat bewiesen 125
bewerben (sich), bewirbt, bewarb, hat beworben 109, 110, 113
e Bewerbung, -en 27
r Bewohner, - 190
bewölkt 132
bezahlen 39, 66, 80
e Beziehung, -en 150
e Bibliothek, -en 190
biegen, biegt, bog, hat gebogen 90
s Bier, -e 20, 73, 75
bieten, bietet, bot, hat geboten 96, 130
r Bikini, -s 69
s Bild, -er 35, 46, 54
bilden 190
s Bilderbuch, ¨er 132
billig 162
e Biologie 30, 31
biologisch 140
e Birne, -n 79
bis 14, 22, 143
bis dann 45
bis heute 190
bis zu 55, 57, 60
bisher 100, 152, 161
bisschen 70, 71, 72
bitte 13, 37, 46
e Bitte, -n 97
bitten, bittet, bat, hat gebeten 173
bitter 79
blamieren 201
blass 190
s Blatt, ¨er 90, 98, 106
blättern 193

blau 98, 99, 103
s Blaukraut 174
s Blaulicht, -er 50
bleiben, bleibt, blieb, ist geblieben 38, 60, 62
r Blick, -e 80
blind 20
blitzschnell 90
blöd 103
blond 100, 107, 172
r Blondinenwitz, -e 173
bloß 135
blühen 160
e Blume, -n 8, 9, 11
r Blumenladen, ¨ 53
r Blumenstrauß, ¨e 68, 143, 160
e Blumentapete, -n 93
e Blumenvase, -n 98
e Blumenwiese, -n 198
e Bluse, -n 69
s Blut 110
bluten 50, 64, 120
r Boden, ¨ 114, 188, 189
r Bodensee 136
e Bohne, -n 79
r Bohnensalat, -e 85
bohren 89, 92, 100
e Bohrmaschine, -n 89
Bolivien 117
e Bombe, -n 125
s Bonbon, -s 40, 79, 134
s Boot, -e 94, 114, 130
e Borste, -n 184
böse 77
s Brandzeichen, - 130
r Braten, - 82, 84, 188
braten, brät, briet, hat gebraten 86, 168
e Bratwurst, ¨e 72, 75, 114
brauchen 20, 29, 30
braun 103, 105, 106
s Brautkleid, -er 174
s Brautpaar, -e 68
brav 70, 100, 101
breit 92, 93
e Breite, -n 92
e Bremse, -n 123
bremsen 123
brennen, brennt, brannte, hat gebrannt 70, 90, 106
r Brief, -e 11, 14, 54
r Brieffreund, -e 202
r Briefkasten, ¨ 90

r Briefkastenschlüssel, - 90
e Briefmarke, -n 28, 120
r Briefträger, - 49, 69, 120
e Brille, -n 36, 37, 41
bringen, bringt, brachte, hat gebracht 49, 59, 60
britisch 183
s Brot, -e 82, 99
s Brötchen, - 62, 82, 84
e Brücke, -n 48, 57, 99
r Bruder, ¨ 43, 70, 71
brummen 171
e Brust, ¨e 50
s Buch, ¨er 30, 31, 34
e Buchausstellung, -en 190
r Buchdruck 179
buchen 123
r Buchhalter, - 169
r Buchhändler, - 49
e Buchmesse, -n 190
r Buchstabe, -n 14
buchstabieren 14
s Bügeleisen, - 89
bügeln 60
e Bühne, -n 190
s Bühnenbild, -er 193
s Bühnenfestspiel, -e 190
r Bund, ¨e 86
s Bundesamt, ¨er 162
s Bundesfinanzministerium 163
r Bundeskanzler, - 169
r Bundespräsident, -en 190
e Bundesregierung, -en 183
e Bundesrepublik 180
e Bundesstraße, -n 57
r Bundestag 183
e Bundeswehr 110
bunt 40, 99, 102
r Buntstift, -e 80
r Bürger, - 187, 196
r Bürgermeister, - 69, 184
e Bürgerversammlung, -en 197
s Büro, -s 46, 103, 111
e Büroarbeit, -en 60
e Bürste, -n 184
bürsten 184
r Bus, -se 8, 24, 57
r Busfahrpreis, -e 182
e Bushaltestelle, -n 55, 57
e Butter 86
s Butterbrot, -e 167
ca. (= zirka) 160, 186
s Café, -s 80, 81

r Camper, - 49
r/s Cartoon, -s 168
e CD-ROM, -s 77
CDU 173
r Champagner 160
e Chance, -n 91, 146, 147
s Chaos 90
r Chef, -s 68, 103, 109
e Chefin, -nen 47, 113
e Chiffre, -n 41
chinesisch 205
r Chor, ¨e 190
e Christbaumkugel, -n 70
r Christdemokrat, -en 182
Christus 190
e City 130
r Clown, -s 69
s Clubhaus, ¨er 56
... & Co. 109
e/s Cola, -s 78, 80
r Computer, - 18, 30, 31
r Computerfehler, - 123
s Computergeschäft, -e 55
s Computerlernprogramm, -e 205
s Computerspiel, -e 77
s Computerterminal, -s 186
r Container, - 50
s Containerschiff, -e 117
e Couch, s/-en 90
r Couchtisch, -e 93
da 11, 13, 14
da sein 62, 102
dabei 60, 61, 92
dabei sein, ist dabei, war dabei, ist dabei gewesen 92
dabei·haben, hat dabei, hatte dabei, hat dabeigehabt 83, 102, 133
da·bleiben, bleibt da, blieb da, ist dageblieben 197
s Dach, ¨er 94, 106, 114
r Dachboden, ¨ 120, 121, 158
r Dachdecker, - 123
e Dachdeckerin, -nen 113
dadurch 172, 178
dafür 100, 113, 160
dagegen 163
daher kommen 150
damals 100, 110, 150
e Dame, -n 102, 122, 123
damit 77, 89, 90
danach 60, 63, 64
daneben 106

Dänemark 135
dänisch 204
r Dank 37, 55, 70
dankbar 197
danke 8, 9, 25
danke gleichfalls 83
danke schön 85
dann 20, 23, 25
daran 110, 113, 150
darauf 106, 107, 113
daraus 127
darin 102, 106, 107
r Darsteller, - 190
e Darstellung, -en 195
darüber 106, 107, 113
darum 186
darunter 106, 107
das 9, 10, 11
das macht 85
das stimmt 95
das stimmt nicht 137
dass 90, 91, 92
e Datenbank, -en 160
r Dativ, -e 48, 49, 51
s Datum, Daten 72, 156, 157
e Datumsangabe, -n 72
e Dauer 150
dauern 60, 61, 80
dauernd 41, 103, 115
davon 70, 100, 144
davor 106, 146
dazu 144, 160, 185
dazu·tun, tut dazu, tat dazu,
    hat dazugetan 86
dazwischen·kommen, kommt
    dazwischen, kam dazwi-
    schen, ist dazwischenge-
    kommen 150
DDR 180
e Decke, -n 80, 90, 100
r Deckel, - 28
decken 88, 165
defekt 120
dein 12, 47, 63
deiner 147
r Delfin, -e 27, 44, 94
dem 48, 50, 51
demnächst 101
demonstrieren 109
den 10, 27, 28
denen 130, 131, 134
denkbar 187
denken, denkt, dachte, hat
    gedacht 20, 64, 80

denn 12, 19, 45
der 9, 10, 12
deren 133
des 110, 111, 112
deshalb 30, 62, 70
dessen 133, 134
s Dessert, -s 82
desto → je desto **193**
deutlich 74
s Deutsch 26, 150, 173
deutsch 26, 116, 130
r/e Deutsche, -n (ein Deut-
    scher) 26
Deutschkenntnisse (pl) 202
Deutschland 25, 26, 30
r Deutschlandbesuch, -e 180
r Deutschlehrer, - 204
deutschsprachig 190
e Deutschstunde, -n 200
r Deutschunterricht 193
r Dezember 70, 71, 72
r Dialog, -e 102
e Diät, -en 150, 151
dich 11, 71, 74
dicht 80
dick 99, 104, 106
die 8, 9, 10
die da 80
die einen 120
r Dieb, -e 102
r Diebstahl, ¨e 102
dienen 152
r Diener, - 188
r Dienst, -e 50
r Dienstag, -e 17
dienstags 204
e Dienstleistung, -en 160
dieser 102, 103, 110
diesmal 57
s Ding, -er 150
s Ding, -e 30, 31, 98
r Dinosaurier, - 179
dir 63, 70, 71
direkt 90, 96, 120
r Direktor, -en 116, 170
r Dirigent, -en 170
dirigieren 171
e Disco, -s 63, 74, 75
e Diskussion, -en 190
diskutieren 100, 190, 192
doch 60, 63, 64
doch nicht 110
e Documenta 190
r Doktor, -en 110

r Doktorhut, ¨e 76
r Dollar, -s 118
r Dollarkurs 163
r Dom, -e 130
r Domplatz, ¨e 190
r Donnerstag, -e 17, 74, 97
donnerstags 204
s Doppelzimmer, - 169
s Dorf, ¨er 117
dort 12, 57, 62
dorthin 130
e Dose, -n 78, 119, 168
r Dozent, -en 137
Dr. → Doktor 51
draußen 38, 60, 61
drehen 96, 97
dreimal 152
drin 165
dringend 46
drinnen 90
dritte 55, 70
e Drogerie, -n 122
drüben 105
drücken 50, 96, 97
du 8, 9, 11
dumm 113
r Dummkopf, ¨e 124
dunkel 90, 125, 190
dünn 150
durch 53, 57, 64
durchqueren 130
r Durchschnitt, -e 190
durchschnittlich 162
dürfen, darf, durfte, hat ge-
    durft / hat dürfen 38, 39,
    40
r Durst 79, 80, 84
e Dusche, -n 52, 90
duschen 58, 96, 97
e E-Mail, -s 26, 27, 147
eben 80, 146
ebenfalls 97
ebenso 190
echt 50
e Ecke, -n 90, 120, 121
Ecuador 117
egal 73, 80, 83
egoistisch 140
e Ehe, -n 178
e Eheberaterin, -nen 162
e Ehefrau, -en 173
r Ehemann, ¨er 110, 150, 169
s Ehepaar, -e 125, 162
eher 195

r Ehering, -e 200
e Ehre, -n 190
ehrlich 100, 101, 146
s Ei, -er 63, 76, 82
s Eibrot, -e 167
eifersüchtig 143
eigene 100, 110, 111
e Eigenschaft, -en 200
eigentlich 30, 63, 190
e Eile 75
eilig 75
r Eimer, - 169
ein 10, 11, 12
ein·bauen 110
ein·brechen, bricht ein, brach
    ein, ist eingebrochen 169
r Einbrecher, - 53
ein·cremen 120
r Eindruck, ¨e 183
eindrucksvoll 195
eineinhalb 117
einer 35, 37, 54
einerseits andererseits 168
eines Morgens 120
eines Nachmittags 120
eines Tages 141
einfach 55, 101, 143
r Einfall, ¨e 145
ein·fallen, fällt ein, fiel ein,
    ist eingefallen 90, 100, 146
s Einfamilienhaus, ¨er 96
ein·führen 161
r Eingang, ¨e 50, 51, 114
eingeladen 74, 75, 176
eingepackt 167
einige 50, 80, 110
einigen (sich) 112, 121
ein·kaufen 122, 160, 164
einkaufsfreundlich 182
s Einkommen, - 162
ein·laden, lädt ein, lud ein,
    hat eingeladen 75, 143, 170
e Einladung, -en 56, 77, 82
einmal 71, 77, 100
ein·mischen 181
ein·packen 65, 103, 169
e Einreisebestimmung, -en 146
ein·richten 110
e Einrichtung, -en 110
eins 9, 14, 35
einsam 125, 168
r Einsatz, ¨e 50
ein·schalten 42, 96, 97

ein·schlafen, schläft ein,
schlief ein, ist eingeschla-
fen 60, 61, 123
ein·setzen 166
ein·sperren 189
ein·steigen, steigt ein, stieg
ein, ist eingestiegen 66,
102, 171
ein·stellen 115
ein·tauchen, ist eingetaucht 44
r Eintritt, -e 190
e Eintrittskarte, -n 169
r Eintrittspreis, -e 182
einverstanden 45, 93, 135
ein·weihen 130
e Einweihungsparty, -s 95
r Einwohner, - 26, 190, 191
e Einwohnerin, -nen 26
e Einzelheit, -en 160
einzeln 183
ein·ziehen, zieht ein, zog ein,
ist eingezogen 90, 182
einzig 100, 130, 169
r Einzug 91
s Eis 69, 75, 80
r Eisbär, -en 172
r Eisbecher, - 80
r Eisberg, -e 179
e Eischeibe, -n 167
e Eisentür, -en 120
r Eistee 80
e Eiszeit 130
e Eitelkeit 140
r Elefant, -en 204
elegant 176, 178, 190
r Elektriker, - 120
elektrisch 161
s Elektronikunternehmen, - 116
elektronisch 147
Eltern (pl) 23, 32, 60
r Empfang, ¨e 196
empfangen, empfängt, emp-
fing, hat empfangen 124
empfehlen, empfiehlt, emp-
fahl, hat empfohlen 119,
173
empfindlich 173
s Ende, -n 60, 112, 124
endgültig 143
e Endhaltestelle, -n 198
endlich 70, 113, 120
s Endspiel, -e 153
e Energie, -n 161
Energiekosten (pl) 161

e Energiepolitik 183
eng 100
r Engländer, - 179
englisch 27, 110, 202
r Englischunterricht 202
r Enkel, - 114
s Enkelkind, -er 110, 111
entdecken 90, 120, 121
entfernen 170
entfernt 130
enthalten, enthält, enthielt,
hat enthalten 160
entkommen, entkommt, ent-
kam, ist entkommen 90
entlassen, entlässt, entließ,
hat entlassen 162
entscheiden, entscheidet,
entschied, hat entschieden
50, 110, 146
e Entscheidung, -en 110, 147
entschließen (sich) , ent-
schließt, entschloss, hat
entschlossen 110, 111, 117
entschuldigen 170
e Entschuldigung, -en 150,
169, 199
entsetzlich 181
entstehen, entsteht, ent-
stand, ist entstanden 178
enttäuscht 192, 203
entweder … oder 168
entwerfen, entwirft, entwarf,
hat entworfen 160
entwickeln 100, 140, 161
e Entwicklung, -en 190
entzückend 100
entzückt 144
er 10, 13, 18
e Erdbeere, -n 82
e Erde 140, 179
s Erdgeschoss, -e 158
s Ereignis, -se 130, 180, 190
erfahren, erfährt, erfuhr, hat
erfahren 70
e Erfahrung, -en 110, 140, 141
erfinden, erfindet, erfand,
hat erfunden 179
r Erfolg, -e 75, 126, 140
erfolgreich 118
e Erfolgsgeschichte, -n 160
ergänzen 9, 14, 15
s Ergebnis, -se 162, 165
erhalten, erhält, erhielt, hat
erhalten 190

erhöhen 161
e Erhöhung, -en 163
erholen (sich) 135
erinnern 115, 180
e Erinnerung, -en 70
erkältet 152
e Erkältung, -en 152
erkennen, erkennt, erkannte,
hat erkannt 20, 21, 24
erklären 152, 161, 176
e Erklärung, -en 153
erkundigen (sich) 109, 149,
154
erleben 120, 130, 175
s Erlebnis, -se 120
erledigen 75, 177
ermorden 125
e Ermordung, -en 180
ernähren 130
e Ernährung 152
erneuern 110
ernst 145
eröffnen 160, 161, 183
erreichen 132
erscheinen, erscheint, er-
schien, ist erschienen 190
erschrecken, erschreckt, er-
schreckte, hat erschreckt
169, 204
erschrecken, erschrickt, er-
schrak, ist erschrocken 90
erst 19, 42, 51
erst einmal 93, 110
erst mal 80
erste 55, 70, 72
erstens 100
ertrinken, ertrinkt, ertrank, ist
ertrunken 39
erwachsen 100, 138
r /e Erwachsene, -n 100, 101,
180
erwarten 92, 130, 163
erwerben, erwirbt, erwarb, hat
erworben 162
erzählen 60, 93, 102
e Erzieherin, -nen 193
r Erziehungsurlaub 110
es 10, 13, 21
es leicht haben 150
s Essen, - 73, 82, 83
essen, isst, aß, hat gegessen
40, 41, 42
essen gehen 46
s Esszimmer, - 92

etwa 20, 163
etwas 64, 70, 71
euch 70, 71, 75
euer 19, 57
r Euro, -s 32, 66, 85
Europa 17, 130, 131
europäisch 163
r Eurotunnel 179
ewig 130
s Examen, - 68, 75
e Existenz, -en 162
e Exportabteilung, -en 116
e Exportchance, -n 178
e Exportwirtschaft 183
r Express 130
extra 60
fabelhaft 137
e Fabrik, -en 161, 167
e Facharbeiterin, -nen 162
r Fachmann, Fachleute 186
e Fahne, -n 180
fahren, fährt, fuhr, ist gefahren 43, 45, 46
r Fahrer, - 50, 51, 90
e Fahrerin, -nen 134
r Fahrgast, ¨e 126
e Fahrkarte, -n 13
r Fahrkartenautomat, -en 12
s Fahrrad, ¨er 45, 49, 57
r Fahrstuhl, ¨e 120, 121
e Fahrt, -en 53, 75, 90
r Fall, ¨e 97, 135, 143
fallen, fällt, fiel, ist gefallen
90, 94, 107
fallen lassen 150, 151
falsch 11, 19, 21,175, 177
e Falte, -n 140
faltig 140
Fam. → Familie 96
e Familie, -n 18, 32, 60
familienfreundlich 182
r Familienhund, -e 145
r Familienname, -n 20
r Familienstand 21
fangen, fängt, fing, hat gefangen 114, 120, 121
fantastisch 17, 140, 146
e Farbe, -n 76, 89
färben 172
s Fass, ¨er 85
fast 33, 60, 114
faszinierend 206
faul 150
s Fax, -e 26, 27, 37

e Faxnummer, -n 26
FDP 182
r Februar 72, 74, 117
r Federball, ¨e 45
fehlen 72, 90, 98
r Fehler, - 110, 160, 165
e Feier, -n 95, 173, 175
r Feierabend, -e 60
feiern 57, 68, 70
r Feiertag, -e 160
s Feld, -er 60
s Fell, -e 130
r Felsen, - 130
s Fenster, - 42, 47, 54
s Fensterbrett, -er 158
r Fensterladen, ¨ 97
Ferien (pl) 75, 103
e Ferienwohnung, -en 119
fern 186
e Fernfahrerin, -nen 113
s Fernglas, ¨er 125
r Fernsehabend, -e 180
r Fernsehapparat, -e 180
s Fernsehbild, -er 181
e Fernsehdiskussion, -en 112
s Fernsehen 150, 190
fern·sehen, sieht fern, sah
fern, hat ferngesehen 60,
93
r Fernseher, - 30, 31, 34
r Fernsehfilm, -e 47
r Fernsehkoch, ¨e 204
r Fernsehmechaniker, - 160
s Fernsehquiz, - 133
r Fernsehsessel, - 93
fertig 60, 132, 165
fest 96, 97, 100
s Fest, -e 70, 77, 128
s Festessen, - 71
fest·halten, hält fest, hielt
fest, hat festgehalten 120,
188
s Festival, -s 190
fest·legen 147
s Festspiel, -e 171, 190, 191
s Festspielhaus, ¨er 190
fest·stellen 150, 156, 164
fett 79
s Fett, -e 150
feucht 130, 131
e Feuchtigkeit 146
s Feuer, - 114
e Feuerwehr, -en 97

r Feuerwehrmann, ¨er (Feuerwehrleute) 50, 51, 204
s Feuerzeug, -e 28, 33
s Fieber 152
e Figur, -en 150, 151, 193
e Filiale, -n 110, 111, 116
r Film, -e 28, 30, 31
filmen 181
r Filmschauspieler, - 170
e Finanzabteilung, -en 116
finanzieren 110
e Finanzsituation, -en 182
finden, findet, fand, hat ge-
funden 28, 30, 31
r Finger, - 120, 121
finnisch 135
e Firma, Firmen 68, 109, 113
r Fisch, -e 48, 49, 79
fischen 174
e Fischplatte, -n 85
s Fischstäbchen, - 79
fit 140
flach 100
s Flachdach, ¨er 174
e Fläche, -n 190
e Flasche, -n 13, 24, 48
r Fleck, -e(n), 100, 101
s Fleisch 83, 127, 152
s Fleischgericht, -e 203
r Fleischkloß, ¨e 204
fleißig 20, 24
e Fliege, -n 140, 141
fliegen, fliegt, flog, hat / ist
geflogen 47, 59, 63
fliehen, flieht, floh, ist geflohen
125, 163
fließen, fließt, floss, ist ge-
flossen 124, 130
flirten 204
r Flohmarkt, ¨e 118, 128
e Flöte, -n 134
flüchten, ist geflüchtet 90
flüchtig 80
r Flug, ¨e 74
r Flughafen, ¨ 53
r Flugplatz, ¨e 110, 122
s Flugzeug, -e 63, 102, 110
r Flur, -e 90, 92
r Fluss, ¨e 64, 99, 114
s Flusspferd, -e 204
s Flusstal, ¨er 132
r Föhn, -e 89, 90
föhnen 172
e Folge, -n 194

folgen, ist gefolgt 68, 69, 127
folgend 17, 37, 45
fördern 182
e Form, -en 186, 193, 200
s Formular, -e 26
formulieren 31
r Forscher, - 140
e Forschung, -en 140
r Fortschritt, -e 201
fort·setzen 110
s Foto, -s 12, 27, 120
r Fotoapparat, -e 28, 31
s Fotoarchiv, -e 30
r Fotograf, -en 18
e Fotografie, -n 200
fotografieren 31, 39, 66
e Fotografin, -nen 30, 69
s Fotolabor, -s/-e 30
s Fotomodell, -e 118
r Foxterrier, - 146
e Frage, -n 100, 140, 143
r Fragebogen, - 162
fragen 18, 43, 60
r Franken, - 126
frankieren 165
Frankreich 25
r Franzose, -n 179
französisch 27, 116, 202
e Frau, -en 8, 9, 10
frech 100
frei 32, 83, 110
frei·haben 113
e Freiheit, -en 30, 31, 32
frei·kommen, kommt frei, kam
frei, ist freigekommen 120
e Freilichtbühne, -n 190
frei·machen 50
r Freitag, -e 17, 95
e Freizeit 137, 150, 181
e Freizeitanlage, -n 140
s Freizeitprogramm, -e 143
r Freizeitunfall, ¨e 156
fremd 193
e Fremdsprache, -n 172, 187,
202
fressen, frisst, fraß, hat ge-
fressen 62, 154
e Freude, -n 202
freuen (sich) 25, 110, 112
r Freund, -e 18, 23, 93
e Freundin, -nen 23, 68, 73
freundlich 17, 75, 124
e Freundschaft, -en 147
r Frieden 162

friedlich 204
frieren, friert, fror, hat gefro-
ren 172
frisch 154, 160
s Frischobst 204
r Friseur, -e 100
r Frisör, -e 20
r Frisörsalon, -s 193
e Frisur, -en 100
froh 119, 172
fröhlich 76, 77, 82
früh 60, 61, 70
früher 60, 61, 70
r Frühling 137
frühmorgens 61
s Frühstück 60, 61, 153
frühstücken 60, 62, 82
e Frühstücksart, -en 161
s Frühstücksbrot, -e 127
s Frühstücksei, -er 173
r Frühstücksservice 160
r Fuchs, ¨e 60
fühlen 140
führen 55, 127
r Führerschein, -e 68
e Führerscheinprüfung, -en 76
füllen 60
r/e Fünfjährige, -n (ein Fünfjähriger) 118
fünfzehnjährig 125
funkeln 70, 80
funktionieren 33, 123, 151
für 8, 9, 20
furchtbar 70, 110, 180
fürchten 90
r Fuß, ¨e 57, 94, 120
r Fußball, ¨e 59, 60
s Fußballspiel, -e 148, 149
r Fußballverein, -e 118
r Fußgänger, - 130
e Fußgängerzone, -n 122
füttern 60, 61, 65
s Futur 178
e Gabel, -n 28, 33
r Gangster, - 122
e Gans, ¨e 71
r Gänsebraten, - 79
ganz 43, 55, 70
ganz schön 177
s Ganze 86
gar kein 112
gar nicht 14, 63, 102
gar nichts 150
e Garage, -n 65, 120, 121

s Garagentor, -e 97, 120
e Garantie, -n 162
e Garderobe, -n 80
r Garten, ⸚ 60, 90, 96
e Gartenarbeit, -en 120
s Gartenhaus, ⸚er 174
e Gartenliege, -n 204
r Gärtner, - 193
s Gas, -e 65
r Gaskocher, - 30
r Gast, ⸚e 52, 60, 68
e Gästetoilette, -n 95
s Gästezimmer, - 93
e Gastgeberin, -nen 170
s Gasthaus, ⸚er 85, 133, 170
geb. → geboren 117
s Gebäude, - 160
geben, gibt, gab, hat gegeben 30, 37, 51
s Gebiet, -e 161
s Gebirge, - 130
s Gebirgsdorf, ⸚er 190
geboren 26, 110, 117
gebrauchen 141
e Gebrauchsanweisung, -en 160
gebrochen 156
e Gebühr, -en 160
e Geburt, -en 110
s Geburtsjahr, -e 180
r Geburtsort, -e 26
r Geburtstag, -e 23, 41, 57
e Geburtstagsfeier, -n 56
s Geburtstagsgeschenk, -e 100
r Gedanke, -n 100, 140, 143
s Gedankenspiel, -e 179
s Gedicht, -e 71
e Geduld 143
geduldig 130
geehrte 27
e Gefahr, -en 183
gefährlich 120, 125, 152
gefallen, gefällt, gefiel, hat gefallen 69, 92, 115
gefallen lassen 150
gefangen 90, 120
s Geflügel 79
gefragt 154
s Gefühl, -e 100
gefüllt 71
gegen 53, 54, 60
e Gegend, -en 125, 135
e Gegenrichtung 130
gegenseitig 172

r Gegenstand, ⸚e 160
gegenüber 125
gegrillt 194
s Gehalt, ⸚er 113, 115
geheimnisvoll 200
gehen, geht, ging, ist gegangen 10, 38, 40
gehören 140, 145, 148
e Geige, -n 170
geistig 140
gekocht 165, 167
gelangweilt 193
gelb 98, 99, 100
s Geld 20, 30, 49
r Geldautomat, -en 8, 9
s Geldstück, -e 123
e Gelegenheit, -en 147
gelegentlich 100
r/e Geliebte, -n (ein Geliebter) 197
gelingen, gelingt, gelang, ist gelungen 88, 120, 121
gelten lassen 150
gemeinsam 93
e Gemeinschaft, -en 196
s Gemüse 79, 150
r Gemüsehändler, - 184
e Gemüsesuppe, -n 85
gemütlich 72, 93, 120
genau 22, 100, 157
genauso 100, 140, 141
e Generation, -en 119, 140
genießen, genießt, genoss, hat genossen 124, 140
r Genitiv, -e 111
genug 80, 90, 100
genügen 137
geöffnet 171
s Gepäck 13, 14
s Gepäckfach, ⸚er 199
s Gepäckstück, -e 170
gerade 65, 90, 92
geradeaus 55
s Gerät, -e 150
s Geräusch, -e 120, 121
e Gerechtigkeit 197
geregelt 187
s Gericht, -e 85, 86, 123
gern 18, 20, 21
gerne 31, 71, 84
gesamt 161
e Gesamtdauer 190
s Geschäft, -e 37, 49, 117

r Geschäftsführer, - 110, 111, 113
e Geschäftsidee, -n 160
r Geschäftsmann, -leute 160
geschehen, geschieht, geschah, ist geschehen 196
s Geschenk, -e 70, 71, 114
s Geschenkpäckchen, - 200
e Geschichte, -n 120, 125, 127
geschieden 20, 24
s Geschirr 59, 64, 65
r Geschirrspüler, - 30, 31, 32
s Geschlecht, -er 26
geschlossen 72, 128, 165
r Geschmack, ⸚e 100, 101, 150
geschmückt 194
s Geschwätz 193
Geschwister (pl) 119
e Gesellschaft, -en 140
gesellschaftlich 190
s Gesetz, -e 183
s Gesicht, -er 20, 21, 24
s Gespräch, -e 12, 13, 15
r Gesprächspartner, - 187
e Gesprächspsychologie 162
s Gesprächsthema, -themen 180
gestern 63, 64, 65
gestrichen 90
gesucht 176
gesund 79, 82, 153
e Gesundheit 146, 152
s Getränk, -e 78, 79, 85
getrennt 146
e Gewerkschaft, -en 162
s Gewicht, -e 27, 114, 150
r Gewinn, -e 140, 141
gewinnen, gewinnt, gewann, hat gewonnen 69, 82, 178
r Gewinner, - 182
s Gewitter, - 132
gewöhnen (sich) 150
e Gewohnheit, -en 180
gewöhnlich 60
gewünscht 160
gewürzt 170
Ghana 25
e Gicht 140
gießen, gießt, goss, hat gegossen 86, 124, 133
giftig 161
e Gitarre, -n 41, 45
s Glas, ⸚er 63, 76, 78
glatt 89

glauben 125, 147, 155
gleich 90, 110, 111
gleichfalls 83
gleichzeitig 88, 97
s Glück 60, 73, 75
glücklich 11, 13, 23
glücklicherweise 160
r Glückspilz, -e 120
r Glückwunsch, ⸚e 76, 77, 147
e Glühbirne, -n 90, 92
r Glühwein, -e 72
e GmbH, -s 27
s Goethehaus, ⸚er 128
r Goetheplatz, ⸚e 55
s Gold 130
r Goldberg, -e 130
goldbraun 86
golden 119
r Golf 50
r Golffahrer, - 51
r Gorilla, -s 66
graben, gräbt, grub, hat gegraben 59, 119
r/s Grad, -e 118
e Grafik, -en 182
e Grafikerin, -nen 110
s Gramm 22
e Grammatik, -en 201
e Grammatikübung, -en 202
s Gras, ⸚er 130
gratulieren 68, 69
grau 100, 101, 103
graublau 80
Greenpeace 183
greifen, greift, griff, hat gegriffen 90
e Grenze, -n 132
Griechenland 30
griechisch 135
s Griechisch 202
r Griff, -e 97
grillen 79, 97, 143
e Grippe 152
groß 24, 27, 190
Großbritannien 25
e Größe, -n 27
Großeltern (pl) 23, 70, 140
e Großmutter, ⸚ 15, 61, 68
e Großstadt, ⸚e 196
r Großvater, ⸚ 15, 61, 70
e Großveranstaltung, -en 190
großzügig 197
e Großzügigkeit 196
grün 98, 100, 101

r Grund, ¨e 150
gründen 179, 190
grundsätzlich 152
e Grundschule, -n 112
e Grünen 173, 182
r Gruß, ¨e 14, 17, 24, 34, 47
grüß dich 74
grüßen 71
e Grußkarte, -n 77
e Gulaschsuppe, -n 118
r Gummistiefel, - 29, 33, 35
günstig 161
e Gurke, -n 78, 79
r Gurkensalat, -e 85
gut 8, 9, 17
gut gehen 120
gut tun 193
gute Nacht 94
guten Abend 25
guten Appetit 83
guten Morgen 25, 62, 63
guten Tag 8, 15, 25
r Gymnasiallehrer, - 180
r Gymnasiast, -en 181
s Gymnasium, -sien 110, 112
s Haar, -e 20, 24, 89
haben, hat, hatte, hat gehabt
  18, 19, 20
haben wollen 100
hacken 86
r Hafen, ¨ 50, 51
s Hafenkrankenhaus, ¨er 50
r Haken, - 50, 51
halb 60, 61, 80
halb acht 60
halbtags 112
e Hälfte, -n 161, 190, 191
hallo 8, 9, 15
r Hals, ¨e 120
s Halskettchen, - 206
e Halskette, -n 69
Halsschmerzen (pl) 152
s Halstuch, ¨er 124, 130
halt 8, 9, 65
halten, hält, hielt, hat gehalten 50, 61, 80, 122
e Haltestelle, -n 57, 102
r Hamburger, - 41, 50, 51
r Hammer, ¨ 28
e Hand, ¨e 50, 60, 61
s Handballspiel, -e 148
r Handel 160
handeln 109
s Handelsrecht 110

r Händler, - 118
e Handlung, -en 195
r Handschuh, -e 69
e Handtasche, -n 52, 80, 98
s Handy, -s 180
hängen, hängt, hängte, hat
  gehängt 52, 54
hängen, hängt, hing, hat ge-
  hangen 52, 54, 92
hart 50
hassen 100, 184
hässlich 100, 101
hauen, haut, haute, hat gehau-
  en 177
häufig 170
r Hauptbahnhof, ¨e 57
s Hauptgericht, -e 85
e Hauptrolle, -n 190
e Hauptsache, -n 180
r Hauptschalter, - 97
r Hauptschüler, - 112
e Hauptsicherung, -en 97
s Haus, ¨er 30, 31, 32
e Hausarbeit, -en 61
Hausaufgaben (pl) 109
e Hausfrau, -en 160
r Haushalt, -e 162
s Haushaltsgerät, -e 161
r Hausschlüssel, - 97
r Haustausch 96
s Haustier, -e 127
e Haustür, -en 65, 158
e Haut 50, 100
heben, hebt, hob, hat geho-
  ben 50, 51, 90
e Hecke, -n 193
r Heiligabend, -e 70
e Heimat 196
s Heimatland, ¨er 202
heimlich 100, 127, 201
r Heimtrainer, - 150
heiraten 68, 72, 74
heiß 80, 81, 99
heißen, heißt, hieß, hat ge-
  heißen 8, 9, 10
heiter 132
heizen 94
e Heizung, -en 93, 96, 97
r/s Hektar 130
helfen, hilft, half, hat geholfen 60, 61, 64
hell 95, 100, 101
s Hemd, -en 103
r Hengst, -e 130

heraus·springen, springt heraus, sprang heraus, ist her-
  ausgesprungen 200
heraus·suchen 160
heraus·ziehen, zieht heraus,
  zog heraus, hat herausgezo-
  gen 120
r Herd, -e 32, 114
her·holen 145
her·kommen, kommt her, kam
  her, ist hergekommen 190
r Herr, -en 8, 9, 12
herrlich 17, 96
herrschen 90
her·stellen 160, 161
e Herstellung, -en 136
herum 190
herunter·laden, lädt herunter,
  lud herunter, hat heruntergeladen 160
hervorragend 195
s Herz, -en 68, 90, 144
e Herzgegend 153
s Herzklopfen 200
herzlich 8, 9, 37
herzliche Grüße 77
herzlichen Glückwunsch 76
r Herzschlag, ¨e 197
heute 17, 50, 60
heute Abend 46, 62
heute früh 132
heute Morgen 60, 61, 62
heute Nachmittag 61
heute Nacht 80
heute Vormittag 61
hier 12, 15, 17
e Hilfe, -n 120, 125, 130
r Hilferuf, -e 120
hilflos 170
r Himmel, - 107, 130
hinaus·laufen, läuft hinaus, lief
  hinaus, ist hinausgelaufen
  130
hinein·gehen, geht hinein, ging
  hinein, ist hineingegangen
  200
hinein·sprechen, spricht hinein,
  sprach hinein, hat hineinge-
  sprochen 187
hin·fahren, fährt hin, fuhr hin,
  ist hingefahren 207
e Hinfahrt, -en 132
hin·fallen, fällt hin, fiel hin, ist
  hingefallen 156

hin·setzen 170, 199
hin·stellen 165
hinten 50, 90, 120
hinter 48, 49, 57
r Hintergrund, ¨e 106, 107
s Hinterrad, ¨er 156
hinüber 136
hinüber·schauen 170
hinunter 130
r Hinweis, -e 96
hinzu·fügen 200
r Hirsch, -e 85
s Hirschragout, -s 85
e Hitze 146
s Hobby, -s 18, 30, 31
hoch 21, 90, 92
s Hoch, -s 132
e Hochalpenstraße 130
r Hochgeschwindigkeitszug, ¨e
  130
s Hochhaus, ¨er 125
e Hochrechnung, -en 182
e Hochschule, -n 112
höchstwahrscheinlich 185
e Hochzeit, -en 76, 77
e Hochzeitsfeier, -n 75
r Hochzeitstag, -e 121
r Hof, ¨e 127, 133
hoffen 95, 146, 183
hoffentlich 57, 77, 80
e Hoffnung, -en 150
höflich 142, 170
e Hofoper, -n 170
hohe 100, 163
e Höhe, -n 92, 93
r Höhepunkt, -e 190
e Höhle, -n 135
holen 52, 53, 60
s Holz, ¨er 201
e Holzfabrik, -en 162
r Holzhändler, - 184
s Holzhaus, ¨er 184
r Holzhut, ¨e 184
e Holzkohle 79
s Holzregal, -e 120
r Honig 82
s Honorar, -e 160
hören 11, 12, 13
r Hörer, - 112
e Hörerin, -nen 112
r Horizont, -e 90
r Horrorfilm, -e 41
e Hose, -n 100, 101, 103
s Hotel, -s 8, 9, 37

e Hotelfachschule, -n 110
s Hotelzimmer, - 190
hübsch 104, 127, 174
r Hügel, - 190
s Huhn, ¨er 60, 61, 79
r Hühnerstall, ¨e 60
e Hühnersuppe, -n 84
hüllen 190
r Humor 169, 173
r Hund, -e 15, 18, 23
r Hundekuchen, - 79
hundert 14
e Hündin, -nen 172
r Hunger 62, 79, 80
hungern 150
hungrig 150, 151
r Husten 152
husten 194
r Hut, ¨e 40, 41, 54
hüten 173
e Hutschachtel, -n 170
ich 8, 9, 11
ideal 150, 155
e Idee, -n 45, 130, 135
s Idol, -e 180
r Igel, - 48
ihm 62, 69, 73
ihn 32, 33, 50
Ihnen 45, 75, 77
ihnen 69, 73, 77
Ihr 13, 18, 61
ihr 13, 18, 19
Ihrer 77, 143, 178
ihrer 101, 102, 111
e Illustrierte, -n 169
im → in 23, 30, 43
im Freien 123
im Voraus 190, 194
r Imbiss, -e 175
immer 20, 41, 60
immer mehr 140, 141, 143
immer noch 60, 80, 150
immer noch nicht 80
immer noch nichts 80
immer weniger 113
immer wieder 120, 121
immerhin 120
r Imperativ, -e 83
impfen 204
in 11, 12, 15
in Ordnung 135
indem 150
Indien 25
e Industrie, -n 160, 183

industriell 186
e Infektion, -en 152
e Infektionskrankheit, -en 179
r Infinitiv, -e 164
e Inflation, -en 178
e Informatikerin, -nen 26
e Information, -en 8, 17
informieren 136
r Ingenieur, -e 130
r Inhalt, -e 192
e Inhaltsangabe, -n 196
inkl. (= inklusive) 85
innen 120
r Innenhof, ¨e 204
e Innenstadt, ¨e 146
innerhalb 190
ins → in 51, 52, 54
insbesondere 181
s Insekt, -en 140
e Insel, -n 130, 131, 133
insgesamt 160
r Installateur, -e 26
s Institut, -e 161
s Instrument, -e 170
e Inszenierung, -en 190
r Intercityexpress 130
interessant 17, 37, 120
s Interesse, -n 161
interessieren 110, 130, 147
interessiert 112, 113, 117
international 110, 116
s Internet 147, 179
interpretieren 190
s Interview, -s 61, 72, 73
e Intonation, -en 84
inzwischen 110, 125, 150
r Iraner, - 202
irgendeiner 190
irgendwann 100, 135
irgendwas 150
irgendwie 80, 81
irgendwo 135, 200, 204
irgendwohin 135
e Ironie 193
ironisch 193
Italien 25, 37, 135
italienisch 44
ja 19, 34, 35
ja schon 145
e Jacke, -n 50, 51, 52
jagen 90
s Jahr, -e 15, 18, 20
e Jahreszeit, -en 187
r Jahrgang, ¨e 180

s Jahrhundert, -e 130
-jährig 118
jährlich 130
r Januar 72
Japan 25, 126
r Japaner, - 74
e Japanerin, -nen 74
japanisch 160
e Jazzband, -s 146
r Jazzclub, -s 192
je 150
je … desto 193
e Jeans, - 100
jede 91, 100, 104
jedem 128, 130, 160
jeden 72, 90, 97
jedenfalls 150, 180, 181
jeder 30, 90, 91
jedes 71, 91, 130
jedes Mal 191
jedoch 170
jemand 90, 91, 92
jemanden 199
jetzt 37, 38, 50
r Job, -s 50, 117, 140
s Jogging 176
r/s/e Jogurt 78, 82
r Journalist, -en 117
e Journalistin, -nen 61
s Jubiläum, Jubiläen 68
e Jugend 196
**r/e Jugendliche, -n (ein Ju-
gendlicher) 140, 141, 181**
r Juli 72, 74
jung 10, 14, 102
r Junge, -n 9, 19, 21
r Juni 72
s Jura 60
s Jurastudium, -studien 110
r Juwelier, -e 100
s Kabel, - 120
r Käfer, - 180
r Kaffee 49, 60, 64
r Kaffeefleck, -e(n) 80
e Kaffeemaschine, -n 90
r Kaffeetisch, -e 170
r Käfig, -e 52, 106
e Kajüte, -n 30
r Kakao 58
r Kaktus, -teen 168
r Kalbsbraten, - 82
kalt 85, 96, 104
e Kälte 130
s Kamel, -e 12, 54

e Kamera, -s 30
r Kamm, ¨e 139
kämmen 100, 108
kämpfen 168
s Kampfflugzeug, -e 183
Kanada 25
s Kännchen, - 80
e Kantine, -n 82
s Kapital 160
r Kapitalismus 181
kapitalistisch 181
kaputt 12, 13, 19, 120
kaputt·gehen, geht kaputt,
ging kaputt, ist kaputtgegangen 117
kaputt·machen 110
e Karotte, -n 22
e Karriere, -n 110, 111
e Karte, -n 57, 76, 85
s Kartentelefon, -e 198
e Kartoffel, -n 22, 44, 78
r Kartoffelsalat, -e 79
e Kartoffelscheibe, -n 86
r Karton, -s 90
r Käse 49, 78, 82
s Käsebrot, -e 85
e Käsefabrik, -en 137
s Käsefondue, -s 129
e Kasse, -n 78
e Kassette, -n 90
r Kassierer, - 169
r Kasten, ¨ 97
r Katalog, -e 135
katastrophal 182
r Kater, - 104
e Katze, -n 18, 21, 24
kaufen 32, 33, 34
r Käufer, - 147
s Kaufhaus, ¨er 23
kaum 70, 91, 161
r Kaviar 160
kehren 120, 121
kein 12, 20, 29
kein mehr 80
keine 12, 13, 26
keinen 29, 30, 31
keiner 35
keinesfalls 173
keins 35, 60
r Keks, -e 90
r Keller, - 52, 89, 97
e Kellertür, -en 97
r Kellner, - 49, 54, 94
e Kellnerin, -nen 80, 113, 170

kennen, kennt, kannte, hat gekannt 40, 70, 102
kennen lernen 110, 111, 120
e Kenntnis, -se 140, 141
Kenntnisse (pl) 162
r Kerl, -e 145
e Kerze, -n 28, 70, 71
s Kerzenlicht 150
e Kette, -n 110, 200, 201
kg 27
s Kilo, -(s) 22, 124, 150
s Kilogramm 27, 78
r Kilometer, - 57
s Kind, -er 12, 43, 49
Kinder (pl) 12, 18, 20
s Kinderbuch, ¨er 110
kinderfreundlich 182
r Kindergarten, ¨ 182
r Kindergartenplatz, ¨e 182
s Kinderzimmer, - 54
e Kindheit 70, 110, 111
s Kino, -s 93
e Kinokasse, -n 169
e Kirche, -n 55, 173
e Kirsche, -n 82, 99
r Kirschkern, -e 174
e Kirschtorte, -n 80
s Kissen, - 188
e Kiste, -n 30, 34, 78
r Kitsch 73
kitschig 92
klagen 153
e Klappe, -n 177
klappen 80, 110, 150
e Klapper, -n 174
klappern 174
e Klapperschlange, -n 174
klar 80, 100, 110
e Klasse, -n 110, 112, 201
r Klassenraum, ¨e 193
s Klassentreffen, - 110
klassisch 160, 181, 192
e Klausur, -en 75
s Klavier, -e 11, 12, 24
s Kleid, -er 100, 101, 102
kleiden (sich)
    gekleidet 190, 191, 194
e Kleidung 40, 101
r Kleidungsstil, -e 101
s Kleidungsstück, -e 197
klein 80, 86, 100, 101,152
r/e Kleine, -n (ein Kleiner) 110
s Kleinkind, -er 80
klemmen 97, 120

klettern, ist geklettert 100, 101
s Klima 136, 146, 147
e Klimaanlage, -n 187
e Klimakatastrophe, -n 179
e Klimazone, -n 130
e Klinge, -n 140
klingeln 50, 51, 62
klingen, klingt, klang, hat geklungen 137, 174
e Klinik, -en 150
klopfen 90, 92
r Kloß, ¨e 71
km/h 123
knacken 174
knapp 178
e Kneipe, -n 122
s Knie, - 133
knien 188
r Knochen, - 140
r Knödel, - 82
r Knopf, ¨e 120
e Koalition, -en 178
r Koch, ¨e 110
kochen 18, 44, 73
e Köchin, -nen 124, 170, 171
r Kochlöffel, - 89
r Kochtopf, ¨e 166
r Koffer, - 13, 32, 33
r Kognak, -s 80
e Kohle, -n 98
e Kohlensäure 20
r Kollege, -n 102, 103, 110
e Kollegin, -nen 115
r Kölner, - 118
komisch 170
kommen, kommt, kam, ist gekommen 10, 11, 15
kommen sehen 150
kommen zu 132
kommend 196
kommerziell 73
e Kommode, -n 97
kommunal 187
e Kommunalpolitik 187
r Kommunist, -en 181
e Komödie, -n 196
r Komparativ, -e 82
komplett 13, 33
kompliziert 72
komponieren 170, 171
r Komponist, -en 23, 170
e Komposition, -en 170
r Kompromiss, -e 100

e Konferenz, -en 109, 123, 165
r Konflikt, -e 100
r König, -e 128, 130, 188
e Königin, -nen 160, 161, 188
e Königstochter, ¨ 188
r Konjunktiv, -e 146
e Konkurrenz, -en 110
können, kann, konnte, hat gekonnt / hat können 17, 20, 21
r Kontakt, -e 143, 162, 185
e Kontaktanzeige, -n 41
e Kontaktlinse, -n 36
s Konto, Konten 162
e Kontrolle, -n 161
kontrollieren 54
e Kontrolllampe, -n 97
konzentrieren 206
konzentriert 50
r Konzern, -e 110, 111, 116
s Konzert, -e 190
r Konzertsaal, -säle 190
r Kopf, ¨e 49, 50, 54
Kopfschmerzen (pl) 192
kopieren 165
r Korbsessel, - 193
r Körper, - 150
körperlich 140
korrigieren 23, 64, 165
Kosten (pl) 161
kosten 30, 32, 33
kostenlos 162
s Kotelett, -s 79, 83
e Kraft, ¨e 140
kräftig 120
r Kran, ¨e 50
krank 113
s Krankenhaus, ¨er 50, 51, 110
e Krankenkasse, -n 150
r Krankenpfleger, - 50
e Krankenschwester, -n 20
e Krankenversicherung, -en 156
r Krankenwagen, - 12, 14
e Krankheit, -en 140
e Krawatte, -n 39, 41, 54
r Kredit, -e 110, 111, 160
e Kreditkarte, -n 33, 36, 39
e Kreuzung, -en 57
r Krieg, -e 160, 161, 179
kriegen 197
e Krippe, -n 70, 71
e Krise, -n 183

e Kritik, -en 183
kritisieren 150
s Krokodil, -e 30, 31, 44
e Küche, -n 62, 84, 95
r Kuchen, - 78, 79, 84
e Küchenmaschine, -n 160
r Küchentisch, -e 52, 70
e Küchenuhr, -en 28
e Kuh, ¨e 60, 61, 123
kühl 132
r Kühlschrank, ¨e 32, 33, 34
e Kühlschranktür, -en 97
r Kuhstall, ¨e 61
r Kuli, -s 142
e Kultur, -en 190
r Kulturbetrieb 190
kulturell 190, 191
kümmern 110, 113
r Kunde, -n 109, 160
r Kundendienst 46
kündigen 161, 162
e Kunst, ¨e 190, 191, 193
e Kunstausstellung, -en 107
r Künstler, - 190
künstlich 140, 141
r Kunststudent, -en 20
s Kunstwerk, -e 191
kurios 123
r Kuriositäten-Führer, - 130
e Kurklinik, -en 150
r Kurs, -e 163, 200
e Kursleiterin, -nen 200
e Kursteilnehmerin, -nen 200
e Kurve, -n 57
kurz 50, 60, 64
kürzlich 177
Kurznachrichten (pl) 183
s Kuscheltier, -e 144
r Kuss, ¨e 10, 24, 34
küssen 14, 40, 80
e Küste, -n 130
e Kutsche, -n 130
lächeln 60, 80, 194
lachen 10, 11, 23
lächerlich 103
r Laden, ¨ 127
r Ladenbesitzer, - 197
e Lage, -n 96
e Lagerhalle, -n 147
r Lammbraten, - 82
e Lampe, -n 35
s Land, ¨er 26, 123, 135
s Land 130
e Landebahn, -en 122

landen, ist gelandet 122, 123
e Landschaft, -en 130
r Landwirt, -e 60
e Landwirtschaft 187
e Landwirtschaftsmesse, -n 137
r Landwirtschaftsminister, - 183
lang 60, 64, 70, 117, 130, 163
lange 19, 60, 61
e Länge, -n 92, 93, 112
länger 92, 140, 141
langsam 43, 71, 80
längst 197
langweilig 63, 100, 101
lassen, lässt, ließ, hat gelassen 105, 135, 143
r Lastwagen, - 90
e Laterne, -n 48
r Lauf, ˸e 132, 148
laufen, läuft, lief, ist gelaufen 50, 99, 131
laut 39, 41, 94
laut 150
lauter 207
s Leben 30, 50, 60
leben 11, 26, 30
lebend 196
lebendig 190
e Lebensgefahr, -en 197
s Lebensjahr, -e 77
r Lebenslauf, ˸e 116
e Lebenslust 200
s Lebensmittel, - 151, 160
r Lebensmittelmarkt, ˸e 160
r Lebenspartner, - 161
r Lebensretter, - 50
r Lebensrhythmus 140
r Lebensstil, -e 30
e Lebensversicherung, -en 156
e Lebensweise, -n 153
e Lebenszeit 140
lecker 121
e Lederjacke, -n 102
ledig 20, 21, 26
leer 80, 90, 91
legen 49, 50, 51
e Lehre, -n 110, 111
r Lehrer, - 15, 42, 109
r Lehrerberuf, -e 181
e Lehrerin, -nen 69, 110, 140
s Lehrerpult, -e 193
r Lehrling, -e 109, 113
e Lehrstelle, -n 112
leicht 100, 104, 204
Leid tun 45, 74, 80

leider 27, 77, 92
leihen, leiht, lieh, hat geliehen 103
e Leine, -n 124
leise 40, 173, 200
leisten 115, 160, 169
e Leistung, -en 187
leiten 136
e Leiter, -n 49, 52, 120
r Leiter, - 116, 171
e Leitung, -en 146
s Leitungswasser 198
e Lektion, -en 193
r Lenker, - 156
s Lenkrad, ˸er 120
lernen 45, 75, 146
lesen, liest, las, hat gelesen 10, 19, 32
r Leser, - 100, 140
e Leserin, -nen 100
letzte 120, 130, 131, 176
leuchten 97
Leute (pl) 17, 30, 33
s Licht, -er 42, 44, 58
lieb 11, 14, 37
e Liebe 80
lieben 11, 20, 50
lieber 79, 82, 83
r Liebesfilm, -e 192
e Liebesgeschichte, -n 192
r Liebhaber, - 204
r Liebling, -e 63, 73
r Lieblingsautor, -en 190
s Lieblingsgericht, -e 171
s Lied, -er 68
liefern 160
liegen, liegt, lag, hat gelegen 48, 50, 51
liegen bleiben 123
liegen lassen 170
liegen sehen 94
r Lift, -e/-s 120
e Limonade, -n 80, 81, 85
e Linie, -n 57
linke 102, 120, 124
links 18, 55, 57
e Lippe, -n 98
e Liste, -n 97
r Liter, - 78
e Literatur, -en 190
e Literaturmesse, -n 190
e Livesendung, -en 190
r Lkw -s 123
loben 183, 201

s Loch, ˸er 59, 60, 61
r Löffel, - 33
e Loge, -n 190
r Lohn, ˸e 109, 117
lohnen (sich) 119
e Lohnerhöhung, -en 162
r Lokalrundfunk 122
los 12, 50
lösen 147, 162
los·fahren, fährt los, fuhr los, ist losgefahren 155
los·gehen, geht los, ging los, ist losgegangen 90
los·lassen, lässt los, ließ los, hat losgelassen 156
e Lösung, -en 23, 24
s Löwenbaby, -s 204
e Luft 130, 131
r Luftballon, -s 20, 21, 66
e Luftmatratze, -n 19
e Lüge, -n 197
lügen, lügt, log, hat gelogen 40, 41
e Lust 43, 45, 88
lustig 113, 145, 155
Luxemburg 183
luxuriös 160
r Luxus 30
s Luxusfrühstück 160
m² 95
machen 11, 25, 38
macht nichts 80
s Machtinteresse, -n 183
s Mädchen, - 9, 10, 14
Magenschmerzen (pl) 153
mager 150
r Mai 72, 74, 130
r Maibaum, ˸e 129
r Makler, - 95
mal 12, 35, 40
s Mal, -e 100, 152, 160
mal wieder 176
malen 59, 64, 80
r Maler, - 49
e Mama, -s 8, 9, 13
man 38, 39, 40
r Manager, - 109, 111, 116
manche 30, 160
manchmal 50, 82, 130
r Mann, ˸er 10, 13, 26
männlich 26
e Mannschaft, -en 153, 156
r Mannschaftsarzt, ˸e 156
r Mantel, ˸ 29, 52, 65

s Märchenbuch, ˸er 110
s Märchenschloss, ˸er 128
e Margarine 78
r Markenartikel, - 162
s Marketing 137
markieren 15, 24, 34
e Marktfrau, -en 109
e Marktgasse, -n 130
e Marmelade 78
s Marmeladenglas, ˸er 120
r März 72, 74
e Maschine, -n 60
s Maßband, ˸er 92
s Material, -ien 161
e Mathematik 32
r Mathematiklehrer, - 18
e Matratze, -n 24, 30, 31
e Mauer, -n 104, 180
r Mauerbau 180
e Maus, ˸e 30, 48, 49
s Mäusepaar, -e 143
r Mäusevater, ˸ 172
r Mechaniker, - 177
s Medikament, -e 140, 147, 152
Medizin studieren 27
s Meer, -e 89, 94, 98
r Meeresboden 130
e Meeresluft 132
s Mehl 79
mehr 30, 32, 60
mehrere 206
e Mehrheit, -en 183
mehrmals 184
mein 12, 13, 15
meinen 20, 35, 60
meiner 56, 70, 100
meinetwegen 135
e Meinung, -en 100, 140, 147
meiste 160, 192
meisten 81, 110, 112
meistens 60, 61, 100
r Meister, - 170
e Meisterprüfung, -en 113
melden 102, 122, 145
e Meldung, -en 123
melken, melkt, melkte, hat gemolken 60
e Melkmaschine, -n 60
e Melodie, -n 170
Menge, -n 117, 137, 143
r Mensch, -en 10, 20, 30
e Menschheit 140
menschlich 140

merken **102, 103, 104**
merkwürdig 121
e Messe, -n 190
messen, misst, maß, hat ge-
    messen 92
s Messer, - 28, 33, 49
s Metall, -e 121
r Metallarbeiter, - 162
e Metalldose, -n 119
e Metallindustrie 161
r/s Meter, - 27, 92, 93
e Methode, -n 150, 151
r Metzger, - 184
e Metzgerei, -en 127
s Metzgermesser, - 184
Mexico 110
Mexiko 123
miau 60
mich 25, 70, 71
e Miete, -n 95
mieten 160
r Mieter, - 147
r Mietvertrag, ¨e 147
e Milch 78, 103, 143
e Milchproduktion 136
mild 132
r Milliardär, -e 197
e Milliardärin, -nen 196
e Milliarde, -n 183
e Million, -en 130, 131
Millionen (pl) 130, 163, 179
mindestens 70
s Mineralwasser, - 20, 21, 52
r Minikühlschrank, ¨e 30
r Minirock, ¨e 195
r Minister, - 123, 188, 189
r Ministerpräsident, -en 178
minus 132
e Minute, -n 20, 21, 24
mir 45, 70, 71
e Miss 193
r Misserfolg, -e 150
s Missgeschick, -e 120
s Missverständnis, -se 175
mit 20, 27, 32
mit freundlichen Grüßen 27
mit·arbeiten 61
r Mitarbeiter, - 47, 160
e Mitbestimmung 187
mit·bringen, bringt mit, brachte
    mit, hat mitgebracht 68, 69,
    70
miteinander 178, 200, 201

mit·fahren, fährt mit, fuhr mit,
    ist mitgefahren 91
s Mitglied, -er 116, 157
r Mitgliedsstaat, -en 183
mit·helfen, hilft mit, half mit,
    hat mitgeholfen 113
mit·kommen, kommt mit, kam
    mit, ist mitgekommen 47,
    107, 133
s Mitleid 140, 141
mit·machen 100
r Mitmensch, -en 197
mit·nehmen, nimmt mit, nahm
    mit, hat mitgenommen 103,
    135, 146
r Mitschüler, - 113
mit·spielen 118, 147
r Mittag 60, 82, 84
s Mittagessen, - 60, 61, 65
mittags 82
r Mittagsschlaf 61
e Mitte 90, 106, 107
mit·teilen 162
s Mittel, - 153
Mitteleuropa 130
mittelgroß 116
s Mittelmeer 36, 135, 150
e Mittelstufenprüfung, -en 205
mitten 92, 123, 125
e Mitternacht 73
e Mitternachtsmesse, -n 71
mittlere 161
r Mittwoch 17, 97
mit·wirken 190
r Mixer, - 88
mmh 121
Möbel (pl), - 30, 31, 34
e Möbelfabrik, -en 161
e Möbelfirma, -firmen 116
s Möbelgeschäft, -e 162
s Möbelstück, -e 93
r Möbeltischler, - 20
r Möbelwagen, - 198
s Mobiltelefon, -e 30, 31
möchten, möchte, 25, 32, 33
e Mode, -n 100
s Modell, -e 143
e Modenschau, -en 100
modern 100, 101, 180
modisch 178
s Mofa, -s 48
mögen, mag, mochte, hat ge-
    mocht / hat mögen 79, 80,
    83

möglich 90, 141, 145
möglicherweise 185
möglichst 130
r Moment, -e 28, 70, 90
r Monat, -e 95, 110, 111
r Monatsname, -n 74
r Mond, -e 186
r Mondsee 96
r Montag, -e 17, 45, 47
montieren 158
e Moral 196
r Mord, -e 125
r Mörder, - 125
morgen 15, 17, 45
r Morgen 61, 90, 91
morgen früh 75
morgen Nachmittag 75
morgens 60, 61, 82
r Motor, -en 94, 117, 122
s Motorrad, ¨er 30, 31, 34
e Mücke, -n 48
müde 42, 61, 62
e Mühe, -n 199
e Müllabfuhr 97
r Mülleimer, - 143
r Müllsack, ¨e 97
r Mund, ¨er 81, 114
mündlich 187
s Münster, - 60
e Münze, -n 29
s Murmeltier, -e 130
s Museum, Museen 37, 41, 55
r Museumsplatz, ¨e 53
e Musik 11, 30, 31
musikalisch 171
r Musiker, - 134, 170
e Musikerin, -nen 30
s Musikstück, -e 190
s Müsli 82
müssen, muss, musste, hat
    gemusst / hat müssen 38,
    39, 40
r Mut 152, 160, 173
e Mutter, ¨ 13, 23, 43
e Muttersprache, -n 187
e Mütze, -n 49, 70, 94
na 20, 80, 100
na bitte 169
na dann 83
na gut 80
na ja 19, 115
na klar 135
na schön 169
nach 46, 47, 51

nach Hause 46, 47, 62
nach unten gehen 130
r Nachbar, -n 92, 97, 119
s Nachbarhaus, ¨er 125
e Nachbarin, -nen 120, 133,
    140
e Nachbarstadt, ¨e 160
r Nachbartisch, -e 80, 81
nachdem 170, 171, 172
nach·denken, denkt nach,
    dachte nach, hat nachge-
    dacht 147
nachdenklich 170
e Nachfrage, -n 160
s Nachkriegsjahr, -e 180
r Nachmittag, -e 60, 120
r Nachname, -n 23
e Nachricht, -en 47, 80, 81
Nachrichten (pl) 122, 179
nach·schauen 206
nach·schlagen, schlägt nach,
    schlug nach, hat nachge-
    schlagen 89
nach·sehen, sieht nach, sah
    nach, hat nachgesehen 165
e Nachspeise, -n 85, 199
nach·sprechen, spricht nach,
    sprach nach, hat nachge-
    sprochen 14, 15, 24
nächste 50, 71, 100
e Nacht, ¨e 70, 71, 120
r Nachtclub, -s 204
r Nachthimmel 100
nachträglich 77
nachts 80, 81, 126
e Nachttischlampe, -n 198
nackt 130
e Nadel, -n 160
r Nagel, ¨ 28
nah 94
e Nähe 60, 117, 130
nähen 60
näher 90
s Nahrungsmittel, - 150
r Nahverkehr 182
naiv 193
r Name, -n 26, 27, 54
s Namensschild, -er 90
nämlich 100, 120, 121
nanu 169
naschen 40, 44, 99
e Nase, -n 80, 94, 100
s Nashorn, ¨er 204
nass 19, 24, 94

nass machen 188
r Nationalrat, ⸚e 183
e Natur 140
natürlich 19, 24, 26
r Naturpark, -s 130, 131
s Naturphänomen, -e 130
r Nebel, - 132
neben 48, 49, 50
nebenan 194, 198
nebeneinander 200
Nebenkosten (pl) 95
r Nebensatz, ⸚e 204
r Nebentisch, -e 203
s Nebenzimmer, - 204
neblig 123
nehmen, nimmt, nahm, hat
   genommen 52, 54, 55
r Neid 140
nein 8, 9, 12
nennen, nennt, nannte, hat
   genannt 40, 120, 124
r Nerv, -en 103
r Nervenzusammenbruch, ⸚e
   100
nervös 80, 103, 120
nett 17, 32, 75
s Netz, -e 94
neu 33, 73, 77
neugierig 190
neulich 100
r Neuschnee 204
Neuschwanstein 130
Neuseeland 178
r Neuwagen, - 162
nicht 11, 131, 83
nicht einmal 115, 180
nicht genug 160
nicht immer 50, 101
nicht mehr 32, 38, 60
nicht nur 161
nicht nur ... sondern auch 168
e Nichte, -n 100, 101
nichts 64, 66, 80
nichts Besonderes 200
nichts mehr 40, 83, 152
nichts weiter 206
nie 40, 41, 150
nie mehr 40
niedrig 162
niemals 150
niemand 50, 90, 120
r Nikolaus 70, 71, 72
r Nikolaustag, -e 70
noch 32, 33, 35

noch ein 67, 80, 83
noch eine 97
noch einmal 53, 80, 81
noch etwas 175
noch immer 124
noch mal 155
noch mehr 101, 140, 169
noch nicht 27, 42, 64
noch nichts 50
noch nie 145
s Nomen, - 151
r Nominativ, -e 28, 29, 48
norddeutsch 116
Norddeutschland 129, 132, 135
r Norden 130
r Nordpol 172
e Nordsee 36, 120
e Nordseeinsel, -n 133
e Nordseeküste 130
r Nordwesten 132
normal 186
normalerweise 20, 24, 30
e Not, ⸚e 162
e Notärztin, -nen 50
r Notarztwagen, - 50
e Notaufnahme, -n 50
r Notdienst, -e 119
e Note, -n 110, 170
s Notenpapier 170
notieren 9, 22, 23
nötig 165
e Notiz, -en 47
r Notizzettel, - 47
r Notruf, -e 120
r Notrufschalter, - 121
notwendig 187
r November 70, 71, 72
Nr. → Nummer 12, 46, 82, 133,
   149
e Nudel, -n 78, 79
r Nudelsalat, -e 79
e Nudelsuppe, -n 204
e Null 97
null 14
e Nulldiät, -en 150
e Nummer, -n 9, 13, 23
nun 145, 147, 151
nur 30, 41, 43
nur einmal 130
nur nicht 80
nur noch 51, 112, 119
e Nuss, ⸚e 71
r Nusskuchen, - 204
nützen 153

ob 140, 141, 149
oben 90, 94, 120
Oberösterreich 96
s Obst 79, 109, 150
r Obstsalat, -e 85
obwohl 101, 120, 121
oder 11, 12, 19
r Ofen, ⸚ 94
offen 106, 107, 110
offenbar 171
offensichtlich 130
öffentlich 182, 190
e Öffentlichkeit 170
öffnen 89, 97, 120
oft 60, 101, 111
öfter 162
oh 8, 9, 75
oh Gott 63
ohne 20, 40, 41
ohne zu 90, 91
s Ohr, -en 94, 100, 101
r Ohrring, -e 100, 102
okay 45
r Öko-Spinner, - 161
e Ökologie-Steuer, -n 161
r Oktober 72, 74
r Oldtimer, - 110
e Ölfirma, -firmen 117
r Ölkonzern, -e 116
Olympia 34
e Oma, -s 70, 132
s Omelett, -s 83
r Onkel, - 70, 110, 113
r Opa, -s 70
e Oper, -n 171, 190, 191
e Operette, -n 192
operieren 156
r Opernball, ⸚e 190, 191
s Opernhaus, ⸚er 171
r Opernsänger, - 170
e Opernwelt 190
s Opfer, - 50
e Opposition, -en 183
r Orangensaft 82
s Orchester, - 190
ordnen 9, 34, 53
e Ordnung, -en 60, 150
e Organisation, -en 183
organisieren 122
r Organist, -en 170
s Original, -e 118
originell 160
r Ort, -e 17, 110, 135
Ost 130

Ostdeutschland 132
r Osten 132
Ostern 74
Österreich 26, 72, 97, 130
r Österreicher, - 26
e Österreicherin, -nen 26
österreichisch 26, 131, 137
e Ostsee 36, 96, 97
PS: 37
s Paar, -e 76, 99, 160
paar 30, 57, 90
s Päckchen, - 71, 78, 79
packen 19, 64, 65
e Packung, -en 150
s Paket, -e 158
s Paket, -e 79, 177
e Palatschinke, -n 203
e Palme, -n 168
e Panne, -n 120
r Papagei, -en 44, 52
s Papier, -e 193
s Paradies, -e 140
r Park, -s 130
parken 127, 158, 159
s Parkhaus, ⸚er 122
r Parkplatz, ⸚e 57
s Parlament, -e 183
e Parlamentssitzung, -en 123
e Partei, -en 178
s Partizip, -ien 164
r Partner, - 160, 162
e Partnerfirma, -firmen 205
e Party, -s 75, 79, 138
r Pass, ⸚e 123
r Passagier, -e 63
r Passant, -en 199
passen 12, 18, 21
passend 198
passieren 53, 61, 63
s Passionsspiel, -e 190
s Passiv 158
r Patient, -en 109, 140, 141
e Pauke, -n 177
e Pause, -n 38, 80, 90
s Pech 110, 121, 160
r Pechvogel, ⸚ 120
peinlich 175
s Penicillin 179
per 162
perfekt 147, 203
s Perfekt 58, 59, 61
e Person, -en 15, 26, 28
Personalien (pl) 26
r Personenwagen, - 50

persönlich 150

pervers 100

e Pest 190

e Petersilie 86

e Pfanne, -n 86

r Pfannkuchen, - 203

r Pfarrer, - 49, 69, 94

r Pfeffer 79, 86, 93

e Pfeife, -n 203

pfeifen, pfeift, pfiff, hat gepfiffen 149

s Pferd, -e 49, 99, 114

e Pferdekutsche, -n 130

s Pferderennen, - 130

r Pferdewagen, - 130

e Pflanze, -n 130

pflanzen 119

s Pflaster, - 29

r Pflaumenkuchen, - 154

pflegen 140

r Pfleger, - 51

pflücken 139

pfui 8, 154

s Pfund, -e 22, 78, 114

e Pfütze, -n 49, 104, 134

r Philharmoniker, - 170

e Philosophie, -n 110

e Physik 32

s Physikbuch, ¨er 34

r Pianist, -en 170

e Pille, -n 141

r Pilot, -en 94

e Pilotin, -nen 122

r Pilz, -e 22, 24

e Pilzsoße, -n 85

e Pilzvergiftung, -en 119

e Piste, -n 143

e Pistole, -n 124

e Pizza, Pizzen 23, 24, 41

r Pizza-Express 23

r Pkw, -s 123

r Plan, ¨e 100, 110, 150

planen 155, 160, 163

r Planet, -en 186

e Planungsabteilung, -en 161

r Plastiksack, ¨e 90

e Plastiktüte, -n 118

r Plattenspieler, - 160

r Platz, ¨e 30, 73, 80

s Plätzchen, - 70, 71

platzen, ist geplatzt 20, 21, 24

plötzlich 60, 66, 67

r Plural, -e 9, 13

s Plusquamperfekt 171

r Pokal, -e 153

r Pokalsieger, - 153

e Politik 181

r Politiker, - 173, 178, 183

politisch 173, 180, 181

e Polizei 14, 24, 112

s Polizeiauto, -s 12

s Polizeirevier, -e 102

r Polizist, -en 48, 142, 169

e Polizistin, -nen 9

Pommes frites (pl) 85, 148

r Portier, -s 169

e Portion, -en 203

s Portugiesisch 146

positiv 183

e Post 34, 55, 65

e Postkarte, -n 17

r Praktikant, -en 161

s Praktikum, Praktika 205

praktisch 93

e Praline, -n 78

e Präposition, -en 54

s Präsens 58, 59, 101

präsentiert 190

r Präsident, -en 181

r Prater 130

s Präteritum 61, 101, 118

e Praxis, Praxen 110

r Preis, -e 93, 161, 178

e Pressekonferenz, -en 183

prima 17, 45, 65

privat 100, 110, 162

r Privatunterricht 205

pro 20, 95, 100

e Probe, -n 80, 81

proben 193

probieren 79, 82, 84

s Problem, -e 19, 20, 37

problemlos 132

e Produktion, -en 161

produzieren 160

r Professor, -en 170

s Programm, -e 180

s Projekt, -e 140

prominent 171

s Pronomen, - 69

r / (s Österreich) Prospekt, -e 93

Prost ! 20

Prost Neujahr! 73

r Protest, -e 197

protestieren 100

provozieren 63, 190

s Prozent, -e 163, 161, 162

r Prozess, -e 197

e Prüfung, -en 109, 175, 199

r Psychologe, -n 93

e Psychologie 110

s Publikum 190

r Pudding 99

r Pullover, - 100, 101

r Puls 80

pünktlich 148

e Puppe, -n 49, 54, 71

putzen 40, 41, 60

e Putzfrau, -en 118

r Quadratmeter, - 95

e Qual, -en 144

e Qualität, -en 162

r Quatsch 195

e Quelle, -n 160

quer 130

s Quiz, - 23

s Rad, ¨er 20, 21

r Radfahrer, - 130

r Radfreund, -e 157

s Radio, -s 12, 13, 23

e Radionachricht, -en 162

s Radrennen, - 118, 156

e Radtour, -en 155

r Rahmen, - 92

e Rakete, -n 73

e/(s Schweiz) Rallye, -s 117

r Rand, ¨er 106

rasch 171

r Rasen 40, 120

rasen, ist gerast 130

r Rasierapparat, -e 36, 177

rasieren 20, 21, 24

r Rat, Ratschläge 143, 146

raten, rät, riet, hat geraten 143, 150, 151

s Rathaus, ¨er 55, 107

Ratschläge (pl) 103

rauchen 30, 41, 152

r Raum, ¨e 160

räumen 90

e Reaktion, -en 50

realisieren 161

r Realschulabschluss, ¨e 112

e Realschule, -n 112

rechnen 21

e Rechnung, -en 85, 126, 160

recht 106

s Recht, -e 100, 130

Recht haben 115, 127, 171

rechts 18, 55, 57

r Rechtsanwalt, ¨e 111

e Rechtsanwältin, -nen 110

rechtzeitig 179

e Redakteurin, -nen 100

e Rede, -n 123

reden 80, 103, 112

e Redensart, -en 176

r Redner, - 182

s Regal, -e 35, 52, 54

regelmäßig 143

regeln 183

r Regen 54, 130

r Regenschirm, -e 29, 33, 35

regieren 140

e Regierung, -en 178

r Regisseur, -e 80

r Regler, - 97

regnen 123, 132

reich 190

reichen 190

r Reifen, - 67

e Reifenpanne, -n 20

e Reihe, -n 176

e Reihenfolge, -n 22, 66, 145

rein 150

r Reis 85

e Reise, -n 8, 9, 17

s Reisebüro, -s 186

s Reiseerlebnis, -se 117

reisen, ist gereist 10, 110, 187

r Reisepass, ¨e 94

e Reisetasche, -n 170

reißen, reißt, riss, hat gerissen 50, 51, 64

reiten, reitet, ritt, ist geritten 21, 45, 53

s Reitpferd, -e 130

reizen 89

r Rekord, -e 20

s Rekordjahr, -e 190

e Rekordzahl, -en 190

s Relativpronomen, - 134

rennen, rennt, rannte, ist gerannt 50, 51, 64

s Rennrad, ¨er 156

renovieren 100

e Renovierung, -en 182

e Rente, -n 72, 140

r Rentner, - 93, 118

e Reparatur, -en 90

reparieren 60, 61, 67

e Reportage, -n 25

r Reporter, - 9, 25, 30

reservieren 83

e Ressource, -n 161

r Rest, -e 30, 34
s Restaurant, -s 37, 83, 110
restlich 130
retten 120, 121, 144
e Retterin, -nen 162
e Rettung 120
r Rettungsdienst, -e 50
s Rettungsteam, -s 50
r Rettungswagen, - 50
r Revolutionär, -e 195
s Rezept, -e 82, 86
r Richter, - 123
e Richterin, -nen 110
richtig 11, 13, 19
e Richtung, -en 132
e Richtung, -en 57
riechen, riecht, roch, hat ge-
    rochen 194
riesig 130, 131, 160
e Rinderbouillon, -s 85
r Rinderbraten 84
r Ring, -e 100, 101, 119
r Rippenbruch, ‥e 50
r Ritter, - 188
r Roboter, - 167
r Rock, ‥e 100
e Rockgruppe, -n 181
e Rockmusik 190
e Rolle, -n 80, 81, 170
r Rollstuhl, ‥e 125
r Roman, -e 178
romantisch 92
r Römer, - 179
römisch 123
e Rose, -n 76, 144
rot 80, 85, 98
s Rot 130
rothaarig 102
r Rotkohl 71
r Rotwein, -e 85
r Rücken 70, 114, 120
Rückenschmerzen (pl) 120
e Rückkehr 183
e Rückreise, -n 130
r Rucksack, ‥e 133
e Rückseite, -n 119
r Rücksitz, -e 171
rückwärts 156
rufen, ruft, rief, hat gerufen
    50, 64, 70
e Ruhe 38, 42, 90
ruhig 72, 80, 83
rund 106, 107, 179
rund um 156, 160

Russland 25, 130
e Rute, -n 70
e S-Bahn, -en 129
r Saal, ‥e 169
e Sache, -n 120
Sachen (pl) 90, 91, 100
e Sachertorte, -n 128
r Sack, ‥e 70, 71, 78
r Saft, ‥e 8, 9, 24
sagen 10, 12, 13
e Sahne 78, 79, 80
r Sahnesee, -n 99
e Sahnesoße, -n 85
r Salat, -e 78, 82, 85
e Salatgurke, -n 198
s Salatteller, - 85
r Salon, -s 112
s Salz 63, 86
salzen 166, 170
s Salzgebäck 180
salzig 79
sammeln 110, 119, 161
r Samstag, -e 17, 95, 130
r Samstagabend, -e 180
r Samstagmorgen 155
samstags 60, 180, 181
r Sänger, - 69
e Sängerin, -nen 9
r Sanitäter, - 50, 51
satt 83
r Satz, ‥e 12, 15, 23
sauber 19, 24, 89
sauber machen 60, 65
sauer 79
r Sauerstoff 50
e Sauna, -s/Saunen 110
s Saxophon, -e 146
s Schach 45
r Schachclub, -s 118
e Schachtel, -n 78, 90
schade 46, 75
s Schaf, -e 94, 104, 123
schaffen, schafft, schaffte,
    hat geschafft 20, 24, 50
schaffen, schafft, schuf, hat ge-
    schaffen 182
r Schal, -s 103
schälen 86, 87
r Schalter, - 60, 120
scharf 79, 92, 93
r Schatten, - 90
r Schatz, ‥e 73
schauen 35, 50, 51
r Schauer, - 132

s Schaufenster, - 200
s Schauspiel, -e 190
r Schauspieler, - 190
r Scheck, -s 36
e Scheibe, -n 82, 86
sich scheiden lassen 162
scheinbar 197
scheinen, scheint, schien, hat
    geschienen 132, 133, 161
scheinen, scheint, schien, hat
    geschienen 206
schenken 68, 69, 70
e Schere, -n 193
r Scherz, -e 172
scheußlich 17
schicken 11, 34, 37
schieben, schiebt, schob, hat
    geschoben 50, 51, 64
r Schiedsrichter, - 149
e Schiene, -n 130
schießen, schießt, schoss, hat
    geschossen 39, 58
s Schiff, -e 179
s Schild, -er 49, 57
schimpfen 50, 67, 109
r Schinken, - 82, 85, 86
s Schinkenbrot, -e 85
r Schirm, -e 105
r Schlaf 143
schlafen, schläft, schlief, hat
    geschlafen 42, 43, 44
schlafen gehen 198
schlaff 140
r Schlafsack, ‥e 19, 24
s Schlafsofa, -s 93
s Schlafzimmer, - 30, 52, 62
schlagen, schlägt, schlug, hat
    geschlagen 80, 86, 89
e Schlagzeile, -n 118
s Schlagzeug, -e 89
e Schlange, -n 30, 44, 114
Schlange stehen 177
schlank 150
e Schlankheitskur, -en 150
schlapp 174
schlau 104
schlecht 17, 21, 80
schleppen 90
schließen, schließt, schloss,
    hat geschlossen 90, 97, 124
schließlich 90, 91, 100
schlimm 100, 133, 140
s Schloss, ‥er 120, 121
r Schluck, -e 80

r Schluss 64, 71, 125
r Schlüssel, - 47, 76, 97
schmal 102
schmecken 69, 71, 80
r Schmerz, -en 50, 153, 156
r Schmuck 101, 119, 200
schmücken 68, 70, 71
s Schmuckgeschäft, -e 201
r Schmuckladen, ‥ 200
s Schmuckstück, -e 100
schmutzig 103, 186
schnarchen 173
r Schnee 94
schneiden, schneidet,
    schnitt, hat geschnitten 20,
    24, 64
schneien 123, 132
schnell 20, 24, 43
r Schnellzug, ‥e 196
s Schnitzel, - 85
r Schnupfen 152
r Schock, -s 50
e Schokolade, -n 69, 78, 99
s Schokoladenschwein, -e 174
schon 19, 32, 110
schön 14, 65, 190
schon mal 161
schon wieder 170
r Schönheitschirurg, -en 140
r Schornsteinfeger, - 126
r Schoß, ‥e 180
r Schrank, ‥e 49, 52, 54
e Schranke, -n 130
r Schrankspiegel, - 198
e Schranktür, -en 198
r Schreck 201
schrecklich 100, 101, 103
schreiben, schreibt, schrieb,
    hat geschrieben 11, 17, 27
e Schreibmaschine, -n 32, 33,
    34
s Schreibpult, -e 93
r Schreibtisch, -e 30, 32, 34
schreien, schreit, schrie, hat
    geschrien 172
schriftlich 187
e Schriftstellerin, -nen 93
r Schritt, -e 90
r Schuh, -e 28, 34, 40
r Schulabgänger, - 112
r Schulbesuch, -e 112
e Schuld 175
Schulden (pl) 160
schuldig 197

e Schule, -n 60, 110, 112
r Schüler, - 110, 112
e Schülerin, -nen 109, 110
schulfrei 180
r Schulfreund, -e 137
s Schuljahr, -e 100
e Schulpflicht 112
s Schulsystem, -e 112
e Schulter, -n 120
e Schulzeit, -en 112
e Schüssel, -n 204
e Schusswaffe, -n 122
r Schutz 161
schützen 89
schwach 50, 51
e Schwäche, -n 170
schwarz 90, 98, 100
schwarz-weiß 129, 180
s Schwarzbrot, -e 82
Schwarzwald 128
e Schwebebahn 130
schweben 130
schwedisch 135
schweigen, schweigt,
    schwieg, hat geschwiegen
    120, 121, 124
s Schwein, -e 60, 69, 84
r Schweinebraten, - 82, 84
s Schweinefleisch 79
e Schweiz 129, 130
r Schweizer, - 130, 135, 136
schwer 104, 120
schwer machen 152
e Schwester, -n 24, 71, 74
schwierig 90, 91
e Schwierigkeit, -en 146, 160
s Schwimmbad, ¨er 55, 169
schwimmen, schwimmt,
    schwamm, ist geschwom-
    men 21, 27, 39
schwimmen gehen 46
schwitzen 150, 151
r See, -n 123, 124, 130
r Seemann, -leute 117
s Segelboot, -e 30, 31, 34
segeln 27, 135
sehen, sieht, sah, hat gese-
    hen 40, 41, 42
e Sehenswürdigkeit, -en 130
sehr 20, 24, 27
sehr gut 165
e Seilbahn, -en 128
sein, ist, war, ist gewesen 10,
    11, 12, 13, 31, 32

sein können 145
seiner 68, 73, 100
seit 68, 70, 72
seit langem 185
seit wann 72
seitdem 130, 179, 190
e Seite, -n 50, 51, 90
s Seitenfenster, - 134
e Sekretärin, -nen 26, 68, 109
r Sekt 73
e Sekundarschule, -n 112
e Sekunde, -n 20, 21
selbst 34, 82, 91
selbstständig 110, 111, 115
e Selbstständigkeit 160
selbstbewusst 170
s Selbstlernkurs, -e 205
r Selbstmord, -e 122
selbstverständlich 162, 180
selten 30, 60, 90
seltsam 125
s Semester, - 110
s Seminar, -e 136
e Sendung, -en 180
r Senf 78
senken 130, 161, 163
r September 72, 74
e Serie, -n 60
r/s Service 161
servieren 170
servus 133
r Sessel, - 60, 90, 140
setzen (sich) 49, 52, 90
r Sexwitz, -e 173
s Shampoo, -s 94
e Shampooflasche, -n 90
sich 100, 108, 109
sicher 80, 81, 84
e Sicherheit, -en 161, 183, 185
sichern 162
e Sicherung, -en 97
Sie 8, 9, 10
sie 10, 13, 18
r Sieg, -e 184
siegen 197
r Sieger, - 153
e Silbe, -n 164
e Silberhochzeit, -en 68, 74
silbern 200
r/s Silvester 71
singen, singt, sang, hat ge-
    sungen 21, 64, 70
r Singular, -e 9

sinken, sinkt, sank, ist gesun-
    ken 114, 161, 163
sinnvoll 186
e Sirene, -n 50
e Situation, -en 33, 175
r Sitz, -e 199
sitzen, sitzt, saß, hat geses-
    sen 48, 50, 51
sitzen bleiben 124
sitzen lassen 197
r Sitzplatz, ¨e 190
e Sitzung, -en 163
Skandinavien 132
r Sketsch, -e 173
r Ski, -er 45
r Skikurs, -e 132
r Skiläufer, - 143
so 13, 17, 30
so dass / sodass 170, 171, 182
so ein 94, 140, 175
so oder so 119
so viel 103
so viele 79, 135
so weit 70
so wie 130
sobald 160, 181
e Socke, - n 94
s Sofa, -s 48, 92, 107
sofort 57, 60, 85
sogar 90, 100, 110
r Sohn, ¨e 12, 18, 24
solange 190
solche 147, 150, 160
sollen, soll, sollte, hat gesollt
    / hat sollen 38, 39, 40
r Sommer, - 30
s Sommerfest, -e 118
Sonder- 160
s Sonderangebot, -e 93
sondern 82, 84, 110
e Sonne, -n 82, 114, 132
e Sonnenbrille, -n 29, 35
r Sonnenhändler, - 184
s Sonnenhaus, ¨er 184
r Sonnenhut, ¨e 184
r Sonnenschirm, -e 143
r Sonntag, -e 17, 45, 56
r Sonntagabend 155
r Sonntagmorgen 160
sonntags 40, 60, 61
s Sonntagskleid, -er 101
sonst 64, 140, 145
e Sorge, -n 140, 141, 147
sorgen 160

e Sorte, -n 20, 21
e Soße, -n 92
r Souvenirladen, ¨ 117
souverän 170
sowieso 80, 100, 110
sozial 200
e Sozialarbeiterin, -nen 30
r Sozialdemokrat, -en 182
Spagetti / Spaghetti (pl) 79
Spanien 25
r Spanier, - 203
spanisch 27, 34, 44
spannend 30, 90, 91
sparen 94, 140, 141
e Sparkasse, -n 122
r Spaß, ¨e 73, 75, 77
spät 62, 71, 82
später 50, 60, 70
r Spatz, -en 184
spazieren, ist spaziert 144
spazieren gehen 107, 127, 133
s Spazierengehen 180
r Spaziergang, ¨e 127
SPD 182
e Speise, -n 170
e Speisekarte, -n 80, 84
Spezial- 160
spezialisieren 186
speziell 100
r Spiegel, - 35, 40, 41
r Spiegelschrank, ¨e 90
s Spiel, -e 40, 153, 173
spielen 11, 12, 190
r Spieler, - 149
spielerisch 206
r Spielfeldrand, ¨er 156
Spielsachen (pl) 70
s Spielzeug 204
s Spielzeugauto, -s 156
e Spinne, -n 30, 34, 44
spinnen, spinnt, sponn, hat ge-
    sponnen 19, 34, 94
spontan 140
r Sport 27, 135, 140
s Sportflugzeug, -e 122
s Sportgerät, -e 150
s Sportgeschäft, -e 150
e Sportklinik, -en 156
e Sportlehrerin, -nen 18
sportlich 150
r Sportplatz, ¨e 156
s Sportstudio, -s 152
e Sportveranstaltung, -en 117
r Sportverein, -e 150, 151

r Sportwagen, - 138, 146
e Sprachbegabung 200
e Sprache, -n 27, 34, 110
Sprachkenntnisse (pl) 110
r Sprachkurs, -e 147, 202, 205
e Sprachschule, -n 202
sprechen, spricht, sprach, hat gesprochen 40, 41, 43
springen, springt, sprang, ist gesprungen 21, 38, 50
e Spritze, -n 152
r Sprung, ¨e 90, 114, 160
spülen 59, 64, 65
spüren 90
staatlich 190
e Staatsangehörigkeit, -en 26
s Staatsexamen, - 110
r Staatspräsident, -en 183
stabil 178
e Stadt, ¨e 17, 34, 80
e Stadtbahn, -en 57
e Stadtbücherei, -en 182
s Städtchen, - 196
städtisch 187
s Stadtparlament, -e 182
r Stadtrat, ¨e 182
r Stadtteil, -e 130
e Stadtverwaltung, -en 197
r Stall, ¨e 49, 60
e Stallarbeit, -en 60
stammen 198
ständig 100, 170
r Standpunkt, -e 181
r Star, -s 190
stark 92, 123, 130
starten, ist gestartet 171
e Station, -en 53, 57
s Stationsgebäude, - 193
statistisch 162
statt 150
stattdessen 120
statt·finden, findet statt, fand statt, hat stattgefunden 137, 190
r Stau, -s 132
e Steak-House-Kette 110
stechen, sticht, stach, hat gestochen 121
e Steckdose, -n 88
stecken 88, 90, 120
stecken bleiben 121
r Stecker, - 88
stehen, steht, stand, hat gestanden 48, 50, 51

stehen bleiben 120, 121, 130
stehlen, stiehlt, stahl, hat gestohlen 102, 125
r Stehplatz, ¨e 190
steif 89
steigen, steigt, stieg, ist gestiegen 53, 104, 114
steil 116
r Stein, -e 100
e Stelle, -n 109, 130
stellen 49, 52, 64
stellenweise 132
r Stellenwert 140
e Stellung, -en 147
sterben, stirbt, starb, ist gestorben 60, 141, 179
r Stern, -e 40, 106, 107
stets 170
e Steuer, -n 40
e Steuerreform, -en 183
e Steuerschuld, -en 163
e Stewardess, -en 63
r Stiefel, - 34, 70
r Stil, -e 100
still 90
e Stimme, -n 80, 81, 90
stimmen 30, 34, 80
stimmt so 80
s Stipendium, -dien 110
r Stock, Stockwerke 120, 125, 158
r Stoff, -e 161
s Stofftier, -e 201
stöhnen 50
stolpern, ist gestolpert 156
stolz 110
stoppen 169
stören 74, 130
stoßen, stößt, stieß, ist / hat gestoßen 90, 119, 120
e Strafe, -n 197
r Strand, ¨e 120, 130
e Straße, -n 26, 34, 50
e Straßenbahn, -en 130
r Strauß, ¨e 190
e Strecke, -n 130
streicheln 134
streichen, streicht, strich, hat gestrichen 88, 100, 101
e Streichholzschachtel, -n 187
r Streik, -s 123
streiken 162
r Streit 132, 162, 170

streiten, streitet, stritt, hat gestritten 100
e Streitigkeit, -en 162
streng 70
streuen 86
r Strich, -e 80
r Strom, 65, 97
e Stromleitung, -en 92, 120
r Strumpf, ¨e 28, 34, 40
s Stück, -e 55, 78, 181
r Student, -en 109, 140
e Studentenaufführung, -en 196
e Studentenzeit 181
e Studentin, -nen 109
r Studienabschluss, ¨e 161
studieren 20, 23, 24
s Studium, -dien 34, 110, 111
e Stufe, -n 97
r Stuhl, ¨e 32, 33, 34
e Stunde, -n 60, 61, 75
stundenlang 120
r Sturm, ¨e 130
r Sturz, ¨e 120
stürzen, ist gestürzt 156
stützen 89
e Suchanzeige, -n 145
e Suche 126
suchen 27, 28, 32
Südafrika 25
Südamerika 117
Süddeutschland 82
r Süden 130, 131
südwestlich 132
e Summe, -n 197
r Superlativ, -e 81
r Supermarkt, ¨e 65
e Suppe, -n 82, 84, 85
surfen 18, 27, 45
surfen gehen 47
süß 79, 124, 145
s Süße 170
e Süßigkeit, -en 70, 71
s Symbol, -e 200
sympathisch 17, 34, 115
s System, -e 181
e Szene, -n 188, 190, 193
e Tabaksteuer, -n 163
e Tabelle, -n 93
s Tablett, -s/-e 120, 121
e Tablette, -n 143
e Tafel, -n 69, 78, 150
r Tag, -e 9, 17, 19
s Tagebuch, ¨er 143

tagelang 120
e Tageszeitung, -en 117
täglich 40, 60, 61
s Tal, ¨er 130
s Talent, -e 195
r Tango 88
r Tank, -s 126
e Tankstelle, -n 57, 117
r Tankwart, -e 117
e Tante, -n 92, 114
tanzen 38, 73, 88
e Tapete, -n 92
tapezieren 93
e Tasche, -n 13, 24, 48
s Taschentuch, ¨er 29, 44
e Tasse, -n 60, 82, 84
e Tat, -en 197
e Tätigkeit, -en 161
tatsächlich 130
e Taube, -n 48, 90, 91
tauchen, ist getaucht 21, 27, 39
e Taucherbrille, -n 89
tauschen 96
Tausende 190
s Taxi, -s 8, 9, 12
r Taxifahrer, - 53, 128, 170
e Taxifahrt, -en 123
r Taxistand, ¨e 55
technisch 161
e Technologie, -n 136
s Technologiezentrum, -zentren 137
r Teddy, -s 53
r Tee, -s 38, 49, 60
r Teil, -e 90, 144, 190
teil·nehmen, nimmt teil, nahm teil, hat teilgenommen 109, 113, 117
e Teilnehmerliste, -n 206
teilweise 161
Tel. → Telefon 27, 32, 37
s Telefon, -e 8, 9, 26
r Telefonanruf, -e 51
s Telefonbuch, ¨er 28
telefonieren 18, 64, 67
telefonisch 132
e Telefonkarte, -n 29, 33
r Telefonkontakt, -e 162
e Telefonnummer, -n 26, 46, 47
e Telefonpsychologin, -nen 162
e Telefonzelle, -n 55
r Telegraf, -en 179
s Telegramm, -e 68

r Teller, - 49, 54, 82
s Temperament, -e 195
e Temperatur, -en 118, 132, 155
s Tempo 50
s Tennis 18, 27, 34
r Tennisplatz, ⸚e 55
s Tennisspiel, -e 113
r Teppich, -e 35, 54
r Termin, -e 40, 41, 47
e Terrasse, -n 95
teuer 34, 73, 138
r Text, -e 10, 32, 37
Thailand 14
s Theater, - 62, 80, 190
Theaterleute (pl) 190
e Theaterprobe, -n 193
s Theaterstück, -e 81, 188, 192
s Thema, Themen 100, 137, 183
e Theorie, -n 176
s Thermometer, - 152
tief 21, 104
s Tief, -s 132
tiefblau 200
s Tier, -e 30, 31, 74
r Tierarzt, ⸚e 181
tierfreundlich 182
s Tierheim, -e 145
tierisch 140
e Tiermedizin 181
r Tiername, -n 200
r Tiger, - 40
r Tisch, -e 30, 35, 48
e Tischdecke, -n 80
r Tischler, - 24
r Tischnachbar, -n 80, 81
s Tischtennis 45
r Titel, - 190
tja 146
toben 94
e Tochter, ⸚ 12, 18, 26
r Tod, -e 50, 140, 141
e Toilette, -n 55, 63, 133
e Toilettenwand, ⸚e 41
toll 17, 37, 74
e Tomate, -n 22
r Tomatensalat, -e 85
e Tomatensuppe, -n 173
s Tonbandgerät, -e 202
r Topf, ⸚e 28, 32, 33
s Tor, -e 50, 74, 126
s Törtchen, - 160
e Torte, -n 76, 99, 121

total 120
töten 190
r Tourist, -en 9, 10, 13
e Touristin, -nen 9
e Tradition, -en 110, 111
e Trage, -n 50
tragen, trägt, trug, hat getragen 39, 41, 90
r Trainer, - 149
trainieren 20, 149, 150
r Trainingsplan, ⸚e 151
e Träne, -n 40
transportieren 130
r Traubensaft, 84
e Trauer 140
r Traum, ⸚e 63, 66, 67
träumen 11, 14, 63
e Traumstraße, -n 130
traurig 11, 13, 23
treffen, trifft, traf, hat getroffen 100, 120, 121
treiben, treibt, trieb, hat getrieben 130, 131, 135
trennen 162
e Treppe, -n 90
s Treppenhaus, ⸚er 90, 91, 158
treten, tritt, trat, hat getreten 188
r Trick, -s 97
trinken, trinkt, trank, hat getrunken 20, 21, 30
s Trinkgeld, -er 113
trocken 19, 89, 94
trocknen 89, 94
tropfen 97
trotz 123
trotzdem 20, 70, 80
r Tscheche, -n 26
Tschechien 26
e Tschechin, -nen 26
tschechisch 26
tschö 133
tschüs 8, 9, 24
e Tube, -n 78
tun, tut, tat, hat getan 41, 50, 60
Tunesien 26
r Tunesier, - 26
e Tunesierin, -nen 26
tunesisch 26
e Tür, -en 50, 51, 59
r Türke, -n 202
Türkei 203
r Turm, ⸚e 48

turnen 150
s Turnier, -e 118
r Türspalt, -e 90
e Tüte, -n 78, 79, 119
r Typ, -en 63, 103
typisch 129, 150
e U-Bahn, -en 102
üben 34, 35, 43
über 50, 51, 57
überall 90, 100, 120
e Überbevölkerung 140
r Überfall, ⸚e 122
überfallen, überfällt, überfiel, hat überfallen 122
überhaupt 192
überhaupt nicht 115, 137
überhaupt nichts 177
r/e Überlebende, -n (ein Überlebender) 190
überlegen 80, 180
übermorgen 45
übernachten 155
übernehmen, übernimmt, übernahm, hat übernommen 110, 113
überraschen 155, 172, 197
überrascht 92, 150, 177
e Überraschung, -en 115, 121, 155
e Überraschungsparty, -s 175
übersetzen 187
e Übersetzung, -en 187
r Übersetzungscomputer, - 187
überweisen, überweist, überwies, hat überwiesen 162
überzeugt 147
e Überzeugung, -en 150, 152
üblich 100
übrig 182
übrigens 25, 95, 140
e Übung, -en 200
uf Wiederluege 133
s Ufer, - 114, 124
e Uhr, -en 32, 33, 34
e Uhr, -en, zehn Uhr 45, 46, 47
e Uhrzeit, -en 62, 102
um 45, 46, 47
Um wie viel Uhr? 61
um ... zu 89, 90, 91
r Umbau, -ten 182
um·bauen 140
um·drehen 170

um·fallen, fällt um, fiel um, ist umgefallen 90, 120
um·formen 155, 186
e Umfrage, -n 150
umgeben, umgibt, umgab, hat umgeben 130
umgekehrt 90
e Umleitung, -en 122
um·sehen, sieht um, sah um, hat umgesehen 178
umsonst 130
um·steigen, steigt um, stieg um, ist umgestiegen 57
r Umweg, -e 130
e Umwelt 161
umweltfreundlich 182
r Umweltminister, - 183
r Umweltschutz 161
um·werfen, wirft um, warf um, hat umgeworfen 188
um·ziehen, zieht um, zog um, ist umgezogen 198
r Umzug, ⸚e 91
s Umzugsunternehmen, - 147
unbedingt 30, 100, 103
unbequem 100
und 8, 9, 10
unendlich 100
r Unfall, ⸚e 12, 54, 120
e Unfallanzeige, -n 156
s Unfalldatum, -daten 157
r Unfallhergang 156
s Unfallopfer, - 50
r Unfallort, -e 50, 51
e Unfallursache, -n 156
e Unfallversicherung, -en 156
ungeduldig 171
ungefähr 57
ungewöhnlich 84, 106, 117
unglaublich 90
s Unglück, -e 120
unheimlich 63, 84
e Uni, -s 110
e Uniform, -en 50
e Union, -en 183
e Universität, -en 110, 112, 183
s Universum, -versen 100
unmöglich 120
unpraktisch 100
unruhig 90
uns 60, 70, 71
unser 18, 19, 70
unserer 110, 140, 145

r Unsinn 150
unten 90, 91, 94
unter 48, 49, 50
unterbrechen, unterbricht, unterbrach, hat unterbrochen 117
unter·bringen, bringt unter, brachte unter, hat untergebracht 93
unterhalten, unterhält, unterhielt, hat unterhalten 112, 120, 121
e Unterhaltung, -en 30, 31, 187
unternehmen, unternimmt, unternahm, hat unternommen 140, 141
s Unternehmen, - 116
r Unternehmer, - 163
r Unterricht 200, 201
unterrichten 110
unterscheiden, unterscheidet, unterschied, hat unterschieden 112
r Unterschied, -e 187, 192
unter·stellen 147
unterstreichen, unterstreicht, unterstrich, hat unterstrichen 74
unterstrichen 196
untersuchen 50, 152, 156
e Untersuchung, -en 153
unterwegs 153
unwahrscheinlich 140
Urgroßeltern (pl) 172
r Urgroßvater, ⸚ 119
r Urlaub, -e 64, 74, 75
e Urlaubsreise, -n 207
r Urlaubstag, -e 75
e Urlaubsvertretung, -en 110
e Ursache, -n 55
urteilen 100
usw. (= und so weiter) 97
r Valentinstag, -e 68
variieren 25, 45, 65
e Vase, -n 35, 52
r Vater, ⸚ 15, 23, 60
e Vegetationszone, -n 130
Venezuela 117
verabreden 199
verabredet 150
verabschieden 130, 131, 133
verändern 187
e Veranstaltung, -en 190

verantwortlich 197
e Verantwortung 115
s Verb, -en 54, 118, 119
verbessern 110, 178, 182
e Verbform, -en 119
verbieten, verbietet, verbot, hat verboten 158
verbinden, verbindet, verband, hat verbunden 120, 121
e Verbindung, -en 185
verboten 158
verbrauchen 161
r Verbraucher, - 162
s Verbrechen, - 122
r Verbrecher, - 122
verbrennen, verbrennt, verbrannte, hat verbrannt 124
verbringen, verbringt, verbrachte, hat verbracht 123, 130, 137
verbunden 189
r Verdacht, -e 173
verdienen 20, 115, 161
verehrt 170
e Vereinsversicherung, -en 157
s Verfahren, - 161
vergangen 170
e Vergangenheit 11, 14, 179
vergeblich 186
vergessen, vergisst, vergaß, hat vergessen 40, 41, 46
vergleichen, vergleicht, verglich, hat verglichen 98
s Vergnügen 140
vergrößern 110
verhaften 163
s Verhalten 197
s Verhältnis, -se 196
e Verhandlung, -en 162
verheiratet 20, 26, 50
verhindern 100
verirren (sich) 125
verkaufen 32, 66, 110
r Verkäufer, - 14, 49
e Verkäuferin, -nen 9
e Verkaufszahl, -en 109
verkauft 33
r Verkehr 50, 51, 91
s Verkehrsmittel, - 130
s Verkehrsproblem, -e 130
verlangen 162
verlängern 140

verlassen, verlässt, verließ, hat verlassen 112, 140, 141
verlaufen (sich), verläuft, verlief, hat verlaufen 110
r Verleger, - 110
verleihen, verleiht, verlieh, hat verliehen 143
verletzen 188
verletzt 63
e Verletzung, -en 126, 152, 153
verlieben 110, 111, 117
verliebt 10
verlieren, verliert, verlor, hat verloren 144, 146, 147
verloren gehen 160
r Verlust, -e 146
vermieten 147
r Vermieter, - 92
vermischen 86
vermissen 146
vermitteln 160
r Vermittlungsservice, -s 161
vermuten 163
vermutlich 185
vernünftig 150, 152, 153
veröffentlichen 178
verraten, verrät, verriet, hat verraten 125
verreisen, ist verreist 77
verrückt 100, 101, 144
e Versammlung, -en 197
verschieden 112, 161
Verschiedenes 97
verschlafen, verschläft, verschlief, hat verschlafen 193
verschlechtern (sich) 182
verschreiben, verschreibt, verschrieb, hat verschrieben 153
verschwinden, verschwindet, verschwand, ist verschwunden 120, 124, 170
s Versehen 175
versichert 157
r/e Versicherte, -n (ein Versicherter) 156
e Versicherung, -en 156
e Versicherungsgesellschaft, -en 157
r Versicherungsnehmer, - 157
e Versicherungsnummer, -n 156
r Versicherungsschein, -e 157

verspäten (sich) 199
versprechen, verspricht, versprach, hat versprochen 80, 147, 182
s Versprechen, - 190
r Versprecher, - 201
verstanden 66, 115, 150
verständlich 176
s Verständnis 100
verstärken 140
s Versteck, -e 90
verstecken 71
verstehen, versteht, verstand, hat verstanden 27, 100, 101
r Versuch, -e 163
versuchen 88, 90, 92
verteilen 197
r Vertrag, ⸚e 162, 165
vertragen, verträgt, vertrug, hat vertragen 82
r Vertreter, - 182
verurteilen 197
r/e Verwandte, -n (ein Verwandter) 181
verwechseln 202
verwenden 17, 45, 57
verwundert 170
verzeihen, verzeiht, verzieh, hat verziehen 70
e Verzeihung 8, 9
verzichten 163
verzweifelt 176
r Videokurs, -e 205
r Viehimport, -e 183
viel 30, 60, 73
viel Erfolg 75
viel Glück 73, 75
viel mehr 82
viel Spaß 75
viel zu wenig 115
viele 17, 34, 37
vielen Dank 37
vielleicht 20, 24, 60
vielmals 199
vierte 55
s Viertel, - 120, 190
Viertel (nach vier) 60
s Vierteljahr, -e 150
e Viertelstunde, -n 165
r Viktualienmarkt 129
r Violinist, -en 170
vital 140
s Vitamin, -e 40
r Vogel, ⸚ 63, 90, 107

werden, wird, wurde, ist geworden / ist worden 80, 89, 160

werfen, wirft, warf, hat geworfen 49, 58, 143

s Werk, -e 163, 190

e Werkstatt, ¨en 143

s Werkzeug, -e 160

r Werkzeugkasten, ¨ 120

e Werkzeugmaschinenfabrik, -en 116

r Wert, -e 183

wertvoll 160

Westdeutschland 132

r Westen 132

Westfalen 130

wetten 147

s Wetter 17, 123, 132

r Wetterbericht, -e 132

wetzen 184

wichtig 30, 31, 50

wie 8, 9, 10

wie alt 80

wie bitte 19, 65

wie geht's 12, 25

wie lange 61, 154

wie spät 62

wie viel 22, 45, 61

wie viele 61, 95

wieder 42, 45, 46

wieder erkennen 122

wieder·haben 143

wiederholen 92, 164, 190

wieder·kommen, kommt wieder, kam wieder, ist wiedergekommen 83, 127

wieder sehen, sieht wieder, sah wieder, hat wieder gesehen 144

wiegen, wiegt, wog, hat gewogen 22, 27, 64

r Wiener, - 130, 170, 171

e Wiese, -n 64, 66, 99

e Wiesenblume, -n 198

wieso 145, 170

wild 130, 131

r Wilde Westen 130

s Wildpferd, -e 130

willkommen 8

r Wind, -e 132

windig 132

e Windstärke 132

winken 10, 80, 94

r Winter, - 25

r Winterurlaub, -e 143

winzig 130

wir 18, 19, 21

wirken 190

wirklich 65, 75, 83

e Wirklichkeit, -en 140

e Wirkung, -en 183

e Wirtschaft, -en 110

r Wirtschaftsraum, ¨e 137

wissen, weiß, wusste, hat gewusst 43, 46, 64

r Witz, -e 103, 145, 169

wo 10, 11, 12

woanders 190

e Woche, -n 70, 77, 95

s Wochenende, -n 47, 60, 75

r Wochentag, -e 192

woher 18, 19

wohin 49, 51, 53

wohl 19, 80, 130

s Wohl 199

wohl fühlen (sich) 115, 119, 150

wohnen 10, 11, 20

r Wohnort, -e 21

e Wohnung, -en 30, 31, 32

e Wohnungsaufgabe 32

e Wohnungstür, -en 90

s Wohnzimmer, - 65, 70, 71

r Wolf, ¨e 94

r Wolfshund, -e 172

e Wolke, -n 132

wollen, will, wollte, hat gewollt / hat wollen 38, 39, 40

woran 180

worauf 113, 154

worden → werden 160, 161, 163

s Wort, ¨er 14, 24, 34

s Wort, -e 176

s Wörterbuch, ¨er 36

worüber 113

wovor 113

wozu 89

e Wunde, -n 63

s Wunder, - 150

wunderbar 17, 37, 71

wundern (sich) 161, 196

e Wunderpille, -n 140

wunderschön 71

wundervoll 70, 150, 176

r Wunsch, ¨e 76, 110, 111

wünschen 75, 76, 77

r Wunschzettel, - 70

würde → werden 85, 138, 140

r Würfel, - 86

r Wurm, ¨er 48

e Wurst, ¨e 53, 82, 99

s Wurstbrot, -e 85

s Würstchen, - 78, 84

würzen 86, 92

e Wüste, -n 67

r Wutanfall, ¨e 100

e Zahl, -en 14, 15, 22

zahlen 40, 41, 160

zahlreich 160

r Zahn, ¨e 40, 41

r Zahnarzt, ¨e 110, 111, 170

e Zahnarztpraxis, -praxen 72

Zahnschmerzen (pl) 110, 170, 171

e Zange, -n 89, 120

zärtlich 200

r Zaun, ¨e 60, 61

s Zeichen, - 206

zeichnen 20, 21, 24

e Zeichnung, -en 20, 21, 24

zeigen 50, 121, 125

e Zeit, -en 30, 43, 45

e Zeitangabe, -n 111

r Zeitpunkt, -e 178

e Zeitschaltung, -en 125

e Zeitschrift, -en 178

e Zeitung, -en 80, 89, 90

r Zeitungsreporter, - 119

r Zeitungstext, -e 119

e Zelle, -n 140

s Zelt, -e 19, 24, 49

r Zentimeter, - 92

r Zentner, - 174

zentral 187

e Zentralbank, -en 163

e Zentrale, -n 50

s Zentrum, Zentren 57, 110

zerbrechen, zerbricht, zerbrach, hat / ist zerbrochen 40, 41

zerbrochen 189

zerreißen, zerreißt, zerriss, hat zerrissen 169

zerschneiden, zerschneidet, zerschnitt, hat zerschnitten 188

zerstört 160

s Zertifikat, -e 205

e Zertifikatsprüfung, -en 205

r Zettel, - 47

s Zeug 113

r Zeuge, -n 123, 125

s Zeugnis, -se 169

e Ziege, -n 174

ziehen, zieht, zog, hat gezogen 120, 121, 124

s Ziel, -e 110

ziemlich 73, 102, 132

e Zigarette, -n 40

e Zigarre, -n 163

s Zimmer, - 30, 32, 54

e Zimmerdecke, -n 100

Zinsen (pl) 163

r Zischlaut, -e 24

e Zitrone, -n 79, 84

s Zitroneneis 84

zittern 90

r Zivildienst 110

e Zivildienststelle, -n 110

r Zoo, -s 30, 129

r Zopf, ¨e 100

zu 30, 46, 50

zu Ende 50, 57, 80

zu Ende gehen 125

zu Hause 30, 37, 46

zu spät 50

zu viele 110

zu wenig 160

zu zweit 77

r Zucker 79, 150

zu·drehen 96

zuerst 82, 97, 103

r Zufall, ¨e 179

zufällig 137, 199

zufrieden 20, 24, 100

r Zug, ¨e 10, 24, 57

zu·gehen, geht zu, ging zu, ist zugegangen 120

r Zugfahrplan, ¨e 109

e Zugspitze 128

s Zuhause 30

zu·hören 46, 54, 56

e Zukunft 11, 24, 100

r Zukunftsplan, ¨e 112

zuliebe 161

zum → zu 30, 50, 51

zum Beispiel 186

zum ersten Mal 152

zum Glück 102

zum Schluss 86

zum Wohl 83

zum zweiten Mal 152

zu·machen 42, 47, 65

zunächst 110, 117, 146

Seite 23 Mitte: M. Schindlbeck, Antenne Bayern © Werner Bönzli, Reichertshausen

Seite 30: Segelboot © Bavaria Yachtbau GmbH, Giebelstadt

Seite 53: VPI Verkehrsunfallaufnahme München (Auto am Baum); Gerhard Neumeier, Hallbergmoos (Reiter)

Seite 60: Wolfgang Korall, Berlin

Seite 63: Hartmut Aufderstraße

Seite 73: Katharina Biehler, Saarbrücken (Silvesterfeier)

Seite 86: Bauernfrühstück: Ketchum PR, München

Seite 92: Ferdinand Joesten, Ostrach

Seite 96: Mit freundlicher Genehmigung der Familie Wendtner in Loibichl

Seite 128: 1: Schwarzwald Tourismusverband, Freiburg (H.-W. Karger); 2: Bayerische Zugspitzbahn, Bergbahn AG, Garmisch-Partenkirchen; 3: Hartmut Aufderstraße; 4: Schloß Neuschwanstein © Bayerische Verwaltung der staatlichen Schlösser, Gärten und Seen, München; 5: Wien-Tourismus (Peter Koller); 6: Tourismus + Congress, Frankfurt (Keute); 8: Österreich-Werbung, Wien (Mallaun)

Seite 129: b): Thomas Hettland, Dresden; c): Deutsche Bahn AG/Mann; f): © by el paradiso (Bergrestaurant) St. Moritz/H-J. Zingg; h): Österreich-Werbung (Niederstrasser); i): Verkehrsverein Heidelberg; j): Kunstmuseum Düsseldorf im Ehrenhof; l): Ernst Luthmann, Ismaning

Seite 131: 1: Sandro Hügli, Meiringen; 2: Österreich-Werbung (Herzberger); 3: Gitta Gesing, Marl; 4 und 7: Nordseeheilbad Cuxhaven; 5: Medienzentrum Wuppertal; 6: Glocknergemeinde Heiligenblut; 8 und 9: (Schmale, Farkaschovsky) Juniors Bildarchiv, Ruhpolding

Seite 132: Gabi Schwarzmayer, Ismaning

Seite 136: Technologiezentrum Konstanz; Hotel am Bodensee + Zitronenbaum © Thomas Bichler, Radolfzell; Appenzeller Schaukäserei, Stein; OLMA Messen St. Gallen

Seite 142: 3: Gerd Pfeiffer, München; 6: Anahid Bönzli, Tübingen

Seite 143: Werner Bönzli, Reichertshausen

Seite 153: Pressefoto Rauchensteiner, München

Seite 162: J. Marischka, Antenne Bayern © Werner Bönzli, Reichertshausen

Seite 163: IG Metall, Verwaltungsstelle Hannover

Seite 170: G. Hellmesberger: © Gerhard Trumler, Wien; alle anderen: AKG Berlin

Seite 171/180/181: AKG Berlin

Seite 182: Konrad-Adenauer-Stiftung Bonn (ACDP-Bilderdienst)

Seite 183: © NDR/ARD aktuell/Uwe Ernst

Seite 191: 1. Ausstellungs- und Messe GmbH des Börsenvereins des Deutschen Buchhandels, Frankfurt (Nurettin Cicek); 2. Bayreuther Festspiele GmbH (Jörg Schulze); 3. Österreich-Werbung, Wien (Markowitsch); 4. Tourismus Oberammergau; 5. Wien-Tourismus (Maxum); 6. Stadt Kassel, documenta Archiv

Seite 196/197: Hartmut Aufderstraße

Heribert Mühldorfer: Seite 12, 13, 20 (links unten), 26, 27 rechts, 30, 32, 33, 41, 42 (oben), 43 (2xoben), 50, 52 (oben), 53, 63 (oben), 82 (1+3 + unten), 83, 93, 102, 103 (oben), 110, 112, 113, 122, 123, 129 (a, e, i, k), 132 (oben), 133, 140, 142 (1, 2, 5, 8, 9), 143 (unten), 152, 153 (oben), 160, 161, 162 (oben), 172, 173, 183 (unten), 192, 193, 201, 201, 203, 207.

Roland Koch: Seite 13 (oben), 20, 22, 23, 27, 30 (Mitte oben), 42, 43 (2 x unten), 52, 62, 72, 73, 82 (2+4), 92 (oben), 102 (oben), 103, 122 (unten), 129 (d, g), 133 (Mitte), 142 (4, 7), 173 (oben), 192 (unten).

Karikaturen von Ralf Meyer-Ohlenhof: Seite 80, 100, 120, 150, 169.

Das Krokodil auf Seite 30 wurde uns freundlicherweise vom Institut für Zoologie in München zur Verfügung gestellt.

Das Foto „Fernsehdiskussion" auf Seite 112 wurde mit freundlicher Genehmigung in einem Studio von Pro7 in Unterföhring fotografiert. Ferner möchten wir uns bei den Mitwirkenden herzlich bedanken.

Quellenverzeichnis

Quellenverzeichnis

zweihundertfünfundfünfzig **255**

CDS – SPRECHEN

CD 1 – Lektionen 1–8

Track	Lektion	Übung	
2	**Lektion 1**	Übung 10	
3		Übung 11	Teil a
4			Teil b
5			Teil c
6		Übung 12	
7		Übung 13	Teil a
8			Teil b
9			Teil c
10		Übung 14	Teil a
11			Teil b
12		Übung 15	Gespräch a
13			Gespräch b
14	**Lektion 2**	Übung 14	Teil a
15			Teil b
16		Übung 15	Teil a
17			Teil b
18		Übung 16	Gespräch a
19			Gespräch b
20	**Lektion 3**	Übung 10	
21		Übung 11	
22		Übung 12	
23		Übung 13	
24		Übung 14	
25		Übung 15	
26		Übung 16	
27		Übung 17	
28	**Lektion 4**	Übung 12	
29		Übung 13	
30		Übung 14	
31		Übung 15	Gespräch a
32			Gespräch b
33	**Lektion 5**	Übung 12	
34		Übung 13	
35		Übung 14	
36	**Lektion 6**	Übung 9	
37		Übung 10	Teil a
38			Teil b
39		Übung 11	Text a
40			Text b
41			Text c
42			Text d
43			Text e
44		Übung 12	Gespräch 1
45			Gespräch 2
46	**Lektion 7**	Übung 7	
47		Übung 8	
48		Übung 9	
49		Übung 10	
50		Gespräch	
51	**Lektion 8**	Übung 9	
52		Übung 10	
53		Übung 11	
54		Übung 12	
55		Übung 13	Gespräch 1
56			Gespräch 2
57			Gespräch 3

CD 2 – Lektionen 9–20

Track	Lektion	Übung	
2	**Lektion 9**	Übung 9	Text 1
3			Text 2
4		Übung 10	Teil a
5			Teil b
6			Teil c
7		Übung 11	
8		Gespräch	
9	**Lektion 10**	Übung 12	
10		Übung 13	
11		Übung 14	
12		Gespräch	
13	**Lektion 11**	Übung 9	
14		Übung 10	
15		Übung 11	
16		Übung 12	
17		Gespräch	
18	**Lektion 12**	Übung 10	
19		Übung 11	
20		Gespräch	
21	**Lektion 13**	Übung 8	
22		Übung 9	
23		Gespräch	
24	**Lektion 14**	Übung 10	
25		Übung 11	
26		Übung 12	
27		Gespräch	
28	**Lektion 15**	Übung 10	
29		Übung 11	
30		Übung 12	
31		Übung 13	
32		Gespräch	
33	**Lektion 16**	Übung 7	
34		Übung 8	Teil a
35			Teil b
36		Übung 9	
37		Gespräch	
38	**Lektion 17**	Übung 11	
39		Übung 12	
40		Übung 13	
41		Gespräch	
42	**Lektion 18**	Übung 8	
43		Übung 9	
44		Übung 10	
45		Übung 11	
46		Übung 12	
47		Übung 13	
48		Gespräch	
49	**Lektion 19**	Übung 12	
50		Übung 13	
51		Übung 14	
52		Gespräch	
53	**Lektion 20**	Übung 9	Teil a
54			Teil b
55		Übung 10	
56		Übung 11	